Judy Finnigan

Die Wahrheit über Eloise

Roman

Aus dem Englischen von
Dirk Risch

Weltbild

Die englische Originalausgabe erschien 2012
unter dem Titel *Eloise* bei Sphere, Great Britain.

Besuchen Sie uns im Internet:
www.weltbild.de

Übersetzung: Dirk Risch, Berlin
Projektleitung & Redaktion: usb bücherbüro, Friedberg/Bay
Umschlaggestaltung: *zeichenpool, München
Umschlagmotiv: www.shutterstock.com
Satz: Catherine Avak, Iphofen
Druck und Bindung: GGP Media GmbH, Pößneck
Printed in the EU
ISBN 978-3-86365-788-8

2017 2016 2015 2014
Die letzte Jahreszahl gibt die aktuelle Ausgabe an.

Für Richard,
mit all meiner Liebe und Dankbarkeit für seine Geduld,
seine Unterstützung und seinen unerschöpflichen Enthusiasmus,
als ich dachte, ich würde dieses Buch niemals beenden.
Ich liebe dich.

Prolog

Gestern habe ich sie fast gesehen. Ich stand gerade auf dem Sonnendeck, schaute auf das Meer hinaus, in der unerwarteten Wärme der Februarsonne schwelgend.

Ein Schmetterling flatterte um einen nahe stehenden Sommerflieder herum, und plötzlich roch ich ihr Parfum – wohlriechend, flüchtig, trügerisch. Der gleiche Duft, von dem der kleine, pinkfarbene Seidenbeutel in meiner Nachttischschublade durchdrungen ist. Ich berührte die Perlen meiner Kette, vielleicht hing der Duft ja noch an ihnen. Sie hatten ihr gehört, ihre Mutter hatte sie mir gegeben, und ich bewahrte sie in dem Beutel auf.

Dann eine entfernte, zitternde Bewegung. Sie hatten ein altes Ruderboot in ihren Garten gestellt, den Bug senkrecht gen Himmel, geschützt in einer Mauernische, um es als Sitzplatz im Sommer zu nutzen. Flüchtig dahinterblickend sah ich einen Schimmer, eine durchsichtige Verschiebung neben dem Lavendel. Es war, als ob ihre Kleider – immer zart – vom Wind dahingetrieben würden: ein flüchtiger Eindruck von Rot, ein wirbelnder Rock, ein prächtiger, bunter Seidenschal. So angezogen hatte ich sie oft gesehen.

Sie war natürlich nicht da. Wie könnte sie auch, schließlich hatte ich sie gerade einmal zwei Wochen vorher in ihrem Sarg liegen sehen, am Tag, bevor sie beerdigt wurde, der Sarg umstellt mit den Duftkerzen, die sie so liebte. Sie liegt jetzt in Cornwalls Erde.

Es gab keine Möglichkeit für sie, zurückzukommen.

1

Der Meeresnebel spielt einem seltsame Streiche in Cornwall. Zu der Zeit, als wir nach Talland Bay zurückkamen, war es unmöglich, mehr als ein paar Meter geradeaus zu sehen. Das Meer lag unsichtbar am rauchgrauen Horizont, und die Bäume türmten sich auf und krochen über die steilen und schlüpfrigen Stufen hinunter zu unserem Cottage. Drinnen machten wir das Licht an, und Chris holte Holzscheite aus dem kleinen, mit Schiefer gedeckten Lagerhaus, das am Seitenweg stand. Als das Feuer loderte, saß ich auf dem Teppich und starrte hinein. Ich versuchte, Trost in der Erinnerung an die Spiele zu finden, die wir mit den Kindern zur Schlafenszeit gespielt hatten, als sie noch klein waren. Mit ihnen in ihrem Pyjama in meinen Schoß gekuschelt, woben wir Geschichten, die wir in den glühenden Kohlennestern sahen: juwelenbesetzte Höhlen, die heftig rot glühten, unheimliche schwarze, versteinerte Wälder, Hexenhäuser und Prinzessinnenschlösser, die alle ihren geheimnisvollen Zauber ausstrahlten, und wir schauten verzückt zu.

Aber heute, als Chris noch mehr Holzscheite für den Korb reinbrachte, sah ich nur dunkle Gräber, die Glut des Todes, Särge, die vom Feuer verzehrt werden.

Chris beobachtete mich. Ich konnte seine wachsende Ungeduld spüren, aber ich ignorierte ihn. Er schenkte uns zwei Gläser Rotwein ein, gab mir eins und setzte sich mit einem lauten Seufzer auf das Sofa hinter mich.

»Komm schon, Cathy. Hör auf, dir das anzutun. Wenn du

nicht aufpasst, wirst du wieder ernsthaft depressiv. Wenn ich gewusst hätte, dass du dich so aufregst, wäre ich nicht so schnell nach Eloise' Begräbnis hergekommen, und sicher hätte ich dich nicht zu ihrem Haus gehen lassen.«

»Mich gelassen?«, fragte ich und versuchte, meine Stimme unbeschwert klingen zu lassen.

»Du weißt, was ich sagen will, Ich denke dabei nur an dich«, sagte er mit einstudierter Geduld.

»Ja, gut. Nicht, Chris. Ich glaube dir sowieso nicht. Wenn du *wirklich* besorgt wärst, würdest du aufhören zu versuchen, mich zu maßregeln. Du solltest mich lieber fragen, warum ich so mitgenommen bin, statt mir Vorträge zu halten.«

»Cathy, ich *weiß,* warum du so durcheinander bist. Eloise ist gestorben. Aber das haben wir seit Jahren erwartet. Wir sind alle traurig, weil – ja, es ist schrecklich, und sie war so jung; aber es gibt nichts, was du – nichts, was *irgendeiner* von uns – tun kann. Lass los, Liebling. Du weißt, du bist nicht stark genug dafür.«

»Da spricht der Facharzt für Psychiatrie«, sagte ich bitter. »Könntest du wohl aufhören, deinen Beruf an mir auszuüben?«

»Du bist erschöpft und überdreht, Cathy …«

»Da kannst du drauf wetten! Die Freundin stirbt, ich reg mich auf – das macht mich wirklich zu einem hoffnungslosen Fall, nicht wahr? Na, mach nur weiter, Doktor Freud. Einmal bekloppt, immer bekloppt, jedenfalls in deinen Augen«, schimpfte ich, während ich aufstand. »Ich geh ins Bett.«

Er stand auf, hielt mich an den Armen fest und schaute mich konzentriert an.

»Cathy, nicht. Erzähl mir, was dich *wirklich* so traurig macht.«

»Ich habe Angst, Chris, darum bin ich traurig – todtraurig. Sie ist tot – Ellie ist tot, und sie war in meinem Alter. Und ich dachte, sie würde es schaffen.«

Er schüttelte mich leicht. »Nein, hast du nicht. Keiner von uns hat das gedacht. Wir haben jahrelang Lasst-uns-so-tun-als-ob gespielt, um sie nicht zu beunruhigen. Aber es gibt keinen Grund, Angst zu haben, Liebling. Es ist kein Omen, dass du sterben musst. Solche schrecklichen Dinge … passieren eben.«

Tief unter meinem Kummer und meinem Zorn wusste ich, dass er recht hatte, aber nur, weil er ruhig und vernünftig war, hieß das nicht, dass alles in Ordnung war. Das war es nämlich nicht. Ich hatte Angst, aber nicht einfach nur vorm Sterben. Da war etwas anderes. Etwas sehr Falsches. Etwas, was an meinen Eingeweiden nagte wie eine rastlose Ratte, nur wusste ich nicht, was es war, konnte es nicht in Worte fassen, und würde ich sagen, es sei ein »Gefühl«, würde das einfach nur Chris' Ängste bestätigen, dass meine Depressionen zurückkamen.

Eloise war fünf Jahre lang krank gewesen, ihr Krebs wurde sechs Monate nach der Geburt ihrer Zwillingstöchter diagnostiziert. Was sie zuversichtlich für einen Milchklumpen hielt, war ein aggressiver Tumor. Anfangs bekam sie eine konventionelle Behandlung: Operation, Chemotherapie. Aber die Masse in ihrer amputierten linken Brust ließ sich nicht besiegen. Sie tauchte in ihrer rechten Brust wieder auf, und Eloise floh in ein Märchen, eine Geschichte, die sie als Verteidigung gegen die Ärzte wob, deren ernste Gesichter sie jedes Mal in Schrecken versetzte, wenn sie ihre Krankenhaustermine einhielt.

Es funktionierte nicht. Also hörte sie auf, zu den Nachuntersuchungen zu gehen. Stattdessen las sie Dutzende von Selbsthilfebüchern, die ihr sagten, die Krankheit sei in ihrem eigenen Zorn verwurzelt und dass sie gesunden werde, wenn sie die Wut aus ihrer Vergangenheit aus ihrem Geist exorzieren würde. Sie ging zu Geistheilern, besuchte Kurbäder auf dem Kontinent, wo das Wasser und die Anwendungen Wunder versprachen. Sie schuf ihren eigenen Zufluchtsort der Verleugnung, glaubte, sie könnte sich selbst mit Kaffee-Einläufen und grünem Tee heilen. Und wir anderen – ihr Ehemann, ihre Mutter, ihre engsten Freunde –, wir anderen, zu unserer Schande, ließen sie in diesem Glauben. Verkrüppelt von Mitleid, voller Angst, ihr fragiles Gefühl der Hoffnung zu unterminieren, schwiegen wir über ihre zunehmend absurden Gewohnheiten, ihre Vermeidung von Computertomografien, Ärzten, Krankenhäusern. Wir gestatteten uns zu denken, sie bei guter Laune zu halten wäre wichtiger, als auf einer ordentlichen Behandlung zu bestehen.

Und fünf Jahre lang schien sie unbesiegbar. Immer noch schön, immer noch lebenssprühend und voller Energie, überzeugte sie sich selbst davon – verdammt, sie überzeugte uns fast davon –, dass sie den Krebs besiegen würde, dass sie leben würde.

Aber natürlich lag sie falsch.

2

Ich ging nach oben ins Bett und überließ es Chris, abzuschließen und sich zu vergewissern, dass das Feuer aus war, aber bevor ich einschlief, zog ich meine Nachttischschublade auf, und augenblicklich zog ihr Duft sanft durch das Zimmer. Ich öffnete den kleinen Seidenbeutel, getränkt mit dem Parfum, das Ellie geliebt hatte, und zog behutsam das Perlenarmband heraus, das ihre Mutter mir zusammen mit der dazugehörigen Kette gegeben hatte. Ohne auf Chris zu warten, der, dachte ich säuerlich, mir einen Vortrag über allerlei Morbiditäten halten würde, trieb ich hinüber in den Schlaf, mit Eloise' emaillierten Runen fest umklammert in meiner Hand.

Ich wünschte, ich wäre nicht eingeschlafen. Weil ich in die nebelverhangene Landschaft glitt, von der ich nur zu gut wusste, dass sie mich verfolgen würde. Sie hatte mich schon zu lange in ihrem Bann gehalten. Wann immer sich mein Geist verdüsterte, meine Gedanken schwärzer wurden, wusste ich, dass ich mich ganz fest an meinen Verstand klammern musste. Böse Träume, Albträume, die in ihrem Schrecken aus einer Gruft stammen konnten, waren oft das erste Zeichen für die Rückkehr meiner Depressionen.

In meinem verschwommenen Traum stand ich an einem Meeresufer. Ich war sehr klein und weit entfernt und schaute hinaus aufs Meer; die Nacht war dunkel und sternenlos, aber da war ein schwacher Mond und, wie ich beobachtete, eine schemenhafte

Form schob langsam und würdevoll eine Bahre mit Rädern durch den Sand. Jenseits dieser Gestalt, eingehüllt in eine lange Robe mit Kapuze, lag ein ruhiges Meer, umrandet von silbrigem Mondschein, und ich sah, dass auf der Bahre ein Sarg lag.

Der Sarg war offen, ausgekleidet mit weißer Seide, und der Körper darin war der meines Vaters. Sein ausgemergeltes, vom Krebs verwüstetes Profil war plötzlich von einem fahlen, tödlichen Schimmer umgeben, als die Wolken und der Nebel aufklarten. Und dann brach zu meiner Linken Feuer aus zahllosen Kaminen aus, die ich bis jetzt nicht gesehen hatte.

Ich wusste – weil ich diesen Traum das erste Mal vor zwanzig Jahren gehabt hatte, als mein Vater starb –, dass dies Gebeinhäuser waren, Dutzende, die die steinige Küstenseite beschmutzten. Damals im Mittelalter wurden diese Plätze als Aufbewahrungsorte für Leichen und Gebeine benutzt; aber in meinem Albtraum loderten sie mit brennendem Horror, Infernos, die eine Überfahrt in die Hölle versprachen.

Ich wusste auch, obwohl der Leichnam meines Vaters sich unaufhaltsam in Richtung der Öfen fortbewegte, dass seine letztendliche Bestimmung nicht in diesen Flammen lag, sondern in der schwarzen Stille des Meeres. Mein Vater war auf dem Weg woanders hin, geschoben von dem Seemann mit Kapuze, dem Wächter der Unterwelt, der ihn hinüberbringen würde ins Land der Toten.

Ich wachte auf, mit rasendem Herzen und pochendem Schädel. Ich erinnerte mich an den Tod meines Vaters, seine Feuerbestattung, wie ich noch Monate danach von seiner langsamen, würdevollen Fahrt über den Sand träumen würde; wie ich manchmal träumte, dass ich in meinem Elternhaus nach unten ging, um meinen Vater grotesk verkrümmt im Kamin vorzufinden, halb lebendig, halb tot. Ich würde aufwachen, zitternd und nach meiner Mutter rufend, bis Chris seine Arme um mich legte, mich festhielt und zum Schweigen brachte, bis ich mich beruhigt hatte, und ich würde an seiner Schulter schluchzen, während er mich behutsam besänftigte.

Lieber, starker Chris. Natürlich war er besorgt über meine Reaktion auf den Tod von Eloise. Er hatte gesehen, wie ich aus Panik hyperventilierte, gelähmt vom nahen Wahnsinn. Verdammt noch mal, dachte ich, ich will diesen Horror nicht schon wieder. Chris hatte recht; ich musste alle negativen Gefühle vermeiden, die mich in der Vergangenheit in diese schwere Depression gestürzt hatten. Wir würden morgen zurück nach London fahren, beschloss ich, obwohl wir eigentlich geplant hatten, Eloise' Ehemann Ted und ihre kleinen Mädchen zu treffen – ich würde ihn wohl jetzt Witwer nennen müssen, vermutete ich. Wir waren an diesem Nachmittag zu ihrem Haus gegangen – Eloise' Haus –, weil ich mich stark genug fühlte, mit dem umzugehen, von dem ich wusste, dass es ein emotional sehr aufgeladenes Zusammentreffen sein würde, aber sie waren nicht da. Jetzt fühlte ich mich schuldig für den Gedanken, ich könnte ihnen nicht gegenübertreten, aber ich wusste, ich musste weg aus dem Cornwall, das ich liebte, das Cornwall, das von klaren grünen Morgen funkelte, egal zu welcher Jahreszeit, so wie es heute gefunkelt hatte. Da gab es schon am zweiten Weihnachtstag Schmetterlinge auf dem Klippenpfad, und die Narzissen auf unserer Wiese kamen im November heraus und blieben golden und voller Hoffnung, egal wie streng der Winter war. Das Meer glänzte blau in der Sonne, und an regnerischen Tagen war seine düstere, zinnerne Schwermut erregend aufgehellt durch die herabstürzende weiße Gischt, die mein Herz zum Singen brachte und meinen Kopf klar machte von allem, außer der blendenden Schönheit dieses wundersamen Ortes.

Cornwall erfüllte mich mit Frieden und Glück. Es war seit über zwanzig Jahren mein Rückzugsort, mein Heiligtum, und wir hatten diese Pause lange vor Ellies Tod geplant, hatten uns gefreut auf unsere Zeit hier, während die Jungs an ihren Universitäten und unsere Tochter im Skiurlaub mit ihrer Schule waren. Aber jetzt hier, wo Eloise gestorben war, war ich wieder besessen von Tod und Finsternis. Am schlimmsten war aber, dass ich Eloise irgendwie fühlen konnte, wie sie an mir zog, wie sie mich mit dunklen Gedanken erfüllte, mit Angst und Vorahnungen.

Chris schlief ruhig neben mir, und ich schlang meine Arme um seinen warmen, festen Körper. Ich würde mich für meine Gereiztheit entschuldigen, wenn er aufwachte, ihm sagen, dass wir nach Hause fahren würden.

Am Morgen akzeptierte Chris erfreut meine Entschuldigung; er fühlte deutlich, dass das auf eine Belebung meiner Lebensgeister hinwies. So sehr, dass er mich nach dem Frühstück fragte, ob ich immer noch nach London zurück wollte, während er sehnsüchtig aus dem Fenster auf den prächtigen blauen Himmel blickte. Es regnete zu Hause, hatte der Wetterbericht angesagt, meine nächtlichen Schrecken waren fast weg, und es war ein wunderschöner Tag.

»Wir könnten an den Strand bei Polkerris gehen«, sagte er. »Es wäre eine Schande, einen Tag wie diesen zu verschwenden und zurück in den strömenden Regen zu fahren.«

Da hatte er recht, und außerdem konnte ich etwas Sonne und Seeluft gebrauchen, um die letzten nächtlichen Schrecken zu verjagen. Ich schaute Chris an und nickte. Er grinste und gab mir einen Kuss auf meinen Kopf. Draußen im Garten half der herrliche salzige Geruch des Meeres, mich aufzuheitern, und ich fragte mich, ob das Talland Beach Café wohl geöffnet war. Die Saison fing nie richtig vor Ostern an, aber manchmal öffnete das junge Ehepaar, das es betrieb, schon früher, wenn das Wetter am Wochenende außergewöhnlich gut war. Wir würden am Nachmittag auf eine Tasse Tee hinunterspazieren, dachte ich. Und vorher würden wir in Polkerris oder Fowey zu Mittag essen.

Wir erreichten Bodinnick in zwanzig Minuten und warteten

auf die Fähre. Es waren nur zwei andere Wagen in der Schlange, aber im Sommer war die Fahrspur oft überfüllt mit Familien, die darauf warteten, nach Fowey überzusetzen. Ich störte mich nie an der Warterei, weil ich mir das bemerkenswerte Haus am Ufer anschauen und über Daphne du Maurier tagträumen konnte. Weiß angestrichen, die Fenster und Türrahmen in einem lebhaften Indigoblau abgesetzt – das war Ferryside, Daphnes geliebtes erstes Zuhause in Cornwall. Eloise und ich hatten beide eine Leidenschaft für du Maurier. Jedes Jahr gingen wir zusammen zum Literaturfestival, das in Fowey zu Ehren von Cornwalls bedeutendster Romanautorin abgehalten wurde. Dieses Jahr würde ich allein hingehen müssen, wurde mir traurig klar.

Die Überfahrt dauerte fünf Minuten. Wir fuhren von der Fähre, bogen nach rechts ab am Parkplatz vorbei, und statt die linke Abzweigung nach Fowey zu nehmen, fuhren wir geradeaus, bis ein Straßenschild den Strand von Polkerris und Menabilly anzeigte.

Ah … Menabilly. Der Heilige Gral eines jeden, der versucht, das außerordentliche Talent und die Vision Daphne du Mauriers zu verstehen und ihr nachzueifern. Die von uns, die süchtig auf ihre in Cornwall spielenden Geschichten sind, wissen von ihrer Besessenheit von Menabilly, dem Haus, in dem sie ihren allerschönsten Roman geschrieben hat, *Rebecca,* der uns immer noch bezaubert und anzieht. Ellie und ich wanderten manchmal die Straße hinunter und versuchten, einen flüchtigen Blick auf das alte Farmhaus zu erhaschen; aber es ist so einsam und abgeschieden, dass man unmöglich durch das undurchdringliche Dickicht der Bäume sehen kann, die den Besitz umgeben.

Als wir Polkerris erreichten, hatten wir die Wahl, im The Raleigh Inn zu essen, einem sehr angenehmen Pub mit herrlichem Blick aufs Meer, oder bei Sam's on the Beach, einem wirklich großartigen kleinen Bistro mit einer guten Fischkarte.

Heute entschieden wir uns für Sam's, eine umgebaute Seenotrettungsstation aus dem 19. Jahrhundert, vollkommen schlicht, alles aus Holz und Glas, direkt am herrlichen Strand gelegen, der im Februar hauptsächlich von Hunden und kleinen Kindern bevölkert wurde, die einen großartigen sonnigen Samstag mit ihren Eltern genossen.

Wir bestellten Garnelen und Jakobsmuscheln und beobachteten die Kleinen draußen am Strand, staunten über ihre schlichte Freude an Eimer und Schaufel.

Wir mussten reden, natürlich, über Eloise und insbesondere über Ted und die Zwillinge. Wir hatten sie seit dem Begräbnis nicht mehr gesehen, aber ich wollte nicht so recht, gerade jetzt, nicht nach dem Albtraum der letzten Nacht. Wir würden später anrufen und sie vielleicht morgen besuchen.

»Wir sollten auch Juliana besuchen«, sagte ich zu Chris. »Sie ist in einem schrecklichen Zustand wegen Eloise – ich habe sie letzte Woche angerufen, und sie konnte einfach nicht sprechen. Sie war darauf einfach nicht vorbereitet.«

»Machst du Scherze, Cathy? Natürlich war sie darauf vorbereitet. Juliana wusste, dass ihre Tochter die letzten paar Jahre im Endstadium war.«

»Ja, aber Ellie ging es so gut, gerade vor ihrem Ende. Ich weiß, dass Juliana dachte, sie hätte sich erholt, und ihre Ärzte dachten das auch. Sie haben Ted und Juliana erzählt, sie hätte vielleicht noch ein Jahr, sicher aber noch sechs Monate.«

»Das beruhte alles auf Vermutungen.«

»Offensichtlich, so wie sich alles entwickelt hat. Aber Chris, selbstverständlich ist Juliana sehr erschüttert, und ich will sie sehen. Ich werde sie gleich anrufen.«

»Liebling, könntest du das bitte für heute sein lassen? Ich möchte heute wirklich, wirklich, einen ruhigen Abend nur mit *dir* verbringen. Wir könnten in Talland Bay Tee trinken and dann nach Hause aufbrechen, ein Feuer anzünden und fernsehen. Wir können ein paar Gläser Wein trinken und uns einfach nur entspannen. Ich denke, das können wir beide gebrauchen, und es wird nicht passieren, wenn du wieder so besessen von Eloise wirst wie gestern.«

Ich fühlte mich zum Meutern aufgelegt, aber nur für einen Moment. Chris war wunderbar gewesen, als ich krank war, und ich schuldete ihm das unkomplizierte Vergnügen. Ich lächelte und drückte seine Hand. Morgen könnte ich mich mit Juliana, Ted und den armen, mutterlosen kleinen Mädchen beschäftigen, Rose und Violet. Heute Abend würde ich nur versuchen, meinen Ehemann glücklich zu machen.

3

Am Sonntagmorgen rief ich Juliana an – und sie klang verzweifelt.

»Cathy, ich bin so froh, dass du anrufst. Können wir uns sehen? Ich bin gerade etwas außer mir. Es tut mir schrecklich leid, dich zu belästigen – nun, etwas stimmt nicht.«

»Natürlich, Ich werde gleich kommen. Brauchst du irgendetwas?«

»Ach Gott, Cathy, ich will meinen Liebling, meine Tochter, und ich will auch ihre Töchter bei mir haben.«

»Ich weiß, ich weiß«, erwiderte ich voller Mitgefühl. »Ich komme. Ich werde in einer Stunde in Roseland sein.«

Ich fahre nicht. Nun ja, doch – ich hatte meine Prüfung endlich nach sechs Versuchen bestanden und schämte mich deswegen zu sehr, um triumphieren zu können. Das war alles so belastend, dass ich das Fahren nie genoss und immer das Gefühl hatte, nur zwei Schritte von einem tödlichen Unfall entfernt zu sein.

Deshalb überlasse ich das jetzt Chris, der das Fahren liebt. Einer der vielen Bereiche unseres gemeinsamen Lebens, den ich ihm überlasse, weil ich so wenig Vertrauen in mich selbst habe; eine Auswirkung des katastrophalen Nervenzusammenbruchs, von dem ich mich angeblich erholt habe. Als ich krank war, wurde ich agoraphobisch. Ich hatte Angst, das Haus zu verlassen, und ich hasste es, neuen Menschen zu begegnen. Es ging mir jetzt viel besser, aber ich hatte immer noch kein Vertrauen in meine Fähigkeit,

Auto zu fahren. Ich habe ein kleines Käfer-Cabrio, das wir in Cornwall lassen, aber ich habe es nur einmal im letzten Jahr gefahren, nach meinem Zusammenbruch. Nur ein paar Meter nach dem Verlassen des Cottage', um einzukaufen, prallte ich gegen einen gewaltigen Felsbrocken auf der linken Seite der Fahrbahn. Ich war nicht verletzt, und der einzige Schaden war ein geplatzter Reifen, aber was mich betraf, war's das. Vollkommenes Versagen. Trotz aller Ermutigungen von Chris weigerte ich mich, mich wieder hinters Steuer zu setzen, obwohl er einen Vorschlaghammer zu dem anstößigen Felsbrocken schleppte und ihn in Stücke schlug.

So stand also der kleine cremefarbene Käfer verlassen in unserer Einfahrt in Cornwall wie ein vernachlässigtes Haustier: unheimlich süß und darum bettelnd, auf einen Spaziergang mitgenommen zu werden – oder eher eine Spritztour. Und fast nie belohnt, außer mit einem gelegentlichen impulsiven Ausflug zum Pub, an Tagen, die so sonnig waren, dass man nicht widerstehen konnte, mit aufgeklapptem Verdeck zu fahren. Aber jedes Mal saß Chris oder einer der Jungs selbstbewusst hinter dem Lenkrad.

Also war es Chris, der mich zu meinem Treffen mit Juliana fuhr, und als wir ankamen, sagte er, er würde einen Spaziergang übers Gelände machen. Er war sicher, dass Ellies Mutter mich lieber allein sprechen würde. Die Gärten waren umwerfend, sie gehörten dem National Trust, der sich um sie kümmerte, also war es nicht gerade ein Opfer. Eigentlich war es sogar ein ziemliches Geschenk.

Roseland Hall ist ein großes altes Herrenhaus, das Mitte des 17. Jahrhunderts gebaut wurde und den unteren Teil des schönen Flusses Fowey überblickt. Es ist der Öffentlichkeit zugänglich und nicht mehr im Privatbesitz der Trelawneys, der großen, sehr alten kornischen Familie, der es ursprünglich gehörte.

Eloise hatte mich sehr oft herumgeführt. Besonders liebte sie es, den Kurator dazu zu verleiten, uns spät in der Nacht hereinzulassen, wenn seine gespenstische Größe uns leicht davon überzeugte, dass es dort spukte – seinem Ruf entsprechend. Es ist ein bemerkenswertes Haus, erstaunlicherweise fast so gemütlich wie groß, beleuchtet von exquisiten französischen Kristalllüstern und mit einer prachtvollen langen Galerie, die mit den feinsten Wandteppichen und Gemälden behangen ist.

Für jede Familie wäre es eine Tragödie, solch ein Haus aufzugeben. Doch traurigerweise lebte Juliana, die letzte Lady Trelawney, nicht mehr dort.

Eloise hatte mir anvertraut, dass die Trelawneys über Generationen Probleme mit der Fruchtbarkeit hatten und allmählich, aber unaufhaltsam, schwand diese Geschlechterfolge. Sir Charles, Eloise' Vater, der letzte Baronet, war das einzige Kind seiner Generation, so wie es auch sein Vater und sein Großvater waren. Er hatte keine Brüder, keine Schwestern, keine Cousins. Als er die wunderschöne Juliana heiratete, ein kultiviertes Mädchen aus einer alten Grundbesitzerfamilie aus Cornwall, hatte er große Hoffnungen, einen Sohn und Erben zu zeugen. Doch erst nach fünf Jahren immer verzweifelter werdender Versuche zu empfangen wurde Juliana endlich schwanger. Als Eloise geboren wurde, versuchte Charles sehr, seine Enttäuschung zu verbergen, aber Juliana wusste, dass sie versagt hatte. Sie wurde nie wieder schwanger, und sie redeten nie darüber. Sie hatte Angst davor, die Tiefe seiner Verzweiflung zu ergründen. Trotzdem vergötterte Juliana ihre kleine Tochter und verübelte ihrem Ehemann zunehmend seine Gleichgültigkeit dem Kind gegenüber. Sie ahnte auch, dass ihr Unvermögen, weitere Kinder zu kriegen, nicht ihre Schuld war, sondern seine. Ihre eigene Familie hatte keine Probleme mit der Fruchtbarkeit.

Doch es gab nichts, was man dagegen hätte tun können. Charles war so bedrückt, dass die Trelawneys nicht mehr auf dem Besitz leben würden, dass seine Frau wusste, würde sie ihn mit diesem Thema konfrontieren, würden tiefe, unversöhnliche Konflikte entstehen, die ihre Ehe zerstören könnten – also hielt sie sich zurück.

Charles wurde zunehmend rührselig, was die Zukunft des großen Hauses anging. Er hatte eine Menge Geld, aber der Besitz war ein Fass ohne Boden. Und wofür? Es gab keine Dynastie, keinen Grund, in die Zukunft seiner alten Familie zu investieren, weil es in absehbarer Zeit keine Trelawneys mehr geben würde. Wenn Eloise heiratete, würde sie den Namen ihres Ehemanns annehmen. Und er spürte, dass Juliana nicht mit dem Herzen dabei war.

Charles hatte recht. Sie war nicht begeistert darüber, für immer für ein herrschaftliches Gebäude verantwortlich zu sein – mit all den Opfern, der Disziplin und der harten Arbeit, die das erforderte. Und sie hatte nicht die geringste Absicht, Eloise die Verantwortung dafür aufzubürden, einen Anachronismus erhalten zu müssen, der seine Nützlichkeit überlebt hatte. Sie schwor sich, sollte ihr Ehemann vor ihr sterben, das Haus dem National Trust zu überschreiben.

Und genau das hatte sie getan. Ellie sagte mir, es sei die beste Entscheidung, die ihre Mutter jemals getroffen hätte.

4

Ich klopfte an Julianas Tür. Seit Charles' Tod hatte sie in einem wunderschönen alten Farmhaus auf dem Gelände von Roseland Hall gelebt. Ich fühlte mich immer ein bisschen eingeschüchtert von seiner ganz und gar perfekten, obwohl leicht heruntergekommenen patrizischen Ausstattung.

Aber, um ehrlich zu sein: Das war nur mein eigenes Edelproletariertum, das sich da meldete. Und Juliana hatte das nicht verdient. Sie war so herzlich, so zutiefst behütend, dass ihr aristokratischer Hintergrund, ihr Oberschichtakzent, ihr vollkommenes Vertrauen in sich selbst und ihren Platz in einer der ältesten und romantischsten Familien der vornehmen Aristokratie Cornwalls dich wünschen ließen, ihr nah und an ihrem abwechslungsreichen Leben beteiligt zu sein.

Sie sah großartig aus, trotz der Tatsache, dass der Verlust von Eloise die größte Tragödie ihres Lebens darstellte. Groß und schlank, trug sie Blusen mit Rüschen und hohen Kragen und lange, wallende Röcke. Ihre Haarpracht war üppig und eisköniginnensilbern, am Hinterkopf zusammengenommen und von dort über ihre Schultern fließend wie ein gekräuselter, winterlicher Fluss. Sie war eine vollkommene Schönheit mit ihren fünfundsiebzig Jahren, eine anmutige kornische Nymphe, eine Dryade, die an einer heiligen Quelle sitzen und ihre langen Haare kämmen könnte, um jeden zu entzücken und zu bezaubern, selbst jetzt noch, in ihrem hohen Alter.

Sie fragte, ob ich Tee wolle, und einer ihrer verbliebenen, ergebenen Bediensteten brachte welchen. Wir saßen in ihrem hübschen Wohnzimmer, und sie redete über Eloise.

»Es schien ihr so viel besser zu gehen, Cathy. Die Ärzte sagten, sie sei in Remission.«

»Aber du musst doch wissen, sie meinten nur eine Art von Gnadenfrist. Im Ernst, Juliana, du wusstest doch, dass sie im Endstadium war?«

»Natürlich, aber sie war so voller Energie und genoss ihr Leben so sehr.«

»Ja, ich weiß, dass sie so war, aber wir müssen bei einer derartigen Krankheit akzeptieren, dass die Dinge sich plötzlich beschleunigen können. Weiß Gott, Juliana, wir haben so oft über ihre Schmerzen geredet. Deshalb hat sie die Medikamente genommen. Wie sehr wir auch die Augen davor verschließen wollten, wir wussten, was auf Eloise zukommen würde.«

Sie fixierte mich mit einem langen Starren.

»Cathy, denkst du nicht, dass es seltsam war, dass ich nicht da war?«

»Was meinst du? Als sie starb?«

»Wir waren uns so nah. Sie wollte immer, dass ich bei ihr wäre, wenn … es geschehen würde.«

»Aber … nun, es ging nicht. Es passierte alles so schnell. Es war keine Zeit …«

»Doch, es war Zeit.« Sie warf mir einen unergründlichen Blick zu. »Sag mir, Cathy, wenn man im Endstadium ist, stirbt man dann so plötzlich, als ob man einen Herzanfall hätte? Ich glaube nicht. Ich habe Eloise an dem Tag gesehen, als sie starb, am Morgen. Wir haben mit den Kleinen Kaffee getrunken. Sie war glücklich, so erleichtert, dass die Ärzte ihr eine Galgenfrist gaben. Du kanntest Eloise. Sie war immer so positiv, überzeugt, sie könnte es besiegen. Und dann, drei Stunden später, war sie tot. Das ergibt doch keinen Sinn.«

Ich war nicht sicher, was ich sagen sollte. Ich hatte meine eigenen Vorbehalte über den Tod von Eloise – kaum bewusste Zweifel und ein Unbehagen, und beides zusammen hatte vermutlich meinen grauenhaften Albtraum neulich nachts hervorgerufen. Aber ich fühlte, erläge ich Julianas Ängsten, würde mich das ins Reich der totalen Paranoia schicken. Was sagte sie da? Dass meine liebe Freundin nicht an ihrem unheilbaren Krebs gestorben war? Nach all den Jahren voller düsterer Prognosen? Aber natürlich! Die Alternative war vollkommen lächerlich.

Ich fragte sie, was sie denke, was mit Eloise hätte passiert sein können, falls ihr Tod nicht auf natürliche Ursachen zurückzuführen sei. Eine Obduktion war natürlich nicht notwendig gewesen. Es gab keinen Grund zu bestätigen, was wir alle wussten: Ellie war an dem Krebs gestorben, der im ganzen Körper Metastasen gebildet hatte. Ihre Lungen, ihre Leber, ihr Rückgrat und ihr Gehirn waren gespickt mit der grässlichen Krankheit.

Juliana schüttelte frustriert den Kopf. »Ich weiß nicht. Es ist nur ein Gefühl, das ich nicht abschütteln kann. Mir ist bewusst, dass ich klinge wie eine verwirrte alte Frau, die den Tod ihrer Tochter nicht akzeptieren kann. Das hat Ted mir schon vor ein paar Tagen gesagt.«

»Du hast mit ihm darüber gesprochen?« Ich war erstaunt.

Sie gab einen tiefen Seufzer von sich. »Ich hab's versucht, aber er ist richtig böse mit mir geworden. Er sagte, er habe schon genug am Hals, auch ohne sich noch mit einer exzentrischen alten Schachtel abmühen zu müssen, die nicht mit der Realität fertig werden könne. Er hat sogar behauptet, ich werde senil.« Ihr Gesicht verdunkelte sich. »Das hat mich sehr verletzt.«

»Aber du und Ted – ihr seid nie gut miteinander ausgekommen, oder?«, fragte ich.

»Hat Eloise dir das erzählt?«

Ich nickte.

Sie seufzte unglücklich. »Eloise wurde ein bisschen ungeduldig mit mir. Sagte, ich würde mir Dinge einbilden.«

»Was meinst du? Dir was einbilden?«

»Ich dachte immer, er wäre ein wenig zu hart. Um ehrlich zu sein, ich dachte, er wäre nur aufs Geld aus. Ich habe ihm nie richtig getraut«, sagte sie.

»Und was hat Ellie dazu gesagt?«

»Sie hat mich ausgelacht. Sie sagte, sie sei dankbar, dass ich auf sie aufpasse, aber ich sei albern. Sie sagte mir, dass Ted ein wirklich talentierter Künstler sei und dass seine Gemälde permanent an Wert gewännen. Sie sagte, Sammler seien wild auf seine Arbeiten, und sie glaubten beide, er würde selbstständig ein Vermögen machen. Sie sagte, was ich für Härte halte, sei tatsächlich heftiger Ehrgeiz und ein gewisser Mangel an Rührseligkeit.« Juliana zuckte mit den Schultern. »Vielleicht hat sie recht gehabt. Sie kannte ihn offensichtlich viel besser als ich. Aber Cathy, ich bin mit ihm nie warm geworden – und er wusste das, obwohl wir für Eloise die Fassade aufrechterhalten haben. Ich hab solche Angst, dass ich ihn … und die Zwillinge … viel seltener sehen werde, jetzt, da dieser Grund nicht mehr da ist …«

Ich versuchte ihr zu versichern, dass sie verständlicherweise einfach enorm mitgenommen wäre, dass es keinen Grund gäbe, sich zu beunruhigen, und ich erzählte ihr, ich würde über das, was sie gesagt hatte, nachdenken und sie am nächsten Tag anrufen. Wir wollten zwar morgen nach London zurückkehren, aber ich hatte keinen richtigen Grund, nach Hause zu fahren. Chris hatte Termine am Dienstag, aber ich konnte bleiben. Als ich ging, dachte ich über Ted und Eloise nach. Wir kannten Ted ziemlich gut, und im Großen und Ganzen schienen sie uns glücklich zu sein. Sie hatten gelegentlich einen Streit, und kamen dann manchmal leise schmollend, jeder voller Groll auf den anderen, zu Dinnerpartys.

Aber das geht allen verheirateten Pärchen so. Chris und mir auf jeden Fall. Und Ted brachte Ellie zum Lachen. Er konnte sehr witzig sein.

Ich fand Chris draußen, fasziniert von dem herrlichen Garten. Ich erzählte ihm, was Juliana gesagt hatte, und er seufzte. Chris war lieb, aber wie die meisten Männer wollte er Lösungen – keine Probleme.

»Schau«, sagte er. »Sie ist ihre Mutter und sie war nicht da in dem emotional bedeutsamsten Moment des Lebens ihrer Tochter. Was sie fühlt, ist ganz natürlich. Nicht da gewesen zu sein, als Eloise starb, das gibt ihr ein unvorstellbares Schuldgefühl. Sie fühlt, sie hätte es verhindern sollen – und dass es nie passiert wäre, wenn sie eine bessere Mutter gewesen wäre. Du *weißt* das alles, Cathy. Das gehört einfach mit zur Mutterschaft. Wenn es Evie gewesen wäre, würdest du dich genauso fühlen.«

Evie war unsere sechzehnjährige Tochter. Ein heftiger Schmerz durchfuhr mich bei der Vorstellung, sie zu verlieren.

Dann fühlte ich Wut in mir aufsteigen. Wie konnte er es wagen, die Trauer einer Mutter in etwas zu verwandeln, das »einfach dazugehört«? Ja, sicherlich, dass ein Kind vor einem selbst stirbt, ist jenseits des Schlimmsten, was sich eine Mutter vorstellen kann. Aber Chris sprach so gewandt darüber, als ob er mir etwas erklären würde, was ich aus Dummheit nicht begreifen könnte. Als ob er den väterlichen Überblick hätte, der natürlich dem mütterlichen Instinkt weit überlegen war.

Ich fühlte mich in diesem Moment Juliana stark verbunden – eine Art Stammesbündnis. Wir waren beide Mütter. Wir waren beide, auf verschiedene Weise, sehr verunsichert wegen Eloise' Tod. Ich beschloss, obwohl es irrational war, dass ich auf Julianas Seite stand. Irgendetwas stimmte nicht. Und was Chris auch immer sagte, ich würde in Cornwall bleiben, bis ich herausbekommen hatte, was mich und sie so sehr beunruhigte.

5

Montag. Ich wachte auf und war besorgt und beklommen. Ich musste etwas tun, und ich wollte wirklich nicht. Dann fiel es mir ein. Ted. Wir hatten ihn gestern nicht angerufen.

»Rufst du ihn heute an?«, fragte ich, während ich auf unserer kleinen, sonnendurchfluteten Terrasse Tee trank.

»Klar. Und was soll ich sagen?«

Gott! Männer.

»Herrgott, Chris – du sollst dich wie sein Freund verhalten. Du hast immer gesagt, er sei einer der offensten Typen, die du kennst. Kannst du nicht einfach mit ihm über den Verlust seiner Frau reden? Dann können wir vielleicht mit ihm über Julianas Befürchtungen reden. Und wir müssen nach den Mädchen sehen. Schauen, wie es ihnen geht. Sie müssen verwirrt sein und traurig darüber, ihre Mami verloren zu haben.«

»In Ordnung. Soll ich sie zum Lunch einladen?«

»Ja. Wenn sie es schaffen.«

Wie es sich ergab, konnten sie nicht. Sie hielten sich im Haus von Teds Eltern in Manchester auf. Sie würden nicht vor morgen nach Cornwall zurückkommen.

»Nun, ich denke, das war's dann«, sagte Chris, als er den Anruf beendete. »Ich muss heute Nacht nach London zurück, also werden wir ihn nicht sehen.«

Nicht »wir« – aber ich könnte, dachte ich. Ich musste nirgendwo hin. Ich würde hierbleiben, bis ich die Dinge zwischen Ted und Juliana geregelt hätte. Für Eloise. Aber ich würde das Chris noch ein paar Stunden nicht erzählen, bis mir ein Weg eingefallen war, ihn davon zu überzeugen, dass ich das tun musste, dass ich das brauchte.

Das Wetter schlug am Dienstag um. Als ich am Montagabend einem leicht mürrischen Chris zum Abschied gewunken hatte, hatte der Himmel sich bewölkt. Nun strömte der Regen in jenen erbarmungslosen Wellen nieder, die Cornwall auf die wirft, die so töricht sind, auf Sonne zu hoffen. Er macht sich über uns lustig, wirklich. »Ihr nennt euch Liebhaber von Kernow?«, heult der Wind. »Was wisst ihr denn schon davon, was es bedeutet, hier zu leben? Die Entbehrungen und die Ödnis?« Und richtig, Cornwall kann alles andere als ein Paradies sein. Ein wundervoller Zufluchtsort für Familien, ein paar Monate im Jahr, aber ein unbarmherziger, harter und schwieriger Platz, um dauerhaft hier zu leben. Und so abhängig vom Wetter. Jeden Winter, jeden Frühling beäugen die Einheimischen ängstlich die kommende Sommersaison. Wird die Sonne die Strände verwöhnen? Werden die Urlauber in Scharen nach Looe, Polperro und Penzance strömen?

An einem Tag wie heute, mit dem peitschenden Regen und dem Wind, der die flachen Bäume verdrischt, zweifelt selbst der hingebungsvollste Liebhaber dieser wunderschönen, mystischen Grafschaft an seiner Zurechnungsfähigkeit. Was mache ich hier, an diesem gottverlassenen, isolierten Ort, so weit weg von den Geschäften, so eingehüllt in Dunst, Regen und Einsamkeit?

Es war ein Tag zum Drinbleiben. Ich machte den Kamin und die Lampen an, obwohl es noch Morgen war. Mein kleiner VW stand draußen in der Einfahrt, aber ich hatte nicht die Absicht, irgendwohin zu fahren, also war es ein Glück, dass genug Essen im Kühlschrank war, um mich über die nächsten paar Tage zu bringen. Milch, Eier, Speck, Käse. Und Brot, Obst und Salat. Ich machte mir einen Becher heiße Malzmilch und saß an meinem Lieblingsplatz – einem kleinen gelben Sofa, an ein Eckfenster gerückt, das mir das Gefühl gab, warm und sicher zu sein. Ich beobachtete das Feuer – man konnte es von überall in dem großen, offenen Erdgeschossraum sehen, vom Wohnraum, von der Küche, dem Esstisch und dem kleinen Nebenraum aus, wo ich nun saß.

Ich liebte diesen Ort, dieses Cottage mit seiner schlichten Wärme, seinen großen Fenstern, dem Honigton der breiten Eichenholzdielen, dem Weiß, Grau und Blau der Wände und des Gebälks, dem prasselnden Feuer und den roten und goldenen Teppichen. Manchmal dachte ich, ich könnte mich hier mit einem Buch einkuscheln und nie das Bedürfnis haben zu gehen.

Der Nachmittag ging langsam dahin. Der Regen wurde zu Hagel und donnerte aufs Dach und gegen die Fenster. Ich legte mein Buch zur Seite und saß auf dem kleinen, gelben Sofa, versunken in Erinnerungen an die schönen Tage hier in Cornwall, als Chris und ich uns mit Ted und Eloise trafen, all unsere Kinder im Schlepptau. Klein Rose und Violet, die prächtigen, bildhübschen Zwillinge, und unsere eigenen Kinder, Eve, Tom und Sam, viel älter als die kleinen Mädchen, aber immer noch jung genug, um den Strand zu genießen und Eis einzufordern. Wir würden nach Polzeath oder Daymer Bay fahren, im Norden Cornwalls, weit entfernt von unseren lieblichen südlichen Buchten. Dies war Brandungsland, nichts als krachende Wellen, braun gebrannte Jungs von Public Schools und heimatlos erscheinende Mädchen, deren Eltern jedes Jahr zu enormen Preisen Häuser im trendigen Rock mieteten. Ich persönlich hasste das, aber Ted und Eloise waren versöhnlicher und genossen die gesellschaftliche Atmosphäre dort ziemlich, um ehrlich zu sein. Ich nehme an, es ist aufregend in Nord-Cornwall, aber ich bevorzuge den lieblichen, sanften Süden.

Wir hatten wundervolle Zeiten, unsere beiden Familien. Chris und unser Ältester, Sam, mieteten Taucheranzüge und versuchten, mit ihren Surfbrettern überzeugend auszusehen, obwohl sie nicht mithalten konnten mit Ted, einem hervorragenden Surfer, den die eifrigen Jungs, die an der Nordküste Urlaub machten und alles, was mit Surfen zu tun hatte, für obercool hielten, ein bisschen wie eine Legende verehrten. Währenddessen saßen Juliana, Eloise und ich mit den Jüngeren am Strand, fütterten die winzigen Zwillinge mit Joghurteis und lachten darüber, wie der feuchte Sand in unsere Unterwäsche kroch. Feuchte Hintern sind ziemlich sicher ein Teil des Bildes, wenn man in Cornwall kleine Kinder hat. Fotos von uns allen in Regenmänteln und mit aufgespannten Regenschirmen gehören zu meinen größten Schätzen. Herrliche Tage. Angefüllt mit der Freude, die es mit sich bringt, wenn man kleine Kinder hat, so als ob man für ein paar flüchtige Momente glauben könnte, das Leben dauere ewig, dass man einen Blick auf eine außergewöhnliche Vision des Glücks erhascht, die irgendwie überdauern wird. Von hier bis in die Ewigkeit.

Diese Tage machten mich nun unheimlich traurig. Mit dem Tod von Eloise war das alles vorüber. All diese Freude, dieser Überschwang, wenn man seine Kinder beobachtet, die das Versprechen des ewigen Lebens in sich tragen – alles vernichtet in einem Augenblick, wenn deine beste Freundin stirbt, gerade einmal fünfundvierzig Jahre alt, und dir die wahre Realität deiner dummen, flüchtigen Hoffnungen auf Glück zeigt, und die Leere dessen, was vor uns allen liegt. Vergessen. Dunkelheit. Diese außergewöhnliche gottgleiche Verbindung mit unseren Kindern verschwindet in einem Moment, wir lassen sie einem ungewissen Schicksal ausgesetzt zurück, allein und mutterlos.

Und wir, die Mütter. Was geschieht mit uns im Nichts? Hören wir auf, uns zu kümmern, zu beobachten? Oder erleiden wir ewigen Kummer, während wir zuschauen müssen, wie unsere Kinder ohne uns aufwachsen, wohl wissend, dass, egal wie positiv ihr Leben sich entwickelt, sie doch nie mehr dieselben sein werden? Nie mehr so glücklich, so sicher, wie sie es gewesen wären, wenn der Tod uns nicht so grausam auseinandergerissen hätte?

Genauso musste Eloise sich jetzt fühlen. Ich schauderte. Etwas hatte sich in meinem Kopf verschoben. Ich konnte mich selbst dicht über dem dunklen Loch der Verzweiflung schweben fühlen, das mich während meines Zusammenbruchs verschlungen hatte. Ich darf das auf keinen, keinen Fall noch mal zulassen, sagte ich zu mir selbst.

Das Telefon klingelte. Ich war eingeschlafen. Ich war benebelt und war versucht, den Anruf nicht anzunehmen, aber wie immer sah ich ein Unglück vor meinem geistigen Auge. Was, wenn Chris einen Unfall gehabt hatte? Was, wenn eines der Kinder krank war oder in Schwierigkeiten oder unten auf der örtlichen Polizeistation, beschuldigt eines Teenager-Gemetzels? So denkst du, wenn du Mutter bist. Also wankte ich in die Küche und nahm den Hörer ab.

»Hi, Mama.« Es war Eve. »Ich hab mich nur gefragt – wann kommst du nach Hause? Ich bin gerade zurückgekommen – es war übrigens großartig, der ganze Ausflug –, und ich habe mit Dad in der Klinik gesprochen. Aber warum bist du noch in Cornwall? Dad sagte, es ist wegen Eloise, dass du traurig bist. Bitte sei nicht traurig, Mama. Komm nach Hause und ich drücke dich ganz fest.«

Ach, meine Eve. Mein Baby. Immer.

Und Eloise?

Keine Babys mehr für sie. Niemals mehr. Oder war sie immer noch hier, schaute immer noch zu, grübelte, versuchte verzweifelt, nach Hause zu ihren kleinen Mädchen zu kommen? Unfähig, sie loszulassen, sich um ihre Zukunft sorgend, aber vor allen Dingen sie noch einmal im Arm halten zu wollen, um sie zu beschützen? Mein neuer, dunkler Instinkt, der sich entwickelte, während ich mich immer mehr meiner alten Schlacht mit der Depression zuwandte, sagte mir Ja. Aber was *bedeutete* das? Könnte es sein, wenn ich recht hatte, dass mit dem Tod von Eloise noch nicht alles beendet war? Hatte Eloise ihren Frieden nicht gefunden? Bedeutete Julianas Unruhe darüber, wie ihre Tochter gestorben war, dass sie mein wachsendes Gefühl teilte, dass etwas sehr Schlimmes passiert war?

Oder war es der Stress wegen des Todes meiner besten Freundin, meine Trauer, meine Angst? Meine Angst, wenn sie so jung sterben konnte, dann könnte ich das auch? Zog mich dieser Gedanke zurück in die schreckliche schwarze Welt der Geisteskrankheit, der ich erst kürzlich entflohen war?

Ich schluckte, riss mich zusammen und zwang mich zu lächeln, während ich Eve ein paar besänftigende Worte der Liebe und Beruhigung zuraunte, sie genauer nach dem Skiausflug fragte, ihr sagte, ich sähe sie am Wochenende und dass sie bis dahin Daddy einen dicken Kuss vom mir geben solle. Es schien zu funktionieren. Sie legte auf, klang glücklich und geliebt. Was sie war.

Ich briet mir Speck und Eier und setzte mich, um fernzusehen, während ich aß. Wie üblich gab es nichts, was ich sehen wollte. Dank dem Herrn für Sky Plus. Ich fand die Programmzeiten und schaltete *Magnolien aus Stahl* ein. Wenn du in Familiengefühlen versinkst, kannst du genauso gut eine Schnulze angucken. Außerdem, es erinnerte mich an Evie. Julia Roberts, Sally Field, Dolly Parton, Daryl Hannah, Shirley MacLaine und die grandiose Olympia Dukakis schafften es immer wieder, mich in eine feste Umarmung der Fraulichkeit mitzureißen. Evie und ich hatten diesen Film viele Male angesehen. Tatsächlich waren wir total süchtig nach diesen »Nur für Mädchen«-Nächten. Wir hatten uns zusammen durch *Seite an Seite* und *Mamma Mia* geschnieft, während Chris, Sam und Tom unterwegs waren, hatten Rührei gegessen und diese alberne Sentimentalität unserer Mutter-Tochter-Bindung geliebt.

So gegen neun Uhr, als Julia Roberts gerade sterben sollte, wischten die Strahlen von Scheinwerfern durch die Wohnzimmerfenster. Ich dachte nicht, dass sie irgendetwas mit mir zu tun haben könnten. Wir hatten zwei Nachbarn neben unserem Grundstück, beide mit Wegerechten an unserem Haus entlang. Das würden Jim und Mary oder Terry mit seinen halbwüchsigen Kindern sein, nach einem Tag voll mit Arbeit, Schule und Fußballtraining. Ich schloss nie die Fensterläden in unserem Cottage, und genau wie alle anderen in unserem kleinen Nest schloss ich auch nie ab. Das war nicht nötig. Wir vertrugen uns gut mit unseren Nachbarn, und niemand anders kam ansonsten unsere abgelegene Zufahrt herunter, außer er war eingeladen.

Der unaufhörliche starke Regen hatte sich in einen brutalen Sturm verwandelt, was sehr vergnüglich und erregend sein kann, wenn man Gesellschaft hat, aber auch sehr bedrohlich, wenn man alleine ist.

Die Küchentür öffnete sich ohne vorheriges Anklopfen und schlug hart gegen die Wand, als sie aufgestoßen wurde. Ich sprang verängstigt auf. Ted! Er stand in der Tür und lehnte sich gegen den Rahmen. Seine Knie knickten ein, und ich dachte, er würde ohnmächtig. Ich lief, um ihn zu halten und zu stützen.

»Ted, mein Lieber. Bist du okay? Ich hol dir 'nen Drink. Wo sind die Mädchen?«

»Ich hab sie bei Juliana abgesetzt. Sie bleiben die Nacht über dort.«

Das überraschte mich. Nicht dass Juliana eingewilligt hatte, auf die Zwillinge aufzupassen – sie vergötterte sie regelrecht. Aber wenn ihre Beziehung zu ihrem Schwiegersohn so schwierig war, wie sie erzählte, wunderte mich Teds Bereitwilligkeit, ihre Nettigkeit auszunutzen. Vielleicht war es nur eine Frage der Bequemlichkeit für ihn, oder vielleicht lehnte er sie doch nicht so sehr ab, wie Juliana dachte. Ich hoffte nur, er hatte die Kinder dort abgesetzt, bevor er angefangen hatte zu trinken. Denn er war definitiv nicht mehr nüchtern.

»Ich hoffe, es macht dir nichts aus, Cathy, aber ich musste einfach mit jemandem reden. Ich weiß, dass Chris zurück nach London musste, aber ich musste *dich* unbedingt sehen. Tut mir leid.« Er schüttelte den Kopf. »Es ist wahrscheinlich das Allerletzte, was du jetzt mitten in der Nacht brauchst.«

»Sei nicht albern. Es ist noch nicht so spät, und ich freue mich über deine Gesellschaft. Cornwall während eines Sturmes kann ganz schön einsam sein.« Während ich sprach, erschütterte Donner das Tal und der Regen trommelte aufs Dach. Ich wartete auf die Blitze. Ehrlich gesagt, ich *war* froh, gerade im Moment nicht allein zu sein.

»Ted, was kann ich dir zu trinken anbieten?«

»Du hast nicht zufällig Whisky im Haus?«

»Du hast Glück, ich hab noch 'nen Rest von Weihnachten.«

Blitze zuckten und krachten, als ich den Scotch eingoss, während er auf dem Sofa zusammensackte.

Er sah hundemüde aus, und ich schaute ihn mir genau an. Er war ein attraktiver Mann, groß, mit von der Sonne Cornwalls ausgebleichten blonden Haaren. Seine Augen, blau wie das Meer, waren müde und traurig.

»Wie geht es ihnen? Den Mädchen?«

»Bemerkenswert, eigentlich.«

»Und dir?«

Er lachte, fuhr sich mit seiner Hand durch die Haare. »Nun, wenn du schon fragst, mir geht's ziemlich dreckig.«

»Das hab ich mir gedacht. Tut mir leid.«

»Weißt du was? Ich würde lieber nicht darüber reden im Moment. Ich meine – nur hier zu sein fühlt sich nach etwas Normalität an.«

Doch das Gespräch war unnatürlich. Es gab Dinge, die keiner von uns aussprechen wollte, und ich fühlte mich verpflichtet, ein tiefgründiges und ernstes Gespräch über Eloise mit ihm zu führen, aber es war offensichtlich, dass er das nicht wollte. Er sehnte sich nach einem prasselnden Feuer, weiblicher Gesellschaft, einem großen Scotch und den *News at Ten.* Und das bekam er von mir, während ich ihm dabei zuschaute, wie er sich entspannte und in seinen Sessel sank.

»Es ist so schwer gewesen, für die Kinder den Schein zu wahren«, sagte er irgendwann. »Ich kann nicht reden, nicht weinen vor ihnen. Ich glaube, ich werde verrückt, Cathy – die Welt steht auf dem Kopf und ich weiß nicht, was ich als Nächstes tun soll. Um ehrlich zu sein, alles was ich will, ist mich betrinken.«

»Nun, da hast du ein Recht drauf.«

»Schön wär's, aber nicht hier. Ich muss nach Fowey zurückfahren. Heim.« Er schnitt Grimassen.

»Warst du noch nicht da?«

»Nein. Ich hab's nicht über mich gebracht. Aber morgen muss ich. Ich konnte nur heute Nacht einfach nicht.«

»Dann bleib hier, Ted. Trink ein paar, schlaf dich aus und hol die Mädchen morgen früh ab. Ich begleite dich, wenn du magst, und komme mit euch nach Fowey. Du wirst Lebensmittel brauchen, um alles am Laufen zu halten. Ich helfe dir beim Einkaufen.«

»Cathy, du bist ein Engel. Aber ich kann dir nicht mein trauriges, armseliges Selbst aufbürden.«

»Mach dich nicht lächerlich. Ich habe nichts anderes zu tun, und abgesehen davon, ich bin selbst auch ziemlich daneben. Ich habe gestern mit Juliana gesprochen. Sie steht immer noch unter Schock.«

Sein Gesichtsausdruck veränderte sich. Nun sah er nicht mehr traurig aus, sondern wütend.

»Sie macht mich verantwortlich, weißt du. Gott weiß, warum. Eloise hat jahrelang mit dem Todesurteil gelebt.«

»Es ist verdammt hart für euch alle. Es tut mir schrecklich leid. Bleib einfach hier heute Nacht. Trink noch einen.«

Er nahm es hin. Ich versuchte nicht, ihn betrunken zu machen, aber seine Stimmung war schwer zu deuten, und ich gab mir Mühe, ihn zu beruhigen.

Ich brachte ihm noch einen Scotch. Er kippte ihn runter. Sein Gesicht entspannte sich, und er drehte sich, um mich anzuschauen.

»Weißt du, Cathy, von allen Freunden Ellies bist du die Einzige, der ich richtig trauen kann. Ich mag dich wirklich.«

»Nun, das ist schön. Ich bin froh, dass du so empfindest«, sagte ich etwas unbehaglich. »Und ich will wirklich helfen; ich kann dir gar nicht sagen, wie sehr ich das alles leichter für euch machen will. Wenn ich irgendwie kann.« Es war offensichtlich, dass er so viel getrunken hatte, dass eine richtige Unterhaltung nicht mehr möglich war, also sagte ich: »Schau, Ted, ich bin plötzlich wirklich müde und muss jetzt einfach ins Bett. Wenn du nach unten gehst, kannst du in einem der Kinderzimmer schlafen. Die Betten sind alle gemacht …«

»Cathy, können wir bitte reden?« Er war bemüht, fast bockig darauf aus, diesen Moment zu verlängern.

»Morgen wäre besser – du siehst hundemüde aus. Wirklich, du musst schlafen, und ich auch. Morgen sieht alles anders aus.«

Er brauchte offensichtlich etwas von mir – irgendeinen emotionalen Input, und den konnte ich ihm im Moment nicht geben. Okay, er war mehr als ein bisschen betrunken, erschöpft und traurig, aber ich spürte, er wollte sich mir anvertrauen, und ich war nicht sicher, ob ich bereit war, mir anzuhören, was auch immer es sein würde. Aber was anvertrauen? Ich war nervös. Auf eine undefinierbare Art und Weise hatte die Stimmung sich verändert, und ich spürte etwas Instabiles in ihm, einen Hauch Aggressivität.

Trotz meiner Vorbehalte gegenüber Julianas negativer Meinung von Ted hatte ich im Grunde schon eine ganze Weile vermutet, dass zwischen ihm und Eloise nicht alles gut lief. Es war nur ein vager, nagender Verdacht, und ich hatte Chris nichts davon erzählt, aber ich fühlte, es gab da eine Distanz zwischen ihnen, einen Mangel an Wärme und Intimität, die sie einmal genossen hatten. Ich sagte mir, es sei der Krebs; dass sie die Wahrheit verleugne und er verzweifelt sei. Ich hatte das Gefühl, sie müsste aufhören, in der Weltgeschichte herumzureisen auf der Jagd nach alternativen Wunderkuren. Während der letzten drei Jahre hatte sie die Schweiz, Österreich und Deutschland besucht, und Italien, um die unorthodoxe, aber zupackende Behandlung zu bekommen, die sie meinte haben zu müssen, um zu überleben. Natürlich konnte sie es sich leisten. Aber je mehr Glauben sie Leuten schenkte, die Ted für Scharlatane hielt, desto mehr entfernte sie sich von ihm. Sie brachte sie mit ins Haus und erwartete von Ted, dass er sie willkommen hieß. Und sie nutzten sie aus. Eloise war reich. Sie würde einen Haufen Geld erben, wenn ihre Mutter stürbe, und in der Zwischenzeit war sie die Begünstigte eines umfangreichen Treuhandfonds. Ihre »Heiler« wussten das und fanden, ihr komfortables Zuhause in Fowey wäre ein angemessener Aufenthaltsort.

Und natürlich berechneten sie hohe Preise für ihre liebevolle Fürsorge; Massagen, Reflexzonenmassagen, Schwimmen an irgendwelchen »heiligen« Orten entlang der Küste. Da waren abendliche Versammlungen, bei denen sie sangen und trommelten, dann war da noch die Ernährungsberatung, das Beharren auf biologisch angebautem Obst und Gemüse als Trank mehrere Male am Tag.

Um ehrlich zu sein, ihr wunderschönes Heim wurde ein Irrenhaus, und Chris und ich hörten auf, sie dort zu besuchen. Stattdessen luden wir sie zu uns ein, wenn wir unten in Cornwall waren, oder wir verabredeten uns am Strand oder in einem der einheimischen Restaurants wie dem Old Quay House in Fowey, wo wir auf der Terrasse sitzen, die Boote vorbeifahren sehen und so tun konnten, als wäre unser wunderbares, begnadetes Leben in Cornwall immer noch intakt.

Ich sagte Ted so bestimmt ich konnte, ich ginge jetzt ins Bett. Inzwischen bediente er sich noch einmal an dem Scotch, und ich konnte ihn schlecht nach unten ins Sams Zimmer bringen und ihn warm zudecken. Er und Eloise waren oft über Nacht bei uns geblieben, aber trotzdem fühlte es sich seltsam an, dass er und ich alleine hier waren. Als ich mich umdrehte, folgte er mir. Seine Stimme war undeutlich und drängend.

»Cathy, ich weiß, dass du am Tag von Eloise' Tod eine Nachricht auf dem Anrufbeantworter hinterlassen hast. Du hast auf eine Nachricht reagiert, die sie auf deinem hinterlassen hatte. Was hat sie gesagt, Cath? Hörte sie sich aufgelöst an? Hat sie irgendetwas erzählt … etwas über uns?«

»Nein. Sie hinterließ eine Nachricht mit der Bitte, sie zurückzurufen, aber als ich anrief, ging sie nicht dran. Warum fragst du? Denkst du, sie hatte mir etwas zu erzählen?«

Er starrte mich an. Sein Blick war unkoordiniert und etwas wild.

»Hat Eloise dir jemals erzählt, dass ich echt scharf auf dich bin?«, fragte er.

Ich war jenseits von fassungslos. »Natürlich nicht, Ted. Mach dich nicht lächerlich.«

»Schade, dass sie das nicht gemacht hat. Weil ich es bin. Und, Cathy, ich bin ein trauernder Witwer. Ich brauche Trost.«

Er warf mir anzügliche Blicke zu und torkelte auf mich zu, legte schwerfällig seine Arme um mich und verschüttete dabei Whisky auf meine Bluse. Ich zog mich abrupt zurück, nervös und ein wenig verärgert.

»Ich weiß, du bist sehr unglücklich und deshalb benimmst du dich so. Aber das ist nicht akzeptabel, Ted, wirklich nicht. Morgen wird dir das peinlich sein, aber mach dir keine Sorgen, ich vergesse alles sofort wieder. Ich verstehe, was du durchmachst.«

Ich ging schnell aus dem Zimmer, rannte nach oben und verriegelte die Tür unseres Schlafzimmers. Nein, wir verschlossen nie die Türen nach draußen, aber unser Schlafzimmer war etwas anderes. Wir mussten das Gefühl haben, etwas Privatsphäre vor kleinen, neugierigen Augen zu haben, als die Kinder klein waren. Wie ich mir wünschte, dass Chris hier bei mir wäre. Er hätte sich um Ted kümmern können, so wie ich mich um Eloise oder Juliana gekümmert hätte. Das Geschlecht ist so wichtig in hochdramatischen Momenten des häuslichen Lebens. Wir wissen irgendwie, was von uns erwartet wird, wenn es dazu kommt, traurige Menschen zu trösten, aber es hilft, wenn es dabei keine Missverständnisse über Geschlechterrollen gibt. Ted, am Boden zerstört, wie er war, könnte die Nacht über bleiben, aber der Kontakt musste streng begrenzt sein. Er war nicht er selbst, und ich fühlte mich nicht sicher in seiner Nähe.

Während ich schlaflos im Bett lag, erlaubte ich mir das erste Mal, mir einzugestehen, dass es in der Vergangenheit Zeiten gegeben hatte, als ich dachte, er hätte mich vielleicht doch ein bisschen zu eng umarmt bei der Begrüßung oder beim Abschied, hätte meinen Arm ein bisschen zu vertraut gestreichelt, wenn ich beim Abendessen neben ihm saß. Ich hatte solche Gedanken entschlossen begraben, mir selbst gesagt, ich bildete mir etwas ein. Schließlich liebte Ellie ihn zu sehr, als dass er sie nicht genauso leidenschaftlich zurücklieben konnte.

Irgendwann schlief ich ein.

Und dann geschah etwas Merkwürdiges und Wirres. Ich sah Eloise. Sie flüchtete durch eine versunkene Landschaft. Wolken und Wasser durchnässten sie, aber sie verfolgte das klare Sonnenlicht ihres Traums. Nur so konnte sie zurück zu ihren Babys kommen, wurde mir klar, in die ruhige, helle Welt der Lebenden. Nur so konnte sie dem dunsterfüllten Zwielicht der Toten entkommen.

Natürlich war das alles Irrsinn, aber aufgrund irgendeines fremdartigen Wahrnehmungsvermögens spürte ich die Panik in ihrem Kopf. Ich wusste, was sie fühlte. Was tun? Wie einen Weg finden? Wie dieses große Loch in ihrem Bauch schließen, den Ort, wo ihre Babys so behütet gelegen hatten? Wie sie retten vor diesem grauenhaften Ort, wo sie nun waren, bedroht, mutterlos?

In meinem Traum fand ich sie am Kriegerdenkmal auf dem Küstenpfad nach Polperro. Ich wollte wirklich nicht dort sein, aber ihr Geist hatte mich aus meinem warmen Bett herausgedrängt, und nun stand ich selbst durchnässt, frierend und wirklich unglücklich in einer sturmgepeitschten Landschaft, wo die Brandung gegen die Felsen schlug, den Lärm des schreienden Windes in meinen Ohren.

Es war ein Traum – natürlich. Ich wusste das selbst in diesem Moment. Noch eine dieser gespenstischen, übernatürlichen Halluzinationen, die auftraten, wenn ich gestresst war, wie der schreckenerregende Traum, den ich über meinen Vater gehabt hatte.

Aber ich war verängstigt und wütend. Das war alles so bescheuert, so vollkommen unnötig!

»Eloise«, sagte ich zu dem formlosen Schatten vor mir, »ich schlafe. Ich will wirklich gern wieder zurück in mein Bett. Warum bin ich hier? Was soll ich tun?«

»Das werde ich dir bald sagen«, erwiderte der sich kräuselnde Schatten. »Vor allen Dingen musst du auf sie aufpassen.«

»Auf wen? Wie? Was meinst du?«

»Pass auf meine Mädchen auf, Cathy. Sorg dafür, dass sie in Sicherheit sind. Glaub nichts von dem, was er sagt.«

6

Der Regen, die Bewölkung und die grimmige Februarkälte gingen zurück. Ich fühlte flüchtig die Liebkosung des Federbetts auf meinen kalten Gliedern.

Und dann wachte ich auf. Und ich war nicht in meinem weichen, warmen Bett, sondern draußen im Garten. Es regnete heftig, und ich hatte mein Grumpy-T-Shirt von Disney World an. Ich hatte keinerlei Erinnerung daran, wie ich hierhergekommen war. Ich musste im Schlaf aus dem Haus gelaufen sein. Es goss in Strömen, und der Wind heulte genau wie in meinem Traum. Ich war entsetzt. Die kornische Nacht war schwarz wie Ebenholz. Keine Sterne, kein Mond, nur ein gedämpftes Licht von der Veranda, und als ich in Richtung Küchentür stolperte, lähmte ein leises Stöhnen mein verängstigtes, erschüttertes Hirn. Es schien von der Weide herzukommen. Ich war sehr versucht, es zu ignorieren, zurück in mein einladendes Bett zu schlüpfen, aber als ich zögerte, wiederholte es sich, und ich sah, während ich widerwillig in die Dunkelheit starrte, eine Gestalt auf dem Boden liegen. Zuerst war ich so voller Angst, dass ich dachte, es wäre Eloise, irgendwie hergebracht von ihrem Platz auf dem Friedhof in St. Tallanus knapp oberhalb von uns; aber dann sah ich, dass es ein Mann war, Ted. Vollkommen betrunken und zusammengebrochen auf unserem Rasen. Er musste versucht haben wegzufahren, wütend und beschämt über seinen ungeschickten Annäherungsversuch. Sein Wagen stand in der Auffahrt, und das Verandalicht schimmerte auf einen Schlüsselbund, den seine Hand umklammerte. Ich starrte ihn an. Die Warnung von Eloise tönte in meinem Kopf. *Trau ihm nicht.* Aber das war nur ein Traum. Und Ted, nass, durchgefroren und betrunken, brauchte trotz seines unmöglichen Verhaltens meine Hilfe.

Ich versuchte ihn wachzurütteln, aber er war vollkommen weggetreten. Ich dachte daran, einen der Nachbarn zu wecken, aber es war fast schon früher Morgen, ich schaute auf die Uhr, nach drei. Schließlich, ich schäme mich, es zu sagen, ließ ich ihn liegen. Ich bedeckte ihn mit der wasserdichten Abdeckplane des Gartengrills, arrangierte einen alten Sonnenschirm über ihm, um den schlimmsten Regen abzuhalten, und ging zurück in die warme Küche. Ich schloss die Tür nicht ab, damit er wieder reinkonnte. Dann ging ich nach oben, zog das triefende T-Shirt aus und rubbelte mich trocken, bevor ich in mein mollig warmes Bett stieg. Was noch wichtiger ist: Ich schlief augenblicklich und ohne Schuldgefühl ein.

Ich wachte spät und verwirrt auf am Mittwochmorgen. Es war nach elf. Ich stand auf und ging ins Bad. Während ich meine Zähne putzte, versuchte ich mich genau zu erinnern, was in der Nacht zuvor passiert war. Ich muss selbst etwas beschwipst gewesen sein. Alles schien verschwommen. Kein Wunder, dass ich einen so beängstigenden Traum über Eloise gehabt hatte. Während ich Ted mit Whisky versorgt hatte, musste ich mir wohl selbst zu viel Rotwein eingeschenkt haben.

Mein Herz stockte, als ich mich erinnerte. Ted! Er war unter der Weide ohnmächtig geworden, und ich hatte ihn unverzeihlicherweise dort draußen im kalten Regen einer Februarnacht liegen lassen. Mir war schlecht. Meinen Bademantel um mich schlingend, stürmte ich die Treppe runter. Das Wohnzimmer war leer. Ich öffnete die Küchentür und ging hinaus über die Veranda bis auf den Rasen bei der Weide.

Er war nicht da, was mich erleichterte, aber die Grillabdeckung und der zerschlissene alte Sonnenschirm lagen immer noch vorwurfsvoll und zerdrückt da, traurig und unappetitlich im grauen, tristen Licht des Morgens.

Ich hastete die Treppe hinunter zu den Schlafzimmern der Kinder, machte die Türen auf und fand – nichts. Die Betten waren nicht angetastet worden, und die Handtücher im Bad waren unberührt.

Zurück hoch ins Wohnzimmer, und da merkte ich, dass sein Wagen nicht mehr in der Auffahrt stand.

Ich glaube, ich war erleichtert. Offensichtlich hatte ich ihn letzte Nacht im Stich gelassen. Ich meine, wer will schon, dass ein trauernder Gast in einer kalten Februarnacht betrunken auf dem Rasen ohnmächtig wird? Aber irgendwie wollte ich Ted nicht in unserem Haus haben, ganz sicher nicht, wenn ich allein war. Und ich war froh – und schämte mich ein bisschen dafür –, dass ich ihm jetzt kein Frühstück machen oder mit ihm zu Eloise' gemütlichem Zuhause in Fowey fahren musste, wie ich es angeboten hatte, oder gar mit ihm reden.

Wieder in der Küche angekommen, setzte ich Wasser auf. Da lag eine Notiz auf der Arbeitsplatte.

Cathy, stand da.

Tut mir leid, dass ich ein vollkommener Rüpel und Langweiler war. Ich war betrunken und habe blöderweise gedacht, ich würde eben mal nach Hause fahren. Ich muss über eine Baumwurzel gestolpert und ohnmächtig geworden sein, was ein Glück war, wirklich. Ich hätte mich umbringen können, wenn ich in dem Zustand gefahren wäre. Verzeih mir. Ich habe das schreckliche Gefühl, ich habe letzte Nacht einen kompletten Idioten aus mir gemacht. Du warst so lieb zu mir, dass ich sogar gedacht habe, es gäbe vielleicht wieder einen Sinn in meinem Leben. Erlaubst du mir, Wiedergutmachung zu leisten durch ein Abendessen mit mir und den Mädchen heute Abend in Fowey? Ich fühl mich nicht so nach Kochen (nicht dass ich das jemals gekonnt hätte), aber ich dachte, wir könnten im Old Quay House essen.

Nein, dachte ich. Bestimmt nicht. Jedenfalls nicht, bevor Chris zurückkam.

Ich beschäftigte mich ein bisschen mit Hausarbeit. Ich steckte Bettzeug in die Wäsche und bügelte. Ich hatte es ziemlich satt, dass ich nicht das Selbstvertrauen hatte zu fahren, irgendwohin zu fahren, wo es keinerlei Verbindung zu meinen dunklen Gedanken über Eloise gab. Aber dieses Gefühl war nicht stark genug, um mich hinters Steuer zu kriegen.

Ich rief Chris an, aber er war mit einem Patienten beschäftigt, also hinterließ ich ihm eine Nachricht, dass ich ihn unbedingt sprechen müsste. Zwei Minuten später klingelte das Telefon. Es war Ted.

»Hallo, Cathy. Bist du okay?«

»Ja, sicher.« Ich versuchte, meine Stimme möglichst neutral klingen zu lassen. »Wie geht's dir?«

»Nun, ich würde wirklich gern mit dir reden. Du bist die erste Person, bei der ich – nun ja – Dampf ablassen wollte, seit das alles passiert ist. Da gibt es so viel, was ihr nicht wisst, du und Chris.«

»Ich denke, es wäre das Beste, wenn wir warten, bis er zurückkommt, um über all das zu sprechen«, sagte ich kühl.

»Warum? Cathy, schau, ich weiß, ich habe mich gestern Nacht schlecht benommen. Es tut mir wirklich leid und ich schäme mich, weil du und Chris immer so gute Freunde gewesen seid. Aber die Sache ist die: Ich bin nicht ich selbst im Moment, und ich muss mit jemandem reden. Da ist so viel, was ich nicht verstehe. Ich meine … hat Eloise dir jemals von Arthur erzählt?«

»Arthur? Wer ist Arthur? Ich weiß nicht, wovon du redest.«

Er lachte bitter. »Nun, nein, vielleicht stimmt das ja. Juliana weiß es jedenfalls. Sie weiß sicher eine Menge.«

Ich begann, mich schwach und schlecht zu fühlen. Ich mochte Teds Ton überhaupt nicht. Und ich hasste die Art, wie er mich in eine Verschwörung gegen Eloise hineinzog.

War ich hoffnungslos romantisch in Bezug auf sie? Hatte ich sie auf ein Podest gestellt wegen ihrer Schönheit, ihrer alten und aristokratischen Familienbeziehungen? Und dann wurde mir klar, dass mein Widerwille, mich auf ein Gespräch mit Ted einzulassen, Ausdruck meiner Angst war, ich könnte mehr über Eloise herausfinden, als ich wollte.

Ich sagte ihm, dass ich mich krank fühlte. Was durchaus stimmte, weil ich mich gerade wirklich gern übergeben wollte. Aber da ich immer sensibel auf die Befindlichkeit meines Körpers horchte, wusste ich, dass meine Übelkeit keine normale Reaktion meiner Eingeweide war, sondern damit zu tun hatte, was in meinem Kopf vorging.

»Ich kann dich heute Abend nicht sehen, Ted. Ich fühle mich beschissen, und ich hab jede Menge Arbeit zu erledigen. Also, nicht heute Abend, aber natürlich will ich dich bald treffen. Und wer ist Arthur?«

Ted gluckste, aber es war ein dunkles und fieses Geräusch.

»Arthur? Nun, er ist eine Art Sand im Getriebe. Das ist Arthur. Nicht, dass ich bis vor ein paar Wochen die geringste Ahnung von seiner Existenz gehabt hätte. Aber verstehst du, wir reden hier über Betrug. Es ist so schlimm, wie es nur kommen kann.«

Mir wurde klar, dass er unter Umständen immer noch ein bisschen betrunken von letzter Nacht war. Er klang undeutlich und gestresst. Aber auch unheimlich nachtragend und erbost. Ich sagte ihm, ich würde ihn später zurückrufen. Ich musste wirklich erst mit Chris reden.

* * *

Spät am Nachmittag rief Chris zurück. Ich erzählte ihm von Teds seltsamer Stimmung und wie verstörend ich das fand. »Er hat mir wirklich ... ziemlich Angst gemacht.«

»Du bildest dir da was ein, Cathy. Ted muss im Moment unter großem Stress stehen. Das ist es wahrscheinlich, was du bei ihm gespürt hast.«

»Nein, Chris, ich bilde mir da nichts ein. Er hat bei mir ein richtig ungutes Gefühl verursacht. Ich denke, er ... nun, er hat versucht, sich an mich ranzumachen.«

Es gab eine lange Pause. Dann redete Chris mit dieser gefühllosen Stimme, die ich fürchten gelernt hatte und die er immer dann verwendete, wenn er dachte, ich würde nicht genug tun, um zu verhindern, dass meine schwarzen Gedanken und Gefühle mich übermannten.

»Gut, das war's. Du kommst nach Hause.«

Ich ging hoch. »Nein, das tu ich nicht. Hör auf, mich herumzukommandieren.«

Er seufzte. »Cathy, schau. Du warst sehr krank. So schwer depressiv, dass ich manchmal glaubte – nun, du weißt, was ich dachte. Ich war nicht sicher, ob du wieder gesund werden würdest. Aber du hast es geschafft. Es ging dir so gut, und nun sitze ich hier festgenagelt in London, und du hast eine Art Zusammenbruch und bist ganz allein auf dich gestellt, in Cornwall. Das ist nicht gut. Das musst du doch begreifen!«

»Ich hab keinen Zusammenbruch. Ich bin nur ... nun ... beunruhigt wegen Ted.«

»Das ist es nicht, weshalb ich mich sorge. Schau, ich kenne die Anzeichen. Die Art und Weise, wie du angefangen hast, dich wegen Eloise zu quälen. Die Manier, nicht loslassen zu können. Ich weiß, wann diese Dinge dich in den Griff bekommen. Du bist wieder wie besessen von deinen schwarzen Gedanken. Es ist der Beginn einer nach unten gehenden Spirale.«

»Wovon redest du? Ich bin nicht besessen von schwarzen Gedanken«, protestierte ich, obwohl ich natürlich wusste, dass ich es doch war. »Ich erzähle dir nur, wie Ted gestern Nacht war. Willst du andeuten, ich hätte mir das nur eingebildet?«

»Cathy, du musst nach Hause kommen. Du musst bei deiner Familie sein. Du solltest wirklich nicht alleine sein. Und ich kann nicht runterkommen, weil ich für die nächsten Tage den ganzen Tag über Patienten habe. Aber wenn du nicht den Zug nehmen willst, dann fahre ich über Nacht runter und hole dich ab. Du lässt mir keine Wahl.«

»Herrgott, Chris, was soll das eigentlich? Wer denkst du eigentlich, wer du bist?«

»Dein Mann. Der dich liebt. Cathy, diese Situation ist unerträglich. Und wenn du entschlossen bist, so vollkommen stur zu sein, dass du nicht das tust, was offensichtlich das Beste für deine geistige Gesundheit ist, dann habe ich keine andere Wahl, als zu handeln und dich nach Hause zu holen.«

»Ah, ich verstehe. Und wenn ich zurück bin, wirst du mich dann einweisen lassen?«

»Mach dich nicht lächerlich. Wirst du den Zug nehmen, oder muss ich runterkommen und dich holen?«

»Weißt du was, Chris? Du kannst dich verziehen. Ich gehe nirgendwohin. Du kannst hingehen, wo der Pfeffer wächst.«

Ich knallte den Hörer auf. Es gab kein Mobilfunksignal in Talland Bay, also war es immer noch möglich, auf der Festnetzverbindung melodramatisch zu sein. Aber ich war wütend. Und auch verzweifelt. Wenn du einen Nervenzusammenbruch hattest, wie ich ihn gehabt hatte, gibt das jedem eine Blankovollmacht, zu jedem beliebigen Zeitpunkt deine Zurechnungsfähigkeit anzuzweifeln? Ich wusste, was ich aus Teds Stimme herausgehört hatte, seine bösartige Haltung Eloise gegenüber. Ich bildete mir das nicht ein. Wie konnte Chris es *wagen,* zu behaupten, ich hätte Wahnvorstellungen? Bedeutete das, wann immer ich ihm etwas erzählte, was er nicht hören wollte, würde er annehmen, ich wäre wieder übergeschnappt? Wie könnte irgendeine Frau damit leben?

Zwei Sommer zuvor war Evie krank gewesen. Es hatte mit Kopfschmerzen angefangen, die so akut waren, dass sie sie zum Weinen brachten. Und dann begann sie, sich zu übergeben. Wir waren gerade in Cornwall, und der Arzt überwies sie ins Derriford Hospital. Der Facharzt konnte nichts finden, und Chris sagte, es sei wahrscheinlich nur ein Magen-Darm-Infekt, aber während die Tage verstrichen und Evies bleiches Gesicht mich vorwurfsvoll anstarrte, wie sie da auf dem Sofa lag, kam ich zu der Überzeugung, dass sie an etwas viel Furchterregenderem litt. Ich beschloss, sie hätte einen Hirntumor. Und ich bestand auf einer Computertomografie.

Chris meinte, ich würde überreagieren, überzeugte aber den Facharzt, meiner Forderung nachzugeben. Evie bekam den Gehirnscan. Es war, sagte der Arzt, absolut alles in Ordnung mit ihr. Er zeigte uns die Röntgenaufnahme. Mir sagte sie nichts, aber Chris lächelte erleichtert, als er sie sah. Während er und der Facharzt sie sich ansahen, lachten und spaßten sie miteinander, und ich betrachtete sie fassungslos. Worüber lachten sie? Unsere Tochter hatte einen Gehirntumor, und Chris amüsierte sich über die Röntgenaufnahme!

Auf der Fahrt zurück zum Cottage saß ich wie betäubt da, krank vor Entsetzen. Als wir zurück waren, ging die arme Evie, ihren schmerzenden Bauch haltend, mit einer Wärmflasche ins Bett. Unten stellte ich Chris zur Rede.

»Ich möchte Evie jetzt sofort zurück nach London bringen. Ich will eine zweite Meinung, noch eine Aufnahme.«

Chris schaute mich an, betroffen von meiner bebenden Stimme. »Dafür gibt es keinen Grund, ich habe den Scan gesehen. Sie ist vollkommen in Ordnung, Liebling. Es ist nur ein Magen-Darm-Infekt, und da sie jetzt Antibiotika nimmt, wird es ganz schnell besser.«

Ich begann zu zittern. »Chris, sie hat Krebs. Ich *weiß* es. Ich weiß es ganz einfach.«

Er setzte sich neben mich aufs Sofa und nahm meine Hand. »Liebes, ich bin Arzt und ich kann dir versichern, sie hat keinen.« Er streichelte mein Haar. »Ich denke, ich weiß, was los ist. Es ist Eloise, nicht wahr?«

Ich rastete aus. »Eloise stirbt«, fauchte ich. »Wenn es ihr zustoßen kann, so mir nichts, dir nichts, kann es jedem passieren. Ich *werde nicht* zulassen, dass das Evie passiert.«

Chris schaute mich perplex an. »Aber Liebling, Evie wird nichts geschehen. Ich verspreche es dir.«

»Ja, nun, das ist, was alle immer sagen, nicht wahr? Schau dir an, wie jeder Eloise versichert hat, alles werde gut werden.« Ich begann, hysterisch zu schreien. »Sie stirbt, Chris. Meine Evie stirbt!«

Und damit ging es los. Die Träume fingen in dieser Nacht an.

Ich erinnere mich an den ersten. In ihm war Evie ein kleines Mädchen, um die drei Jahre alt. Sie sah süß aus, glücklich sang sie ihrer Puppe etwas vor. Aber während ich sie beobachtete, begann sie zu schrumpfen, zu schwinden. Ich schnappte sie mir, und sie wurde in meinen Armen zu einem Neugeborenen. Und dann war sie verschwunden.

Ich war außer mir, geriet in Panik, rannte verzweifelt im Haus herum, suchte nach ihr, hob Kissen hoch, öffnete Schubladen. Mein Baby war verschwunden, sie hatte mich verlassen. Und dann sah ich auf dem Kaminsims eine Streichholzschachtel. Ich nahm sie und machte sie auf. Innendrin, winzig wie ein Mäuschen, lag mein Kind. Sie sah perfekt aus, als ob sie nur schliefe, aber ich wusste, sie war tot.

Nach dieser ersten Nacht gab es noch viele weitere Träume, Albträume von gruftigem Horror, in denen ich durch ein grünes Tal wanderte und um mich herum abgetrennte Köpfe aus dem Boden hervorkamen, die mich ernst, fast mitleidig beobachteten, während ihr Blut aufs Gras tropfte.

Da gab es Träume, in denen ich überall, wo ich ging, tote Tierbabys entlang meines Wegs hingestreut sah: Kälber, Kätzchen, Fohlen. Sie machten mich unsäglich traurig.

Und dann der Schlimmste von allen. Eloise saß vor mir mit der Streichholzschachtel mit meinem toten Baby in ihren Händen. Sie lächelte mich an, aber ohne jede Wärme. Sie wirkte schadenfroh, hämisch.

»Siehst du, Cathy, es betrifft nicht nur mich. Ich bin nicht die Einzige, die vor ihrer Zeit stirbt. Nun wirst du erfahren, wie es ist, wie ich mich dabei fühle, wenn ich meine Töchter verlassen muss. Jetzt wirst auch du über unerträgliche Trauer Bescheid wissen, nicht nur ich.«

Sie sah so teuflisch aus, wie sie mich anstarrte, ihr schönes Gesicht verzerrt im Triumph. Und dann begann sie zu gackern.

Nacht für Nacht erwachte ich schreiend oder weinend, und Chris brachte mich zurück nach London, wo ich die Behandlung begann. Über Monate waren meine Nächte erfüllt von Horror, meine Tage ertränkt in lethargischer Stumpfheit. Ich war starr vor Angst und Verlust. Meine Diagnose: schwere klinische Depression.

Und Evie? Es stellte sich heraus, dass sie an einer Blinddarmreizung litt. Ein paar Tage, nachdem wir nach London zurückgekommen waren, wurde sie schnell für eine Notoperation ins Krankenhaus gebracht. Zu dieser Zeit wusste ich nichts davon. Chris hatte zu viel Angst, mir zu erzählen, dass unsere Tochter tatsächlich in Gefahr gewesen war, wenngleich aus einem viel harmloseren Grund als einem Gehirntumor.

Und doch, danach, sogar als Evie sich erholt hatte und offenkundig wohlauf und fröhlich war, fühlte ich weiterhin die Furcht in meinem Herzen. Ich träumte immer noch, sie läge tot in einer winzigen Streichholzschachtel. Ich träumte, Eloise freute sich hämisch über meine Trauer.

Irgendwann, mit Medikation und Therapie, ging es mir besser.

Bis zum Winter hatte ich meine geistige Gesundheit wiedererlangt, akzeptierte, dass es Evie gut ging und ich einen Nervenzusammenbruch erlitten hatte, ausgelöst durch meine Angst um Eloise. Ich hatte in Schrecken und Verdrängung gelebt wegen des bevorstehenden, unabwendbaren Todes meiner Freundin, und als meine Tochter krank wurde, schaltete mein verängstigter Geist in eine Art Irrsinn um.

Es ging mir besser, aber ich wusste aufgrund der Art, wie er mich beobachtete, mich anschaute, dass Chris von nun an bis in alle Ewigkeit nach Zeichen der Instabilität Ausschau halten würde. Und obwohl ich wegen meiner Genesung und meiner Vernunft stolz auf mich war, wusste ich natürlich, dass ich fortwährend am Rand eines Abgrunds stand. Wenn du einmal da gewesen bist, vergisst du es nie wieder. Du kannst es unmöglich ignorieren. Wenn du einmal einen flüchtigen Blick auf den tiefen Schrecken der Kluft erhascht hast, die sich unter deinen Füßen öffnet, einmal den unerbittlichen Sog gefühlt hast, der dich an die Kante zieht; wenn du einmal verstanden hast, dass dort unten nicht nur der Irrsinn liegt, sondern die totale Zerstörung deines Lebens, deines Glücks, aller Hoffnung auf Liebe und Trost … dann, und nur dann, kannst du die unaussprechliche Größenordnung dessen ermessen, was dort unten liegt. Und wie vollkommen widerlich es ist, wie unbelebt von allem außer dem Tod. Und sogar wenn du dich besser fühlst, wenn Pillen und Therapie dich in eine fragile Normalität zurückversetzt haben, weißt du doch immer, es gibt Dämonen da draußen, lebensaugende, seelensaugende Vampire.

Nie weit entfernt. Und immer bereit zuzuschlagen.

Es war Ironie, dass ich mit einem Psychiater verheiratet war. Jemandem, der mich so gut kannte, aber der mich nicht behandeln konnte. Ich musste einen seiner Kollegen konsultieren; dazu verpflichtete mich und ihn die medizinische Etikette, die ich schrecklich peinlich fand. *Hey,* stellte ich mir den Kollegen vor, wie er auf Dinnerpartys herumposaunte, wenn er ein bisschen zu viel getrunken hatte. *Wusstest du, dass die Frau von Chris meschugge ist?*

Wenn ich Chris meine Ängste vorweinte, sagte er mir, ich läge falsch. Der Mann, der mich behandelte, beachte, wie er sagte, penibel die Regeln der Vertraulichkeit. Chris würde ihm sein Leben anvertrauen – oder zumindest, erwiderte ich mit schwarzem Humor, seine Frau.

Chris mochte es nicht, wenn ich schnippisch war. Aber schließlich sagte ich mir, war er verzweifelt bemüht, mir zu helfen, nicht wahr? Und wie jeder Mann, der mit einer selbstmordgefährdeten, depressiven Ehefrau klarkommen muss, war er ohnehin verzweifelt. Weil ich ihn während meines Nervenzusammenbruchs nicht im Zweifel darüber gelassen hatte, dass ich mich umbrächte, wenn Evie irgendetwas zustieß.

Das Telefon klingelte wieder. Davon überzeugt, dass es Chris war, ließ ich den Anrufbeantworter den Anruf annehmen. Aber die Stimme, die aus der Maschine kam, war sanft, wohlklingend und ganz bestimmt weiblich.

Juliana. Ich sah plötzlich eine Antwort auf meine Probleme und flog zum Telefon.

Anderthalb Stunden später, nach einer Taxifahrt, saß ich in Julianas Haus, eine Tasse Tee in der einen Hand und ein wunderschön gebügeltes Taschentuch in der anderen, außerstande aufzuhören zu weinen. Ich konnte mich selbst laut schluchzen hören, und ich schämte mich für meine Selbstsucht. Juliana hatte gerade eine geliebte Tochter verloren, ihr einziges Kind – und ich hatte lediglich einen Streit mit meinem Ehemann gehabt.

Typischerweise hatte Juliana, die mich gebeten hatte, über Nacht zu bleiben, vollstes Verständnis für meine lächerliche emotionale Krise und war überaus herzlich. Ich hatte ihr etwas über meinen Nervenzusammenbruch erzählt – sie wusste nur, dass wir eine Zeit lang aufgehört hatten, nach Cornwall zu kommen, und weil Chris Eloise mit der Wahrheit nicht beunruhigen wollte, hatte er behauptet, es sei wegen Toms harter Lernerei für die A-Levels und dass ich damit beschäftigt war, Auftragsarbeiten zu schreiben. Beschäftigt mit ihrer eigenen tödlichen Krankheit, hatte Eloise diese Ausflüchte akzeptiert. Ich erzählte Juliana das nicht, um Mitgefühl zu wecken, sondern um zu erklären, wie schwankend meine Urteilskraft zurzeit war.

»Liebling«, sagte sie. »Natürlich bist du aufgebracht über das alles. Aber ich hatte keine Ahnung, dass du so eine schwere Zeit durchgemacht hast.«

»Wir haben versucht, es vor euch zu verbergen, Juliana. Du hattest weiß Gott genug eigene Probleme mit Eloise.«

»Ja, das stimmt. Ich weiß eure Rücksichtnahme zu schätzen. Aber trotzdem, du hattest eine schreckliche Zeit. Ich wünschte, ich hätte es gewusst.«

»Weißt du was, Juliana? Ich wünsche nur, ich könnte schlafen. Manchmal denke ich, ich könnte für immer schlafen.«

»Eloise hat genau das Gleiche gesagt.«

»War sie depressiv?« Natürlich war sie depressiv. Sie starb. Wie dumm von mir. »Es tut mir leid, Juliana. Sie war so krank.«

»Nun, das stimmt natürlich. Aber das hatte sie damit nicht gemeint. Sie meinte, dass ihr Leben, den Krebs mal außen vor gelassen, nicht wert war, gelebt zu werden.«

»Aber sie wollte unbedingt leben«, protestierte ich. »Sie hat den Tod mit allen Mitteln bekämpft.«

»O ja. Aber das war der Kinder wegen. Sie wusste, wie sehr sie sie brauchten.«

»Ihr Leben mit ihren Babys bedeutete ihr sicher alles.«

»Ja. Aber da gab's andere Sachen …«

»Ted? Redest du davon?«

Juliana senkte ihren Blick. Sie war traurig und erschöpft. »Liebes, ich kann darüber heute Abend wirklich nicht reden. Aber ich freue mich, dass du bei mir bleiben wirst. Ich glaube, wir brauchen beide Gesellschaft, und wir haben eine Menge zu bereden. Lass uns morgen damit anfangen. Einstweilen werde ich Annie bitten, dich ins Bett zu bringen.«

Wenn das von Chris gekommen wäre, hätte ich ihm erzählt, dass mich niemand ins Bett bringt. Aber Julianas Vorschlag fühlte sich an, als käme er von einer Mutter. Von *Meiner* Mutter. Nicht dass meine der liebevolle und freundliche mütterliche Typ gewesen wäre; das war sie nie, und Gott, wie sehr sehnen wir uns alle nach dieser Fürsorge, dieser absoluten Überzeugung, dass wir geliebt werden, eingehüllt in Zuneigung. Dass wir immer noch klein, noch immer in der Lage wären, uns in die sanfte Anmut eines mütterlichen Leibs aufnehmen zu lassen.

Annie, die über achtzig und seit ihrer Teenagerzeit Julianas treue Zofe war, brachte mich ins Bett, mit einer Wärmflasche und einer Tasse heißer Schokolade. Sie hatte bereits meinen Koffer ausgepackt und meine Kleider aufgehängt, so wenige es auch waren. Ich fühlte mich wie ein Flüchtling aus einem Roman von Jane Austen. Ich war erschöpft, aufgeregt und unheimlich dankbar für die weichen Leinenbetttücher und die warme Steppdecke auf meinem neuen Bett. Ich fühlte mich umsorgt, wie in einem Kokon. Ich schlief ein, das erste Mal seit Jahren mit dem Gefühl, dass ich bemuttert wurde. Es war die reine Glückseligkeit.

Ich träumte wieder in dieser Nacht, aber diesmal kam der Geist von Eloise ganz behutsam zu mir. Als ich schlief, merkte ich, wie sie ihr Wesen um mich legte. Sie war eindeutig froh, dass ich bei Juliana war. Sie war zufrieden, dass ich in ihrer vertrauten Umgebung war. Sie war freundlich. Voller Trost.

»Cathy, du bist jetzt mit meiner Mutter zusammen. Das ist gut. Hier kann ich mit dir reden. Bitte bleib im Farmhaus, dann kann ich dir von meinen Kindern berichten. Es gibt so viel, was ich dir erzählen muss. Aber ich bin schwach, versuche Kraft zu finden. Manchmal kommt sie, dann verdampft sie und ich bin nichts.

Nichts. Nur Dunst im Wind. Kannst du dir vorstellen, wie sich das anfühlt? Nichts zu sein, so machtlos zu sein, wenn so viel auf dem Spiel steht?«

Nein. Ich konnte mir nicht einmal entfernt diese Verzweiflung vorstellen, und ich hatte weiß Gott Verzweiflung kennengelernt, als ich krank war, hatte so viel Angst um Evie gehabt, sie in großer Gefahr gesehen. War es das, was Eloise mir über ihre kleinen Mädchen erzählen wollte? Dass sie Angst hatte, sie wären in großer Gefahr?

Nein, es war ein Traum, nur ein Traum, versuchte ich mir krampfhaft einzureden. Eloise ist tot, sie liegt ganz still in ihrem Grab. Ich glaube nicht an Geister. Ich bin nur anfällig für schreckliche Albträume.

7

Eloise trieb die ganze Nacht sanft durch meine Träume, aber nicht so, dass sie mich geweckt oder geängstigt hätte. Annie weckte mich am Morgen mit einer Tasse Tee. Sie sagte, Juliana warte auf mich im Frühstückszimmer; ich würde genug Zeit für ein Bad haben und es eile nicht.

Eine halbe Stunde später, gebadet und angezogen, aber ungeschminkt, gesellte ich mich zu meiner Gastgeberin zum Frühstück. Sie lächelte, lieb wie immer, aber in ihren blauen Augen war Anspannung zu sehen.

Nach den üblichen morgendlichen Höflichkeiten rührte sie ihren Tee um und fragte ruhig und gespannt: »Cathy, ist dir gestern Nacht irgendetwas Seltsames geschehen?«

»Nein«, erwiderte ich schnell – und bedauerte die Lüge sofort. »Nun, ehrlich gesagt, ich hatte lebhafte Träume. Über Eloise sogar, aber sie waren entspannt, nichts Beunruhigendes.«

»Hast du jemals *beunruhigende* Träume über sie gehabt?«

»Ich denke schon, aber ich bin ja auch ein bisschen … nun, seltsam.«

Juliana lachte kurz auf. »Das glaube ich nicht. Oder anders: Wenn du das bist, dann bin ich's auch. Aber … ich denke, ich muss dir das erzählen. Sie hat mir eine Nachricht hinterlassen.«

»Was meinst du? Eloise hat dir – was hinterlassen? Einen Brief?«

»Nein. Sie hat mir *Sturmhöhe* hinterlassen.«

Ich verstand nicht. »Da komm ich nicht mit. Wie meinst du das? Sie hat hier ein Buch liegen lassen?«

»Es stand in der Bibliothek. Ich weiß das sicher, weil ich es letzte Woche noch einmal gelesen habe. Es ist eins meiner Lieblingsbücher, und das Lesen tröstete mich, als sie so krank war, und besonders nachdem sie …«

Ich schluckte. »Entschuldige, Juliana. Was sagst du da? Dass Eloise ein Buch für dich in der Bibliothek hinterlassen hat?«

»Nein, es *war nicht* in der Bibliothek. Nicht heute Morgen. Darum geht's ja. Es lag gestern dort. Eric, der sogar noch länger bei den Trelawneys ist als Annie, legt die Tageszeitungen jeden Morgen auf dem Tisch in der Bibliothek aus, und ich habe das Buch da gestern liegen sehen, als ich sie holte. Ich sage ihm andauernd, er soll mir die Zeitungen ins Wohnzimmer bringen, aber er vergisst das immer. Egal, *Sturmhöhe* lag auf dem Tisch, genau wo ich es hatte liegen lassen. Das war gestern. Ich weiß noch, dass es mich gestört hat. Ich wollte es nicht sehen, weil ich wegen Eloise so verstört war. Aber heute Morgen, als ich aufgewacht bin, lag es auf meinem Nachttischchen. Und es war an der Stelle aufgeschlagen, wo Cathy Earnshaws Geist Heathcliffs neuen Mieter heimsucht, als er in Wuthering Heights übernachtet.«

Ich schloss meine Augen einen Moment und spürte meine Welt erbeben.

»Juliana«, sagte ich und versuchte, meine Stimme ruhig klingen zu lassen. »Ich versuche mein Bestes, dich zu verstehen, aber ich schaffe es nicht. Du hast eine schreckliche Erfahrung gemacht. Bist du absolut sicher, dass du das Buch in der Bibliothek gelassen hast? Vielleicht hast du es ja ins Schlafzimmer mitgenommen und erinnerst dich nur nicht daran.«

Ich konnte Chris schon hören. *Natürlich wusste sie es. Sie ist traumatisiert. Sie weiß nicht, was sie tut, und du musst verrückt sein, ihr zu glauben.*

Vielleicht, dachte ich. Aber du denkst ja sowieso, ich wäre verrückt. Also, was haben wir hier? Zwei verrückte Frauen? Beide davon überzeugt, dass etwas furchtbar im Argen lag mit Eloise'

Tod? Schwestern der Hysterie? Oder vielleicht ein außerordentlicher Moment zusammenwirkender weiblicher Intuition?

Ich traute mich kaum, die Ahnung in meinem Kopf Gestalt annehmen zu lassen. Eloise, ihre Mutter und ich. Könnten wir in einer Art psychischer Dreiecksbeziehung vereint sein, und war hier tatsächlich etwas im Gange, gab es eine Nachricht, gesendet über Träume und verlegte Bücher, eine Nachricht von Eloise von jenseits des Grabes? Ich schauderte.

Vergiss nicht, vergiss nicht, wisperte ich mir selbst zu. *Dein Geist ist zerbrechlich; du bildest dir Sachen ein. Du dachtest, Evie würde sterben, und sie lebt.*

»Ich weiß, wie das klingen muss«, sagte Juliana mit einer für sie uncharakteristischen bebenden Stimme. »Aber ich bin absolut sicher, dass *Sturmhöhe* nicht neben meinem Bett lag, als ich gestern Nacht schlafen gegangen bin. Weißt du, es war auch eines ihrer Lieblingsbücher. Ich habe es ihr das erste Mal vorgelesen, da war sie zehn, und sie hat es immer geliebt.« Juliana sah traurig, erschöpft und vollkommen erledigt aus. »Es tut mir leid. Vergib mir. Ich hatte eine schlechte Nacht. Ich war sicher, sie hat versucht Kontakt mit mir aufzunehmen, mir etwas äußerst Wichtiges mitzuteilen. Aber sie war nur ganz … ich dachte, ich könnte sie sehen … fast … aber dann wurde ihr Gesicht so undeutlich und ihre Stimme war so verloren – dumpf, und zu leise, um sie verstehen zu können.«

Ich musste es ihr erzählen. »In meinen Träumen scheint sie mich vor etwas zu warnen, Juliana. Etwas, was mit ihren Kindern zu tun hat. Weißt du, was sie möglicherweise meinen könnte?«

Juliana starrte mich einen Moment an, dann schüttelte sie heftig den Kopf.

»Nein. Oh, Cathy, ich bin so ein maßloser Dummkopf. Solche dämlichen übernatürlichen Gedanken über meine Tochter zu haben, wo sie doch an dieser schrecklichen Krankheit gestorben ist. Warum denke ich überhaupt so? Ich war ihre Mutter, und ich vermute, deshalb verweigere ich mich dem Gedanken, sie könnte so früh sterben – genauso, wie sie selbst es geleugnet hat. Aber trotzdem. Ich hatte Jahre, um mich an den Gedanken zu gewöhnen. Ich *wusste,* was mit meiner wundervollen Tochter passieren würde. Ich weinte, ich wütete, ich betete zu Gott, er möge sie verschonen. Aber ER tat es nicht, und ich kann es nicht ertragen – vergib mir.«

Sie stand auf. Sie legte ein Buch vor mich hin und verließ abrupt den Raum. Ich nahm es in die Hand. *Sturmhöhe.* Zwischen den Seiten lag ein fein gemustertes Lesezeichen, und da ich mich auf einmal unerträglich eingesperrt fühlte, beschloss ich, es mit hinaus in den Garten zu nehmen und es dort zu lesen.

Draußen war es kalt, aber sonnig. Neben den Rhododendren war ein kleiner Pavillon, mit gepolsterten Sitzgelegenheiten und einem Holzofen, der an einer geweißten Wand stand. Er war nicht an, aber der Raum war trotzdem noch behaglich. Ich machte es mir mit dem Buch auf dem Schoß bequem, aber bevor ich Gelegenheit hatte, es aufzuschlagen, kam Eric, Julianas alter Diener, mit Streichhölzern, einem Blasebalg und Kleinholz reingeschlurft, seinen hinfälligen Körper unnatürlich zusammengekrümmt. Er war so steinalt, dass ich dachte, seine spindeldürren Beine würden unter dem Gewicht seiner Last zerbrechen. Ihm folgte dichtauf Annie mit einem Tablett mit Tee und einer karierten Decke über dem Arm.

Ich sprang auf und fühlte mich schrecklich schuldig, ihnen das Gefühl zu geben, ich hätte Fürsorge nötig, obwohl ich doch so viel jünger und fitter war. »Annie, Eric, das ist wirklich sehr nett von euch, aber es ist gut, so wie es ist. Es ist warm genug hier, danke.«

»Aber nein, Miss«, sagte Annie.

Miss? An meinem nächsten Geburtstag würde ich sechsundvierzig sein. Der Geist von Jane Austen war sicher noch lebendig innerhalb der Grenzen von Roseland.

»Mylady hat uns gebeten, uns um Sie zu kümmern, und Sie holen sich den Tod hier draußen ohne Feuer. Es ist immerhin Februar.«

Eric sagte nichts, aber er zündete das Feuer an, lächelte und schlurfte davon. Annie pusselte mit dem Tee und der Decke herum, legte sie mir besorgt um meine Beine, informierte mich, dass das Mittagessen um ein Uhr serviert werde, und folgte Eric aus dem Pavillon.

Das ist lächerlich, dachte ich; Juliana lebt im 19. Jahrhundert. Dabei war Eloise so zeitgemäß eingestellt gewesen, mit beiden Beinen auf dem Boden. Keine Dienstboten für sie – obwohl, wenn ich so darüber nachdachte, sie hätte sich sicher welche leisten können.

Geld. War das das Problem zwischen ihr und Ted? Wir hatten nie darüber geredet. Eloise schien immer leicht verlegen zu sein wegen ihres aristokratischen Hintergrunds, auch wenn sie ihre Mutter innig liebte. Und Ted hatte manchmal indirekt auf den Reichtum seiner Frau angespielt, neckte sie damit, was sie tun könnten, welchen Lebensstil sie sich leisten könnten, wenn Eloise ihre Mutter davon überzeugen könnte, mehr von ihrem Treuhandfond freizugeben, anstatt auf Julianas Tod zu warten. Aber dieses Necken war immer leicht und spielerisch, und Eloise schien nie mehr als amüsiert gewesen zu sein.

»Oh, Ted«, hätte sie gelacht. »Immer der Landedelmann sein wollen. Nun, ich finde dich wesentlich anziehender so, wie du bist. Ein notleidender Künstler. Genau darum geht's in Cornwall. Und wir leben ja auch nicht gerade in einer Mansarde, oder? Wir haben mehr als genug.«

Und in Wahrheit schienen sie da glücklich zu sein. Durch eine starke körperliche Anziehung miteinander verbunden. Manchmal, wenn Ted sie anschaute, seine Augen vor Verlangen glitzernd, war ich ziemlich neidisch. Nicht, dass Chris und ich uns nicht nah waren. Aber irgendwie schienen Ted und Eloise ein so romantisches Paar zu sein, sie so wunderschön, er so glamourös mit seinem schmutzig-blonden guten Surfer-Aussehen. Sie mit einer derartig reichen und vornehmen Herkunft, er ein begabter Künstler, dessen Gemälde mehr und mehr Interesse auf sich zogen, mit einer später im Jahr angesetzten Ausstellung in London. Chris war Psychiater; immerhin ein Professor, der eine angesehene und wichtige Arbeit ausübte. Aber irgendwie fehlte Chris' achtbarem Metier der kribblige Glamour eines kornischen Malers …

Ich sank in den bequemen, weichen Armsessel, alt, aber wunderbar gepolstert mit weißen Leinenkissen, goss mir eine Tasse Tee ein und fühlte mich unglaublich verhätschelt, wie ich so in das glühende Holzfeuer schaute. Umsorgt. Wieder wie ein Kind, dachte ich, nicht vollkommen glücklich über diesen Rückschritt in die Kindheit, eine Stimmung, die mich wohltuend eingehüllt hatte, seit ich in Julianas Haus angekommen war. Ich liebte dieses Gefühl des Behütetseins, aber ich konnte es unmöglich akzeptieren. Das war alles Teil eines Traums, ein Hirngespinst, in das mich der Tod von Eloise, Julianas Trauer und mein eigenes Gefühl der Verwirrung und des Schocks hineingezogen hatten.

Ich klappte *Sturmhöhe* auf.

Die Seiten öffneten sich leicht und klappten an der Stelle auf, als Mr Lockwood, der nichts ahnende neue Mieter von Thrushcross Grange – ein isoliertes Herrenhaus in Nord-Yorkshire, in das er sich zurückgezogen hat, um »allem Gesellschaftstreiben« zu entgehen im »wahren Himmel eines Menschenfeinds« –, seinem Vermieter, Mr Heathcliff, einen Besuch abstattet auf dessen düsterem und verfaulendem Haufen Moorland: Wuthering Heights.

»Ein prächtiger Kerl«, begeistert sich Mr Lockwood, den satanischen Nachbarn, in dessen Schlupfwinkel er sich unwissend verirrt hat, zuerst als einen gleichgesinnten Einsiedler begrüßend.

Wegen des Schneegestöbers und der heulenden Winde in dieser Nacht ist Heathcliff widerstrebend gezwungen zuzugeben, dass sein Besucher unmöglich das Moor durchqueren kann, um nach Hause zu kommen. Äußerst ungnädig erlaubt er Mr Lockwood, über Nacht zu bleiben, und in einem entfernt liegenden, kalten und einsamen Schlafzimmer versucht der arme Mann, zur Ruhe zu kommen.

Die Ruhe, nach der er sich sehnt, will nicht kommen. Er entdeckt das Fensterbrett, auf dem Catherine ihren Namen eingeritzt hat, weil dies ihr Schlafzimmer in ihrer Zeit als Catherine Earnshaw gewesen war; »da und dort die Abwandlung Catherine Heathcliff, und dann wieder Catherine Linton«.

Lockwood, erfüllt von einer rührseligen Neugier, liest Catherines Tagebücher, die stockfleckig auf dem Fensterbrett liegen. Als er irgendwann einschläft, sind seine Träume lebhaft und quälend.

Dann wacht er auf, geschunden von sonderbaren und plastischen Bildern. Oder glaubt es zumindest.

Die folgenden Absätze, die den Rest von Mr Lockwoods unglückseliger Nacht darstellten, waren in Julianas Ausgabe von *Sturmhöhe* mit schwarzer Tinte überdeutlich unterstrichen.

Diesmal blieb ich mir bewusst, dass ich in dem Verschlag aus Eichenholz lag, und ich spürte die peitschenden Stöße des Windes und das Treiben des Schnees; ich hörte auch das anhaltende und nervtötende Klopfen des Tannenzweiges und schrieb es nun seiner wahren Ursache zu: doch quälte mich dieses Geräusch nun so, dass ich beschloss, es, wenn es irgend ginge, zum Verstummen zu bringen […] »Also wirklich, das muss aufhören!«, murmelte ich. Ich durchschlug mit der Faust die Scheibe und streckte den Arm aus, um den Ast zu packen; doch statt seiner hielten meine Finger die Finger einer eiskalten kleinen Hand umfasst! Das ganze Grauen des Albtraums bedrängte mich: ich wollte meinen Arm zurückziehen, doch die Hand klammerte sich an ihm fest, und eine tieftraurige Stimme schluchzte: »Oh, lassen Sie mich ins Haus, lassen Sie mich ins Haus!« »Wer sind Sie?«, fragte ich, immer weiter meinen Arm kämpfend.

Und hier veränderte sich die Geschichte. Im Buch erwiderte der Geist natürlich: »Catherine Linton.«

Aber auf der Seite in Julianas *Sturmhöhe* war der Name durchgestrichen und in großen, schwarzen Buchstaben über den Lettern stand geschrieben

ELOISE TRELAWNEY

Ihr Mädchenname.

Und als nächstes auf der Seite unterstrichen mit der gleichen tiefschwarzen Tinte:

Ich komme heim; ich hatte mich in der Heide verirrt!

Bestürzt sprang ich aus meinem Stuhl auf. Was war das? Eine wirkliche Botschaft von Eloise, gesandt an ihre Mutter von jenseits des Grabes? Oder das Ergebnis von Julianas eigenem Kummer, eine tiefe, quälende, aber unbewusste Erwiderung auf die absolute Verzweiflung, die sie fühlte, weil ihre einzige Tochter sie so plötzlich verlassen hatte, so vollkommen beraubt? Angenommen, Juliana hatte in einem Anfall wilder Verleugnung die Worte in ihrer Ausgabe von *Sturmhöhe* geändert? Was, wenn sie mitten in der Nacht von ihrem Bett im Parterre in die Bibliothek geschlafwandelt wäre, den Füllhalter genommen, der auf der Schreibunterlage auf dem Tisch aus Kirschbaumholz lag, und den Namen ihrer Tochter so fett in das Buch geschrieben hätte, das ihnen beiden so viel bedeutet hatte? Es dann zurück zum Bett mitgenommen hätte und am Morgen aufwachte, um wahrhaft schockiert zu entdecken, dass sie eine übernatürliche Botschaft von ihrem geliebten toten Kind erhalten hatte.

Ich wusste es nicht. Erregt, mit aufgewühlter Seele, verließ ich das Buch, die Decke, das Teetablett und den gemütlichen Ofen, marschierte aus dem Pavillon und folgte blind einem schmalen Pfad, der vom Farmhaus wegführte.

Während ich den hübschen, uralten Weg abschritt, beruhigte ich mich allmählich. Cornwall war zeitlos. Dieses Gelände, diese Parklandschaft von Roseland Hall, war über Jahrhunderte unverändert geblieben. Eloise' Vorfahren hatten als Kinder hier unter diesen Bäumen gespielt, sicher und geliebt. Und natürlich lag der gesamte Besitz genau am Fuße des Bodmin Moors.

Mit diesem Gedanken verflog der Friede und ich fröstelte. Die gequälten Worte klagten durch die winterlichen Bäume.

Ich komme heim; ich hatte mich in der Heide verirrt!

Juliana wartete auf mich, als ich zum Farmhaus zurückkam, und wir setzten uns vor das Feuer in ihrem Wohnzimmer. Sie war aufgeregt.

»Hast du es gelesen, Cathy? *Sturmhöhe?* Hast du gesehen, was sie …«

Eric kam langsam mit einer Karaffe Sherry herein. Er setzte das Silbertablett, auf dem sie stand, auf einem kleinen Anrichtetisch ab und goss Sherry in zwei kleine, exquisite Kristallgläschen. Wir sagten nichts, bis er gegangen war.

»Ja, ich hab es gelesen«, erwiderte ich unverbindlich.

Juliana lehnte sich eifrig nach vorn.

»Nun, was denkst du? Ich weiß wirklich nicht, was ich davon halten soll. Was hat sie versucht, mir zu sagen? Ich meine, sie hat das in dem Buch geschrieben, aber was *bedeutet* es? Oh, Cathy, bitte sag mir, dass ich nicht verrückt werde.«

Glücklicherweise – ich wusste wirklich nicht, was ich sagen sollte – kam Annie herein, bevor ich antworten konnte, und verkündete, das Mittagessen sei serviert. Juliana hatte perfekte Manieren; falls sie irritiert war, zeigte sie es nicht. Wir wechselten ins Esszimmer und setzten uns an den alten Eichentisch, wunderschön gedeckt wie immer bei Juliana, mit weißem Leinen, Silber und Kristall. Große Vasen mit Narzissen und Forsythien standen auf im Raum verteilten Tischen. Die Atmosphäre war vornehm, ruhig und einladend, aber sie beruhigte nicht Julianas offensichtliche Nervosität.

Sie sagte nichts, bis Annie den ersten Gang serviert hatte, Erbsensuppe mit Schinken, und sich zurückzog.

»Du hältst mich für überspannt und lächerlich.«

»Nein, nein, das stimmt nicht. Weil ich selbst die außergewöhnlichsten Gedanken und Träume über Eloise hatte. Aber die Sache ist die: Wir müssen sichergehen, dass wir vernünftig bleiben bei alldem.«

Juliana lächelte mich ungläubig an.

»Vernünftig? Meinst du wirklich, man könnte irgendetwas von dem, was ich mit jeder Faser meines Körpers fühle und *weiß*, unter Umständen *vernünftig* nennen? Cathy, du weißt, irgendetwas stimmt hier nicht, das merke ich. Also sag mir bitte nicht, ich solle vernünftig sein. In all dem ist sehr wenig Vernunft zu entdecken.«

Ich murmelte zustimmend. Ich war auf ihrer Seite, wirklich, aber gleichzeitig wurde ich immer begieriger darauf, Roseland zu verlassen.

Der Komfort und der Trost, die ich genossen hatte, waren einer fiebrigen Hysterie gewichen. Juliana war sogar noch fragiler als ich, dachte ich. Die gegenseitige Unterstützung und Bestärkung, die ich erhofft hatte, als ich Talland Bay verließ, würden eindeutig nicht stattfinden.

Wieder hörte ich Chris' Stimme, als ich ihn angerufen hatte, um ihm zu sagen, dass ich die Nacht über in Roseland bliebe.

»Liebling, es wird nichts Gutes dabei rauskommen, wenn du bei Juliana bleibst. Ihr seid beide reichlich angeschlagen – sie vom Tod ihrer Tochter und du von deiner heiklen geistigen Verfassung. Ich werde dich abholen, Süße.«

Jetzt würde ich heimgehen – mit Freuden.

Annie und Eric trugen den Hauptgang auf – Hühnchen und Porreeauflauf, so köstlich, dass mich eine schläfrige und zufriedene Benommenheit überkam. Wie in einem unausgesprochenen Einverständnis sprachen wir nicht mehr von Eloise; aber es war ein unbehagliches Bündnis, wir waren uns beide im Klaren darüber, dass wir einem entscheidenden und dringlichen Thema aus dem Wege gingen.

Stattdessen redeten wir über häusliche Dinge. Mit aufrichtiger Neugier fragte ich sie, ob sie immer so äße.

»Was in aller Welt meinst du denn damit?«, kicherte sie. »Jeder muss essen.«

»Nein, ich meine, so formell. Mit so einem wunderbar gedeckten Tisch und allem. Es ist natürlich hübsch, solch ein herrlicher Raum, solch ein delikates Abendessen. Aber heutzutage neigt man dazu, viel zwangloser zu essen, außer natürlich, es ist eine besondere Gelegenheit.«

»Und was bringt dich zu der Annahme, dies wäre keine besondere Gelegenheit?«, erwiderte sie lächelnd. »Eloise' beste Freundin ist zum Abendessen gekommen. Aber nein, ich necke dich nur ein bisschen. Ich esse nur zur Mittagszeit stilgerecht. Weißt du, das ist meine Hauptmahlzeit. Zum Abendessen gibt es nur Bohnen auf Toast oder Rührei auf einem Tablett im Wohnzimmer, während ich die Nachrichten schaue.«

Sie lächelte. »Charles wäre entsetzt. Er nahm es immer äußerst genau damit, die Dinge ordnungsgemäß zu tun. Ich denke, das ist auch der Grund dafür, dass ich meine, zumindest einmal am Tag eine formelle Mahlzeit einnehmen zu müssen. Um seine Erinnerung zu bewahren – und es ist gut, etwas Regelmäßigkeit in seinem Tageslauf aufrechtzuerhalten. Außerdem haben Annie und Eric dann etwas zu tun, eine gewohnte Routine. So etwas ist wichtig in ihrem Alter.«

Sie fuhr fort, über ihre Sorgen wegen ihres betagten Dieners zu reden, der erstaunliche neunzig Jahre alt war.

»Ich meine«, sagte sie, »es ist nicht, dass ich mich sorgen würde, er könnte nicht mehr arbeiten. Wir haben Mädchen aus Fowey, die die richtige Hausarbeit erledigen. Nein, die Sorge ist, sich um ihn in seinem hohen Alter zu kümmern. Ich werde voll verantwortlich für ihn sein, weißt du. Er hat keine Familie, kein eigenes Zuhause. Er wird selbstverständlich hierbleiben; ich werde ihn niemals bitten zu gehen. Aber Annie ist einundachtzig, weißt du. Gesund und munter, Gott sei Dank, aber trotzdem ... Und ich bin natürlich unvorstellbar jugendliche fünfundsiebzig. Meine Güte, ich könnte diesen Ort genauso gut in ein Altersheim umwandeln!« Sie sah plötzlich wehmütig aus. »Weißt du, ich hatte immer gehofft, ich würde das Farmhaus in ein paar Jahren an Eloise übergeben. Es ist reichlich Geld da, und sie hätte Personal anstellen können, um sich ums Haus zu kümmern, von uns ganz zu schweigen«, – und dabei schnaubte sie kurz –, »der altersschwachen Rentnerarmee.«

»Aber sicher könntest du auch selbst Personal anstellen, das sich ... um euch alle kümmert?«

»O ja, ich denke, das könnte ich. Und allmählich werde ich das natürlich auch müssen. Personal beschäftigen, das sich um mein Personal kümmert. Und um mich. Keine schöne Aussicht, aber unvermeidbar.«

Sie schaute mich mit feuchten Augen an. »Verstehst du nicht, Cathy? Ich bin alt. Ich habe keine Zukunft. *Eloise* war meine Zukunft. Und jetzt, nichts.«

»Aber du *hast* eine Zukunft. Du bist Großmutter. Du hast zwei bezaubernde Enkeltöchter. Das ist deine Zukunft.«

»Nein, das glaube ich nicht. Ted wird das nicht zulassen.«

Annie kam mit dem Dessert herein. Juliana richtete sich auf und dankte dem betagten Dienstmädchen mit sanfter, aber kontrollierter Stimme. Aber sie konnte Annie nicht täuschen. Sie warf ihrer Herrin einen scharfsinnigen und besorgten Blick zu und schaute dann mich anklagend an. Ich hatte offensichtlich ihre geliebte Juliana aufgeregt. Sie stellte den Apfelstreusel vor uns hin und verließ den Raum, einen beunruhigten Blick zurückwerfend.

Ich fühlte mich unbehaglich und gemein, aber ich musste es sagen. »Juliana«, fragte ich unvermittelt. »Wer ist Arthur?«

8

Sie erstarrte. War vollkommen schockiert. Sie sah angeschlagen aus.

Ich fragte noch einmal.

»Juliana, sag mir, wer ist Arthur?«

»Ich weiß nicht, was du meinst. Arthur? Ich habe nie von ihm gehört.«

Ihre Reaktion überraschte mich. Sie klang nervös und ihre Stimme war ungewöhnlich scharf.

»Nun, in Ordnung. Aber Ted hat ihn erwähnt, und er klang dabei ziemlich angespannt.«

»Ted hat ihn erwähnt? Was hat er gesagt?«, fragte sie argwöhnisch.

»Er erwähnte etwas von einem Riesenverrat. Nein, er sprach von Betrug.«

Juliana lachte verlegen. »Was für ein ausgemachter Blödsinn!« Sie seufzte. »Schau, Ted ist nicht immer – glaubwürdig. Er hat manchmal Flausen im Kopf. Und, um ehrlich zu sein, er war immer lächerlich eifersüchtig, was Eloise betraf. Er bewachte sie wie ein Habicht. Eloise kam so oft zu mir, verzweifelt über seine aberwitzigen Verdächtigungen, sie hätte eine Affäre.«

»Und sie hatte keine?«

»Natürlich hatte sie keine. Glaubst du wirklich, Eloise hätte irgendetwas getan, was ihren Töchtern hätte schaden können? Sie hätte nie eine Trennung von Ted riskiert. Sie wusste, wie rachsüchtig er sein kann.«

»Was meinst du damit? Hat sie gedacht, er würde versuchen, ihr die Mädchen wegzunehmen?«

Juliana schaute verärgert, als hätte sie aus Versehen zu viel gesagt. Sie lehnte sich heftig nach vorn. »Meine Tochter war, mehr als irgendetwas anderes, eine hingebungsvolle Mutter, das weißt du, Cathy. Sie betete ihre Kinder an, und sie kamen zuerst, vor allem anderen. Alles andere in ihrem Leben stand an zweiter Stelle.«

»Ted eingeschlossen?«, fragte ich und hielt es unmittelbar für glaubhaft. Juliana schaute mich fast flehend an.

»Wenn du wüsstest, Cathy. Wenn du nur wüsstest.«

»Wenn ich was wüsste?«

Aber Juliana hatte alles gesagt, was sie sagen würde. Ihr Ausdruck war kalt, stahlhart, vollkommen anders als die warmherzige Frau, die ich kannte. Ich war zu weit gegangen. Es ging mich nichts an; ich hatte kein Recht, in ihren Gedanken herumzuschnüffeln. Ich würde normalerweise nicht im Traum daran denken, derart aufdringlich zu sein, so ungehobelt. Es war, als ob meine Träume von Eloise mich verändert, mich übernommen hätten.

Ich fühlte mich desorientiert, aufgewühlt und auf gefährlichem Terrain. Juliana erzählte mir offensichtlich nicht alles. Ich hasste das. Leute, die durchtrieben herumtaktierten und dabei erklärten, vollkommen ehrlich zu sein, obwohl sie Informationen zurückhielten. Ich wusste, dass ich überreagierte, dass ich paranoid war, aber seit meinem Zusammenbruch war ich zusehends sensibilisiert worden für Lügen und Ausflüchte. Das war eigentlich nicht normal für mich. Ich war immer offen und empfänglich gewesen, froh, Menschen in meinem Leben willkommen zu heißen, sie mit Wärme und vorurteilslos zu akzeptieren.

Aber jetzt war alles anders. Jetzt zog ich mich wie eine Schnecke in mein Schneckenhaus zurück, wann immer ich Doppelzüngigkeit oder Ausflüchte spürte. Ich hatte Mitleid mit Juliana, aber wenn sie nicht vorhatte, ehrlich zu mir zu sein, war ich nicht bereit, meinen eigenen verletzlichen Zustand zu gefährden, indem ich ihr vertraute.

Also begann ich, mich aus Selbstschutz von Juliana zurückzuziehen. Ich fühlte mich ihr entfremdet, was äußerst quälend war. Ich hatte sie immer bewundert, und während der letzten vierundzwanzig Stunden war ich gefährlich nah davor gewesen, sie als Ersatzmutter anzusehen.

Was sie natürlich nicht war. Sie war die Mutter von Eloise. Ihre Tochter war, zu Recht, die einzige Person, die wichtig war, und ihre mütterliche Loyalität war uneingeschränkt.

Ich musste mich lösen.

»Juliana«, sagte ich, nervös und zaghaft dastehend. »Ich will dich nicht hängen lassen. Ich weiß, wie sehr du um Eloise trauerst, das tue ich auch, aber ich glaube nicht, dass wir uns im Moment gegenseitig helfen können. Ich muss nach Hause fahren. Ich muss bei Chris und meiner Familie sein. Ich dachte, ich könnte dir helfen und du mir, weil wir ohne Zweifel beide das Gefühl haben, dass irgendetwas schrecklich verkehrt daran ist, wie Eloise starb. Aber ich glaube nicht, dass ich jetzt die Kraft dazu habe. Ich muss nach Hause und mich ausruhen.«

Ich quälte mich. Wieder ließ ich Juliana im Stich. Genauso, wie ich Eloise im Stich gelassen hatte, dachte ich bitter, indem ich ihr gegenüber nicht ehrlich war wegen ihrer abstrusen Haltung bezüglich ihrer Krebsbehandlung.

Ja, dachte ich. Da stehe ich wieder einmal und nehme beim ersten Zeichen von Ärger Reißaus. Ich bin kein besonders bewunderungswürdiges menschliches Wesen, aber ich muss dringend hier weg. Weg von Geistern, und Träumen von beunruhigenden Treffen auf einer Felskuppe mit einer toten Freundin, deren Geist so voller Sorge zu sein schien, aber deren Körper nun unwiderruflich dem heiligen Boden des Friedhofs der Kirche von Talland anvertraut worden war.

Ich hatte genug. Ich war erschöpft, einsam und wollte mich unbedingt zurückziehen. Ich würde ein Taxi rufen, das mich zu unserem Cottage zurückbrachte. Und ich würde Chris anrufen. Lieber, liebender, verärgerter, missbilligender Chris; meine Rettungsleine, mein Anker, die Liebe meines Lebens.

Juliana nahm verständnisvoll nickend meine Hand. Sie sagte mir, ich solle mich setzen, suchte Annie und bat sie, ein Taxi zu rufen. Zwanzig Minuten später war ich weg, eingerollt auf dem Rücksitz, mein Handy ans Ohr gepresst, während ich leise weinend darauf wartete, ein Signal zu bekommen, damit ich mit Chris reden konnte.

Ich schlief in meinem Bett zu Hause in Talland ein. Ich konnte Chris nicht erreichen, selbst übers Festnetz, und ich gab schnell auf. Die wohlbekannte Starre der Depression lähmte mich. Es würde ohnehin nichts bringen, mit ihm zu reden. Was konnte er schon tun? Die Welt war verloren; man konnte nichts ändern. Ich war weit, weit zurückgefallen, tief eingetaucht in den alten Trog der Verzweiflung, ohne Hoffnung, ohne etwas anderes als das tiefe Bedürfnis, zu schlafen, zu entkommen.

Und so, bewaffnet mit Nytol und meiner Virgin-Airlines-Schlafmaske, sank ich unter mein geliebtes, kuschliges Federbett, bereit zu – was? Mich dem schrecklichen, aber unwiderstehlich überwältigenden Impuls zu ergeben, den jeder kennt, der an Depressionen leidet? Die Folter zu beenden? Nein, nicht so melodramatisch. Ich war nicht lebensmüde, obwohl ich es in jüngster Vergangenheit gewesen war. Was ich wollte, war vergessen, wenn nicht für immer, so doch wenigstens für so lange, wie ich mein Gehirn zwingen konnte abzuschalten.

Mit einem aufgewühlten, aber ziellosen Geist, unausgeglichen, mit einem berauschenden Verlangen nach Selbstvernichtung, sank ich in einen tiefen Schlaf …

Falls ich Frieden gewollt hatte, Abwesenheit von Qual, eine

kurze Auszeit von Angst und Schrecken, würde ich fürchterlich enttäuscht werden.

Eloise kam zurück und rächte sich während meiner ersehnten Ruhepause durch Raserei und Vorwürfe. Sie riss mich aus meinem Bett, schleuderte mich weit weg von Talland. Sie setzte mich auf eine absonderliche Felsformation in einem gottverlassenen, wilden Moorgebiet. Ich konnte nicht glauben, dass das Geschehen in einem Traum derart realistisch sein könnte. Ich konnte die Kälte fühlen, den Morast riechen, die Sterne sehen. Ich trug meinen GAP-Schlafanzug, und die Steine verursachten meinen blanken Füßen Schmerzen. Ihr Umriss flimmerte verärgert vor mir.

»Was jetzt, Eloise?«, fragte ich sie erschöpft.

»Was jetzt? Was denkst du? Du bist wieder weggelaufen, nicht wahr? Das ist typisch für dich, nicht wahr? Gerade, wenn ich dich brauche, kannst du nur an dich selbst denken. Ich habe wirklich geglaubt, du würdest mir helfen, aber du hast mich im Stich gelassen. Cathy, du bist unnütz.«

Cathy, du bist unnütz. Jene Worte, die mich so lange verfolgt hatten. Natürlich hatte sie recht. Ich war, wie meine Mutter zu sagen pflegte, weder von Nutzen noch eine Zierde.

Ich sammelte mich etwas vor Eloise' aufgebrachter Ungestalt.

»Weißt du was, Ellie? Ich mag weder den Menschen noch den Tieren von Nutzen sein, aber wenigstens bin ich am Leben. Ja, ich bin ein Fiasko, aber eines Tages wird es mir besser gehen. Und dir nicht. Du bist tot, Ellie. Du bist auf dem Friedhof von Talland begraben. Hör auf, mich zu belästigen. Besonders, wenn du mir noch nicht mal was über Arthur erzählst. Ted hat mir von ihm erzählt, aber du hast ihn nie erwähnt, nicht ein einziges Mal.«

Die Antwort war ein derartiges Wehklagen, solch eine Welle von Kummer, dass es mich von den Füßen riß.

»Nicht«, sagte sie. »Tu das nie wieder …«

Dann war sie verschwunden. Und ich wurde tief in einem unruhigen, zermürbenden Schlaf eingeschlossen.

Jemand beugte sich über mich. Mein Kopf war trüb und pochte schmerzhaft aufgrund meines unnatürlich bedingten Schlafs. Ich versuchte meine Augen zu öffnen, es gelang mir jedoch nur so weit, dass ich eine verschwommene Gestalt über meinem Kopf hängen sah. Ich kreischte. Das war sicherlich Eloise, die kam, um Anspruch auf mich zu erheben, um mich zu ihrem gespenstischen Versteck im Bodmin Moor zu bringen.

»Cathy, Cathy, es ist in Ordnung. Ich bin's, Schatz, ich bin's nur.«

»Chris?« Mein Mund war wie voller Watte. »Chris? Bist du das wirklich? Warum – wozu – bist du hier?

»Deinetwegen natürlich. Weshalb sonst?«

»Aber du bist in London.«

»Nein, ich bin hier – bereit, dich nach Hause zu bringen. Ich bin vor ein paar Stunden angekommen und habe gesehen, dass du tief schläfst, also habe ich mich in Sams Zimmer hingehauen, um vor der Rückfahrt ein bisschen auszuruhen. Können wir jetzt los?«

Ich setzte mich auf. Ich fühlte mich wie verkatert, mein Kopf brummte.

»Liebling, ich mache dir 'ne Tasse Tee. Pack nur deine Sachen zusammen und wir fahren zurück. Es ist nicht viel los auf den Straßen.«

»Chris? Eloise. Es ist wirklich schlimm, weißt du.«

»Ich weiß. Ich habe mit Juliana geredet. Deshalb wusste ich, dass du nach Talland zurückkommst.«

»Was hat sie dir erzählt?« Ich ging sofort in die Defensive.

»Nur, dass du sehr aufgeregt warst.«

»Ja, ich war aufgeregt. Sie war so … seltsam wegen Eloise. Sie fing an, mir Vorträge darüber zu halten, was für eine wunderbare Mutter Eloise gewesen ist. Ich weiß das, allerdings hat Juliana lediglich versucht, meinen Fragen aus dem Weg zu gehen. Sie gab vor, nicht zu wissen, wer Arthur ist, aber Ted hat mir erzählt, sie wisse das auf jeden Fall.«

»Schsch, Cathy. Du stehst auf, ich werde Tee machen. Wir können später über alles reden.«

Ich wusste, er wollte mich bei Laune halten. Ich wollte unbedingt darüber sprechen, dass sich alle gegen mich verschworen hatten, sogar Eloise, und die war tot, um Himmels willen. Aber ich war erschöpft und mitleiderregend froh, dass Chris meinetwegen gekommen war.

Wir stiegen in den Wagen. Es war warm, gemütlich. Ich schlief fast sofort wieder ein und wachte nicht auf, bis wir viereinhalb Stunden später in den frühen Morgenstunden unser Haus in Chiswick erreichten.

Ich schlief immer noch, inzwischen in unserem Bett, als Chris am nächsten Morgen zur Arbeit ging. Als ich aufwachte, war es fast Mittag. Das überraschte mich nicht. Die Unfähigkeit, aus dem Bett zu kommen, sich dem Land der Lebenden anzuschließen, war ein Kennzeichen meiner Krankheit. Dabei war es mir so viel besser gegangen. Ich war positiver gestimmt und voller Energie gewesen, bevor wir nach Cornwall fuhren, bevor der Geist von Eloise mich überwältigt hatte. Ich schüttelte mich. Geist? Was dachte ich mir nur dabei? Sie war ein Traum – kein Geist. Nur ein Albtraum, einer von vielen, der meine unruhigen Nächte störte. Aber sie fühlte sich so wirklich an, und was sie mir sagte, war so schlüssig. Sie versuchte immer, mir etwas Dringliches zu erzählen. Die Träume, die ich hatte, als ich dachte, Evie könnte sterben, waren ganz anders gewesen als meine nächtlichen Visionen von Eloise. Als ich meinen Zusammenbruch hatte, träumte ich von einem Baby in einer Streichholzschachtel, winzigen toten Kätzchen, grausam abgeschlagenen Köpfen. Nichts davon ergab Sinn. Aber Eloise, so wie sie mir erschien, machte den Anschein, als wollte sie eine vernünftige Unterhaltung führen.

Und doch, wenn man die Sache einmal ganz nüchtern betrachtete, was war tatsächlich geschehen? Meine Freundin war an dem Krebs, an dem sie fünf Jahre gelitten hatte, gestorben. Es kam nicht unerwartet – ganz im Gegenteil. Und weil mein Geisteszustand immer noch sehr zerbrechlich war – obwohl ich gehofft und geglaubt hatte, mir ginge es besser –, hatte ich mir selbst gestattet, in ein Gothic-Hirngespinst hineingezogen zu werden, angefacht durch Teds mürrischen Zorn und Julianas Obsession mit *Sturmhöhe.* Alles Unsinn. Diese dumme Überzeugung, dass der Geist von Eloise umging, dass ihr Tod gerächt werden musste und ich ihre gewählte Waffe der Vergeltung wäre, war vollkommen gestört. Ich hatte in Cornwall zu viel Daphne du Maurier gelesen. Ich hatte mich anstecken lassen von Manderley und dem heimtückischen Bild von Rebecca, die in ihrem kleinen Cottage am Strand herumpirschte, verzweifelt darum bemüht, sogar im Tod, ihren Ehemann Max de Winter zu ruinieren. Also, wer sollte dann die Mrs Danvers bei Eloise sein?, dachte ich. Wer war bestimmt dazu, die Wahrheit zu unterdrücken? Eloise flehte mich an, das herauszufinden.

In meinem Kopf drehte sich alles. War sie ein Geist? Oder nur ein Traum?

Ich schloss verzweifelt meine Augen. Ich wurde verrückt, Chris hatte recht, ich war wieder sehr krank.

9

Es wurde Juni, bevor ich nach Cornwall zurückkehrte. Einiges aus dieser Zeit ist verschwommen. Viele Umarmungen meines Lieblings Evie und die besorgten Gesichter meiner Söhne, erschrocken darüber, dass ihre Mum wieder einmal in einer traurigen Landschaft versunken war, die sie sich unmöglich vorstellen konnten und an der sie keinen Anteil hatten. Gott sei Dank.

Chris war wundervoll. Ich musste wieder in Behandlung und Pillen nehmen, aber er gab mir nie das Gefühl, ich würde verrückt werden, ich wäre ein aussichtsloser Fall, eine Peinlichkeit als Ehefrau oder Mutter.

Was ich natürlich zu sein glaubte.

Das normale Leben kehrte Stück für Stück zurück. Mein Schlaf war ungestört, und schließlich ging es mir viel besser.

Also stimmte ich, als Chris vorschlug, wir sollten im späten Juni nach Talland zurückfahren, aus einer Art Trotzhaltung heraus zu. Ich würde heimfahren in mein hübsches Cottage, in meine heilende Zuflucht in Cornwall. Ich hatte keine Angst mehr vor Geistern. Ich würde Evie mitnehmen, die erschöpft war von ihren GCSE-Prüfungen, und Chris, der dringend einen Urlaub brauchte, und wir würden eine wunderbare Pause einlegen. Es würde wie früher sein; viele Spaziergänge an wilden, leeren Stränden, kornische Pasteten und Cider, vertilgt unter schallendem Gelächter auf den abschüssigen Wiesen, die zur Lantic Bay hinabführten.

Ich konnte es kaum erwarten. Die Jungs hatten ihre Prüfungen an der Universität absolviert und Wichtigeres zu tun. Ich musste indessen wieder meine schöne Grafschaft umarmen, frisch und voll hinreißender Blütenpracht und saftiger grüner Wiesen, mit meinem Mann und meiner geliebten Tochter in meinen Armen; eingewickelt in Bettwäsche, die auf der Leine getrocknet war und nach Gras, Lavendel und Geißblatt duftete.

Am ersten Tag saß Evie an dem breiten Küchentisch aus Eiche, den Kopf auf die Hand gestützt, und starrte aus dem Fenster auf die Klematis, die sich um die Brüstung unserer kleinen Veranda wand.

»Mum«, sagte sie verträumt, »kann man sich mit sechzehn verlieben?«

»Du kannst dich verlieben, egal wie jung du bist«, sagte ich mit einem Lächeln. »Schau dir Shakespeares Julia an. Sie war erst dreizehn, als sie Romeo begegnete, und war augenblicklich hin und weg. Pass bloß auf, schau, wo sie das hingebracht hat.«

»Ja, ich weiß. Aber das ist nur ein Theaterstück. Ich meine, Dinge können auch ein glückliches Ende nehmen, wenn man bloß ein Teenager ist, oder?«

Ich schaute mein süßes Mädchen behutsam an.

»Warum? Hast du jemanden getroffen, den du wirklich magst?«

»Gott nein, Mum. Meinst du wie diese ganzen Trottel an der Schule wie Josh und Harry? Ich bitte dich.«

Was Harry anging, enttäuschte mich ihre Ablehnung ein wenig. Er konnte in seiner linkischen Art tatsächlich richtig charmant sein.

Eloise und ich hatten oft über die Art von Jungen gesprochen, die unsere Töchter heiraten sollten. Wir waren ziemlich anspruchsvoll: Männer, die erfolgreich, aber liebenswürdig waren, ehrgeizig und trotzdem sensibel, intelligent und lustig. Wie stark der Instinkt der Kuppelei ist. Ellie und ich wollten das Beste für unsere Mädchen – Liebe, Leidenschaft, Glück – den Topf voll Gold am Ende des Regenbogens.

Ich seufzte. Eloise würde ihre Zwillingsmädchen nie verheiratet sehen, nie mit ihren Enkeln spielen. Ich muss für Rose und Violet da sein, sagte ich zu mir selbst, ich muss versuchen sicherzustellen, dass diese mutterlosen kleinen Mädchen glücklich aufwachsen. Auch wenn Ted und Juliana sich um sie kümmern würden, ich würde mein Bestes geben. Immerhin war ich ihre Patentante. Ich würde versuchen, dazu beizutragen, dass Eloise' Hoffnungen für sie nicht stürben.

Und dann erinnerte ich mich an ein Gespräch, das Eloise und ich geführt hatten. Vor vielen Jahren, noch bevor sie Ted heiratete.

Ich hatte dich gefragt, ob du es müde seist, allein zu sein, Eloise. Ich war zu diesem Zeitpunkt schon lange verheiratet, hatte drei Kinder, die alles für mich bestimmten. Du warst nur ein paar Monate jünger, und du schienst traurig zu sein. Es gab viele Tage, an denen ich neben dir saß und dein hübsches Gesicht anschaute, wie es leichte Verzweiflung widerspiegelte, besonders wenn du meine Kleinen beobachtetest, wie sie herumbalgten, schmusten und langsam ihre Babyzeit hinter sich ließen.

»Müde, allein zu sein?«, sagtest du mit einem schwachen Lächeln. »Eher am Boden zerstört. Ich sehne mich nach dem, was du mit Chris hast. Diese wunderbare Verbindung von Liebe und Kameradschaft. Aber ich werde das nicht haben, denke ich. Ich hab das vor langer Zeit verloren, und es wird nicht wiederkommen.«

Ich war schockiert.

»Erzähl mir davon«, sagte ich. »Davon hab ich ja noch nie etwas gehört. Herrgott, Ellie, das klingt wichtig. Erzähl mir, was nicht stimmt.«

Du hast gelächelt und den Kopf geschüttelt. »Ich kann nicht. Es ist viel zu schmerzhaft und nur mein …« Dann hast du dich plötzlich aufrecht hingesetzt und wurdest wieder dein heiteres, sprühendes Selbst. »Tut mir leid, Cath. Ich bin ein Idiot. Ich kann mir nicht helfen. Einmal eine Schauspielstudentin, immer eine Drama-Queen.«

Eloise und ich waren uns begegnet, als wir Schauspiel an der Universität von Bristol studierten.

Es hatte uns beide sehr stark beeinflusst, jedoch auf vollkommen unterschiedliche Weise. Sie hatte die ganze Theaterkultur geliebt; sie war eine klassische Exhibitionistin, angezogen gemäß der New-Romantic-Mode und vollkommen zu Hause auf der Bühne. Sie war eine gute kleine Schauspielerin, obwohl klar war, dass dies immer nur ein lustiger Zeitvertreib sein würde. Eloise mit ihrem Trust-Vermögen und dem vornehmen Zuhause würde nie eine seriöse Karriere nötig haben.

Ich hingegen brauchte eine. Aber ich wusste am Ende unseres ersten Jahres, dass ich es nie als professionelle Schauspielerin schaffen würde. Ich liebte die Poesie und die Prosa so sehr, wurde vollkommen von den Wellen dieser wunderbaren Rhythmen, Steigerungen und Seufzer in den Worten mitgerissen; dem traurigen abrupten Sturz von der rauschhaften Romanze in die tiefste Tragödie. Aber ich konnte die Worte nicht auf dem Niveau von mir geben, das sie brauchten. Ich habe das niemals übel genommen. Ich war stoisch. Akzeptanz reichte mir. Ich machte einfach weiter, bekam mein unbedeutendes Diplom, absolvierte einen Schreibmaschinenkurs und endete bei der BBC als »graduierte Sekretärin« beim altehrwürdigen Wissenschaftsprogramm *Horizon.* In der Hoffnung, wie all die anderen jungen Frauen in diesen geheiligten etablierten Büroräumen, dass ich irgendwie den Rest der »graduierten« Mädels überflügeln und einen Job im kreativen Bereich bekommen würde. In der Recherche. Das war alles, was ich mir wünschte, wie alle.

Und es hätte auch genauso gut unmöglich sein können. Man wurde schnell erwachsen in diesen kleinen Karnickelställen bei der BBC, voller Testosteron und Angst, eines der jungen Mädels aus dem Schreibzimmer würde die nächste Sprosse erklimmen und einen ernsten Oxbridge-Absolventen seines Geburtsrechts berauben: seinem Zutritt zu den Rängen der verehrten Großen und Guten der BBC mit traumhaftem Pensionsanspruch.

Aber ich war nie wirklich so ehrgeizig. Ich wollte nur einen interessanten Job. Und dann, mit Anfang zwanzig, traf ich Chris, und das war es dann, was meine Karriere betraf. Ich verliebte mich sofort in ihn und mein ganzer Fokus veränderte sich. Ich wusste, alles, was ich vom Leben wollte, war, ihn zu heiraten und eine Familie zu haben. Ich weiß, das ist ziemlich altmodisch, aber das war mir egal. Als wir erst einmal verheiratet waren, kamen schnell Kinder, und es war praktischer für mich, von zu Hause aus zu arbeiten. Ich verließ die BBC, ohne zu zögern. Ich hatte schon immer schreiben wollen, also entschied ich mich für eine Karriere auf niedrigem Level als freie Journalistin und schrieb hauptsächlich für Frauenmagazine. Ich verdiente nie viel Geld, aber wenigstens hatte ich das Gefühl, etwas zum Familieneinkommen beizutragen, besonders als ich den Auftrag bekam, eine regelmäßige Kolumne in einer Wochenzeitung zu schreiben.

Ich war sehr, sehr glücklich.

Erinnerst du dich, Eloise, wie ich versuchte, dieses Gespräch mit dir fortzusetzen, etwas über deine frühere heimliche Liebe herauszufinden? Aber das führte nicht weiter. Und letztendlich verblasste, was du gesagt hattest. Das Alltagsleben häufte seine täglichen Schichten aufeinander. Das Gestern war schon bald nicht mehr zu erkennen. Ein paar Jahre später erzähltest du, wie du Ted in St. Ives begegnet warst. Diesem mürrischen, aber sexy jungen Künstler mit einem großen Komplex. Sofort von dir fasziniert und gleichzeitig unhöflich und abschätzig deiner privilegierten Herkunft wegen.

Ich dachte, das hörte sich nach einem vollkommenen Trottel an, und ich sagte dir das auch. Aber du warst schon verloren. Er war großartig im Bett, erzähltest du mir, und ich zuckte mit den Schultern. Er und eine Million anderer Typen da draußen, sagte ich. Nein, erwidertest du, nicht so. Nicht für dich jedenfalls. Für dich hatte es seit Jahren niemanden gegeben, der dich so berührte. Tatsächlich hatte es vor Ted nur einen gegeben. Unter all diesen Freunden, die sich zusammengerottet hatten, um ihren Anspruch auf dich anzumelden, war nur einer, der es echt gebracht hatte, und du würdest mir nicht erzählen, wer.

Und nun war da Ted. Und du heiratetest ihn.

All das ging durch meinen Kopf, als ich das schmachtende Gesicht meiner Tochter ansah.

»Okay, Evie, wer ist es?«

Sie wurde rot, kicherte und seufzte. »Ach Mum, er ist so umwerfend. Ich hab ihn heute Morgen am Strand gesehen. Er ist wohl neu. Nicht von hier. Er ist *so* attraktiv.«

O Gott. Meine Tochter war ernsthaft verknallt.

»Weißt du was«, sagte ich zu ihr, »lass doch mal sehen, ob wir ihn unten im Café finden können. Ich könnte eine Tasse Tee und getoasteten Teekuchen vertragen.«

Eve kicherte wieder. »Okay, aber wenn wir ihn sehen, wirst du nicht erwähnen, dass ich ihn mag, ja?«

»Als ob ich so etwas tun würde.«

»Du hast Harry erzählt, ich würde ihn mögen. Es war so peinlich.«

»Tut mir leid, Süße, Lektion gelernt. Ich verspreche, ich werde es nie wieder tun. Lass uns runter ans Meer gehen und schauen, ob wir diesen umwerfenden Jungen finden können.«

Das Café in unserer kleinen Bucht ist nur einen dreiminütigen Spaziergang entfernt. Es war voller junger Familien – das Schuljahr lief noch – und ein paar Teenagern, die keine GCSE- und A-level-Prüfungen hatten. Kleine Kinder wimmelten über die Felsen, während ihre Eltern sie zum Eisessen zurückriefen, und

Evie und ich saßen an einem der Holztische, tranken Tee und verschlangen getoastete Teekuchen. Obwohl sie den Strand mit begierigen Augen absuchte, war der Bezaubernde nirgendwo zu sehen.

»Es ist ihm wahrscheinlich langweilig geworden mit all diesen Muttis und Babys. Irgendwohin abgehauen, wo es interessanter ist, nach Newquay wahrscheinlich.«

Ah, ja. Da war immer dieser Unterton. Obwohl unsere Kinder Talland Bay liebten, Newquay an der Nordküste, mit seinem verlockenden Surfer-Glamour und dem lärmenden Nachtleben, war immer der verbotene Heilige Gral. Und natürlich war es unsere Schuld, dass sie nicht dort waren, eine großartige Zeit mit ihren Altersgenossen hatten, und stattdessen im verschlafenen Süden Cornwalls festsaßen. Wo man nicht surfen konnte und wo das Aufregendste, was man abends tun konnte, darin bestand, etwas Kleinholz zum Strand runterzubringen, ein Lagerfeuer anzuzünden und Bier trinkend jemandes iPod zu lauschen.

Gerade als ich versuchte, mir einen tröstenden Ausgleich einfallen zu lassen, vielleicht einen Hinweis auf ein Barbecue mit Disco im Smuggler's Rest, einem lebhaften Café grad hoch den Pfad vom Strand, rief jemand über uns.

»E-e-e-vie!«

Sie sprang vom Tisch auf, wirbelte herum und klatschte vor Freude in die Hände, als ihr Vater, mit einem breiten Grinsen, ihren mittleren Bruder durch ein paar krabbelnde Kinder führte und sich zu uns gesellte.

»Tom«, schrie Evie und schlang die Arme um ihren verlegen grinsenden neunzehnjährigen Bruder. »Ich dachte, du wärst weg zum Camping mit deinen Kumpels?«

»War ich«, sagte Tom. »Aber es hat wie sonst was in Schottland geregnet, also beschlossen wir, es gut sein zu lassen. Und ich wollte Mum sehen – und dich.«

Meine Augen wurden feucht, und ich schaute Chris an. Er warf mir ein süßes, schiefes Lächeln zu. Ich hatte keine Ahnung gehabt, dass er sich mit Tom am Bahnhof von Liskeard verabredet hatte, als er etwas früher weggefahren war, um Einkäufe aus dem Lebensmittelgeschäft abzuholen.

Eve erzählte ihrem Bruder bereits von dem umwerfenden Jungen, den sie am Strand entdeckt hatte, und Tom lachte laut. »Komm schon, Schwesterchen. Nicht noch einer. Ich dachte, du wärst in Harry verliebt.«

»O Gott, Tom, du bist genau wie Mum. Ich bin *so was von nicht* scharf auf Harry. Er sieht aus wie Justin Bieber. Oder wenigstens glaubt er das.«

»Ich hätte ja gedacht, dass Bieber genau deine Kragenweite wäre, Beevs«, lachte Tom.

Beevs war ihr Spitzname, den die Jungs ihrer Schwester verliehen hatten.

»Als wenn du das wüsstest. Du bist einfach *so nervig*«, schoss sie zurück.

Wir machten uns auf den Weg zurück zum Cottage, Tom und Eve vor uns. Ich war an Chris' Seite gekuschelt, ausgesprochen glücklich und ihm unaussprechlich dankbar. Zwei meiner Kinder, hier mit mir an einem herrlichen Sommertag am himmlischsten Platz auf Erden.

Und dann kam uns ein Junge entgegen. Er kam vom Talland Bay Hotel, das fast neben unserem Haus lag. Tom und Eve waren vor uns und sahen ihn nicht. Aber ich konnte nicht anders als starren.

Er war wunderschön. Es gab kein anderes Wort, um ihn zu beschreiben. Faszinierend, eine Art Luftgeist. Groß, schlank, wirres blondes Haar. Ein Gesicht, das zu einer anderen Welt gehörte, einem Land der Elfen und Feen. Und doch sinnlich, sehr präsent und wach.

Als wir vorbeigingen, schenkte er uns ein Lächeln von solch umwerfender Anmut, dass wir beide kurz stehen blieben.

»Du meine Güte«, hauchte Chris. »Er ist ein bemerkenswert gut aussehender junger Mann, nicht?«

Ich wollte lachen. Nein, dachte ich, er ist kein Mann, überhaupt nicht. Ein Junge, ja. Aber was für ein Junge, Menschenwesen oder Elf, das konnte ich beim besten Willen nicht erklären. Und doch spürte ich etwas. Ich fühlte, dass ich ihn kannte.

10

Als wir zum Cottage zurückkamen, begannen Eve und ich, das Abendessen zuzubereiten. Nur Spaghetti mit Pesto, Käse und Früchte zum Nachtisch. Ich bin eine faule Köchin. Ich kann eigentlich sehr gut kochen, wie Chris und meine Kinder trauervoll von Mal zu Mal bezeugen können, wenn sie sich an die hausgemachten Soufflés, Steak and Kidney Pies, Lasagne und Sirup Tarts erinnern, die ihren köstlichen Weg auf unseren Tisch gefunden hatten, als sie jünger waren. Aber ich hörte auf, das Kochen zu genießen, als mich die Depression erwischte, und dieser Tage brachte es mich schon in Verlegenheit, eine Dose Suppe aufzumachen. Depression ist nicht nur schlecht für die Seele, sondern auch für den Familienmagen.

Wir aßen am alten Eichentisch, und Evie fing wieder einmal an, von diesem umwerfenden Jungen zu reden, dem sie morgens am Strand in die Arme gelaufen war.

»Ich hoffe, ich sehe ihn wieder, Mum. Meine Freundinnen würden töten, um ihn treffen zu dürfen.«

Tom rollte mit den Augen.

»Tatsächlich«, sagte Chris, »denke ich, wir haben ihn vorhin gesehen.«

Evie riss die Augen auf.

»Dad, was erzählst du da? Hast du ihn womöglich am Strand gesehen?«

»Nein«, sagte ich. »Dad und ich haben ihn aus dem Hotel nebenan kommen sehen. Zumindest könnte er es gewesen sein. Er war ungefähr in deinem Alter, groß, blond und sehr gut aussehend.«

»Wie gut aussehend?«, murmelte Tom. »So 'ne Art Justin-Bieber-schnulzig gut aussehend?«

»Wesentlich besser aussehend als du«, zischte Evie zurück. »Nur weil du sündhaft hässlich bist und er hinreißend ist. Du bist nur neidisch, Kamelgesicht.«

»Eve«, sagte ich. »Dein Bruder ist nicht hässlich. Im Gegenteil, er ist sehr attraktiv. Frag Maria.«

Die Erwähnung von Toms neuer Freundin von der Universität, die Weihnachten mit uns verbracht hatte, ließ ihn rot werden, und Eve lachte.

»O ja, ich hatte Maria ganz vergessen. Ich meine, nur Gott weiß, was sie in dir sieht. Du bist wirklich krass.«

Chris seufzte. »Okay, Eve, jetzt reicht's. Ich wollte einen richtig glücklichen Familienurlaub hier verbringen. Du weißt, dass deine Mutter krank gewesen ist, und das hier war dafür gedacht, dass sie sich besser fühlt. Wenn ihr zwei nicht aufhören könnt, euch zu streiten, fahren wir morgen nach London zurück.«

Tom sah erschrocken und bestürzt aus, Eve wütend und trotzig.

»Mum ist zur Zeit *immer* krank«, platzte sie heraus. »Mir steht's bis oben. Warum muss sich alles um sie drehen? Ich habe gerade einen Jungen getroffen, in den ich mich verlieben könnte, aber ihr macht mich nur fertig.«

Ich fühlte mich sofort schuldig. Sie hatte recht. Ich war an einem der wichtigsten Momente in Eves jungem Leben durch die Depression wie gelähmt gewesen. Es hatte mich egozentrisch werden lassen, mich meiner heiligsten und anspruchvollsten Pflicht entzogen: vor allem die Mutter meiner Kinder zu sein, konzentriert auf jedes ihrer Gefühle. Sie brauchten mich, und ich war nicht da gewesen.

Ich rückte vor und bedeutete Chris, ruhig zu bleiben. »Liebling, niemand macht dich fertig. Wir lieben dich alle, einschließlich Tom.« Ich warf ihm einen Blick zu, und, das muss man ihm zugutehalten, er nahm die Hand seiner Schwester.

»He, komm schon, Beevs, ich hab nur Spaß gemacht.«

Es war so schnell vorbei, wie es angefangen hatte. Plötzlich lachten sie wieder und zogen sich auf, in einer Sprache miteinander redend, der ihr Vater und ich nie im Leben würden folgen können. Aber wir waren zutiefst erleichtert, es mitzuerleben.

Wir gingen ins Bett, Tom und Evie in die Zimmer, die sie hatten, seit sie klein waren, Chris und ich nach oben in unsere hübsche, strahlende Zimmerflucht unterm Dach.

Wir hatten nicht mehr Liebe gemacht, seit ich Cornwall nach meinem Aufenthalt auf Roseland Farm in Panik verlassen hatte. Ich war zu sehr in die dunkle Welt in meinem Kopf eingesperrt gewesen, um auch nur an Sex zu denken; und Chris war, weiß Gott, zu besorgt, um mir körperliche Avancen zu machen. Aber in dieser lieblichen Sommernacht, zusammen an dem uns liebsten Platz in der Welt, zwei unserer geliebten Kinder gemütlich eingepackt in ihren Betten im Erdgeschoss, wendeten wir uns in Dankbarkeit und Erleichterung einander zu. Wir waren wieder zusammen, einer um den anderen gewickelt, voller Liebe und Begehren. Wir hatten so viel nachzuholen. Ich fühlte mich gehemmt. Vielleicht würde es nicht mehr das Gleiche sein, wir beide tollpatschig und gehemmt nach unserer ausgedehnten Phase der sexuellen Trennung.

Aber wir fielen sofort in unseren alten Rhythmus, und es war so stark und leidenschaftlich wie zuvor. Und durch Chris' Liebe und Wärme fühlte ich mich wie neu.

Ich glitt in den Schlaf, kuschelte mich in seine Arme. Vollkommen entspannt, geliebt und glücklich. All die Ängstlichkeit und Panik meines letzten Aufenthalts hier in Cornwall hatten sich in Luft aufgelöst. Ich war zurück in dem Zimmer und dem Haus meiner Träume.

Und dann kam sie.

Sie füllte meinen Kopf mit ihrem Schmerz und ihrer Angst, und obwohl sie mich diesmal in meinem eigenen Bett ließ, war ihre welke Stimme eindringlich und fordernd.

»Cathy, Cathy, warum hast du mich verlassen? Wo bist du hin? Du musst hierbleiben für mich. Ich brauche dich noch immer. Bitte geh nicht wieder fort.«

Ich stockte, reagierte träge.

»Ellie, nicht schon wieder, nicht heute Nacht. Ich bin krank gewesen; das ist meine erste Nacht zurück.«

»Aber Cathy, du musst doch wissen, wie wichtig das ist. Ich war auch krank, aber ich wurde nicht gesund. Ich bin jetzt begraben, tot und begraben. Ich kann nichts selbst tun, ich brauche doch deine Hilfe. Du bist alles, was ich habe.«

Ich drehte mich im Schlaf um, und mein Bein verfing sich mit Chris'. Er murmelte und seine Hand schoss vor, um meine zu greifen. Ich hielt mich fest an ihm. Er war meine Rettungsleine in einer irrsinnigen Traumwelt.

Und als ob sie meine Gedanken gelesen hätte, schlug Eloise zu.

»Cathy, denkst du wirklich, du würdest träumen?«

»Natürlich träume ich. Ich bin im Bett, schlafe, was sonst könnte ich tun?«

»Du träumst nicht. Das ist real, und es ist wichtig; eine Sache auf Leben und Tod. Ich hab nicht mehr viel Zeit, Cath, es ist Monate her, dass ich gestorben bin. Die Lebensgeister verblassen. Und wenn das passiert, wenn ich gehen muss, bevor du die Wahrheit kennst, dann wird alles, was ich liebe, alles, worum ich mich sorge, verloren sein. Ich habe etwas Schreckliches getan. Ich werde dafür bestraft werden, und nicht nur ich, ich zähle nicht mehr, aber meine lieben unschuldigen Kinder … oh, ich halte es nicht mehr aus.«

»Eloise, mein Liebes, du hast nie etwas Schreckliches getan.«

»Doch, das habe ich. Und ich muss die Konsequenzen verhindern. Du musst mir dabei helfen. Wir sind verbunden, weißt du. Es ist dein Schicksal, mir zu helfen.«

»Und wenn ich das nicht tue?«

»Dann wirst auch du leiden. Denkst du, deine Krankheit, deine psychische Zerbrechlichkeit, ist nur ein Zufall?«

»Ich versteh nicht, was du da sagst. Ich habe Depressionen. Das ist heutzutage ziemlich verbreitet. Es kann auf Stress und Vererbung zurückgeführt werden.«

»Nein, Cathy. Du musst mir helfen. Du musst, oder deine geistige Qual wird so unerträglich sein, dass du zusammenbrichst.«

»Zusammenbruch?«, fragte ich.

»Du wirst untergehen. Und du wirst deine Familie mitziehen.«

»Drohst du mir?«

Sie lachte mit einer fast unhörbaren Stimme. Es war ein schrecklicher Laut, teuflisch und Mitleid erregend zugleich.

»Es geht um die Mädchen, um Rose und Violet. Ich weiß, du liebst sie. Ich vertraue dir ihre Sicherheit an. Es gibt da Dinge in meiner Vergangenheit, von denen ich dir nie erzählt habe. Es wird alles herauskommen, und dann …« Ihre Stimme in meinem Traum brach. »Dann wird es zu spät sein. Vertrau ihm nicht, Cath, vertrau ihm nicht. Pass auf meine Babys auf.«

»Nein. Ich kann dir nicht helfen, weil du mich verrückt machst. Lass mich in Ruhe, Ellie, um Himmels willen. Lass mich bloß in Ruhe.«

Ich wachte am Morgen mit ihren Worten im Kopf auf. Sie beunruhigten mich, natürlich taten sie das. Aber jetzt dachte ich, ich wüsste, um was es ginge. Meine eigenen lächerlichen, verderbnisbeherrschten Gedanken über den Tod meiner Freundin hatten mich in einem dummen, übernatürlichen Hirngespinst gefangen. Es war Zeit, sich zurückzuziehen, erwachsen zu werden, Cornwall wieder so zu sehen, wie es immer für mich gewesen war: mein Platz, die Heimat meiner Familie. Begrabe die Vergangenheit und all das. Was auch immer diese verrückte Geistererscheinung mir zu sagen versuchte, es war Zeit, sich davon loszumachen.

Ich stand auf, zog den Morgenmantel über und ging nach unten in die Küche. Als ich herumwirtschaftete, um Tee zu machen, fühlte ich mich mehr und mehr gereizt. Genau genommen war ich wütend auf Eloise. Ich war unvorstellbar bestürzt gewesen über ihren Tod. Ich hatte monatelang um sie getrauert. Aber ihre Anwesenheit verhinderte meine Genesung, vereitelte alles, was ich im Moment wollte. Ich war böse auf sie, mit ihren Forderungen, der Art und Weise, wie sie in meinen Schlaf eindrang.

Ich beschloss, dass es mir reichte. Ich hatte an meine eigene Familie zu denken. Ich hatte die Nase voll von Eloise, ihrem Mann, ihren Töchtern und ihrer Mutter. Ich stand vorm Küchenfenster, starrte auf die Minze und den Thymian in unserem kleinen Kräutergarten und fluchte auf sie. Dann legte ich einen Schwur ab: »Okay, Ellie. Ich beginne jetzt den Rest meines Lebens. Ich vermisse dich, aber ich trage keine Verantwortung für dich und deine Kinder.«

Ich war erschöpft. Ich fand einen Zettel mit der Nachricht, dass Chris die Kinder zur Bucht von Lansallos mitgenommen hatte. Ich wollte nur wieder schlafen gehen, und eine Weile schlief ich auch, bis das Klopfen an der Küchentür hartnäckig genug wurde, um mich die Treppe hinunterzuzwingen.

Es war Ted. Nicht nur er, sondern auch die kleinen Mädchen. Rose und Violet, die anbetungswürdigen Zwillinge, mit goldenem Haar, prachtvoll gekleidet in Oilily-Baumwollkleidchen und mit kleinen weißen Söckchen.

Ich hätte heulen können bei ihrem Anblick. Ellies Babys, immer noch hier, wo sie so weit weg war, so endgültig von ihnen getrennt, so vernichtend weit weg von ihnen. Und trotz meines wütenden Schwurs an diesem Morgen wusste ich, ich könnte sie nie dem Schicksal überlassen, das wie angedeutet auf sie wartete.

»Ted. Hallo.« Wie unangemessen, dachte ich. Besonders in

dem Bewusstsein, dass er die letzte Person war, die ich sehen wollte. Obwohl ich von Glück überwältigt war, die Mädchen zu sehen, sie in mich aufsaugen wollte, sie nach oben ins Bett tragen und sie zudecken wollte für ein schönes, sicheres Schläfchen. Sie bemuttern, den Verlust von Eloise wiedergutmachen.

»Cathy. Die Mädchen wollten dich sehen. Sie haben tagelang von dir und Evie geredet. James im Café erzählte mir, du seist hier.«

Die Mädchen sprangen auf mich zu und schlangen ihre winzigen Arme um meinen Hals. »Tantchen Cath. Wo ist Onkel Chris? Und Evie? Wir wollen sie sehen. Und ist Tom hier? Und Sam?«

Von Gefühlen überwältigt, in dem Wissen, dass das letzte Mal, das ich diese Mädchen gesehen hatte, mit ihrer Mutter gewesen war, am Talland Beach, Pasteten essend, gekauft in dem kleinen Café, Eloise überzeugt, dass der letzte Behandlungszyklus Wunder wirken würde, schluckte ich meine Tränen hinunter und breitete die Arme aus.

»Ei, meine kleinen Lieblinge, wie großartig, euch beide zu sehen. Lasst uns nach drinnen gehen und mal schauen, ob wir nicht was Süßes für euch finden. Eve und Tom sind beide hier, es ist nur so, dass sie mit ihrem Dad zur Bucht von Lansallos gefahren sind. Sie werden bald zurück sein. Ich weiß, sie können's gar nicht erwarten, euch zu sehen.«

Die Zwillinge sausten ins Wohnzimmer, jauchzten herum, sammelten die kleinen Segelboote und Fischer aus Holz auf, die auf den Fensterbrettern lagen, und spielten mit ihnen, als ob es Puppen wären. Genau genommen zogen sie sie den Barbiepuppen vor, die Eve ihnen gezeigt hatte, Reliquien der Kindheit, die sie in ihrem Zimmer aufbewahrte.

Sie waren nicht beim Begräbnis gewesen. Juliana und Ted waren sich einig gewesen, es würde zu traumatisch für Fünfjährige sein. Aber ich fragte mich, wo glaubten sie wohl, wäre ihre Mama hingegangen? Und wenn sie ihr Grab nicht gesehen hatten, wie konnten sie akzeptieren, dass sie zu ihrem letzten Ruheplatz gegangen war? Ich nehme an, Kinder können verstehen, dass ihre Mama im Himmel ist. Aber sicher müssen sie irgendwann einen Platz finden, wo sie sitzen und mit ihr kommunizieren. Und ein Grab kann tröstend wirken, eine kleine Grotte des Friedens, um über den erlittenen Verlust nachzudenken und zu der geliebten Person zu sprechen, der sie gewidmet ist. Ich beschloss, Ted zu fragen, ob er die Mädchen nicht bald einmal hoch zur Kirche von Talland mitnehmen wollte. Ob er ihnen erklären würde, dass dies der Ort sei, wo ihre Mama nun liege. Ja, sie war im Himmel, aber ein Teil von ihr lag hier in Cornwall, wo sie immer hinkommen und sich friedvoll an sie erinnern konnten.

Bevor ich jedoch all meinen Mut zusammennehmen konnte, um etwas derart Persönliches anzuschneiden, öffnete sich die Küchentür und Eve, Tom und Chris enterten den Raum, lachend und einen scharfen Ozongeruch mit hereintragend.

Rose und Violet waren außer sich vor Freude, Tom und Evie zu sehen. Besonders Evie, weil sie in ihr das große Mädchen sahen, das sie zu werden hofften. Meine beiden nahmen die Kleinen mit nach unten, zum Spielen mit Evies alten Puppen und um Zeichentrickfilme anzuschauen. Was Chris und mich, argwöhnisch Ted gegenüberstehend, zurückließ.

Chris war wie gewohnt herzlich und mitfühlend. Er hatte, was ich ihm über Teds Annäherungsversuch erzählt hatte, als Hirngespinst meines verwirrten Geistes abgetan, also durchquerte er sofort den Flur und legte seine Arme um Ted.

Teds Augen wurden feucht. Er lehnte sich an Chris' Körper, erlaubte sich selbst, von meinem Ehemann umarmt zu werden. Da wir seit Februar nicht mehr in Cornwall gewesen waren, war es das erste Mal seit Eloise' Beerdigung, dass sie sich sahen.

»Es tut mir so leid, Ted. Herrgott, es ist so schrecklich, dass sie nicht mehr da ist. Bist du in Ordnung?«

»Weiß nicht so recht. Halte eben alles zusammen, denk ich mal.

Ich könnte wirklich jemanden zum Reden gebrauchen. Ich meine, da ist wirklich niemand. Meine Eltern sind lieb, aber sie verstehen's nicht so ganz. Wie könnten sie auch? Und ich habe keine Geschwister. Und in Wirklichkeit herzlich wenig Freunde. Abgesehen von dir und Cathy waren es hauptsächlich ihre Kumpels, nicht meine. Ich komme nicht von hier. Und letzten Endes bist du immer ein Außenseiter, wenn du hier nicht geboren wurdest.«

»Was ist mit Juliana? Ich weiß von Cath, die erst letzte Woche mit ihr am Telefon gesprochen hat, dass sie immer noch vollkommen von Trauer überwältigt ist. Und sie fühlt sich sehr isoliert. Sie braucht dich, Ted. Dich und die Mädchen.«

Teds Gesicht wandelte sich von Trauer zu einer Maske kalter Härte. »Juliana und ich kommen nicht miteinander klar«, sagte er abrupt. »Und will nicht, dass sie die Mädchen gegen mich aufhetzt, also halte ich es für besser, Distanz zu wahren.«

Ich hatte in unserer kleinen Klause gesessen, mit Büchern und Zeitungen bewaffnet, richtig froh, nicht an einem weiteren Gefühlsaustausch mit Ted beteiligt zu sein. Ich war erleichtert, dass Chris das übernommen hatte, fragte mich sogar, ob ich mich nicht nach oben schleichen und den Kindern zugesellen könnte. Aber ich wusste, nach Teds außergewöhnlichem Kommentar musste ich eingreifen.

Ich stand auf. »Ted, hast du eigentlich die leiseste Ahnung, was du da sagst? Juliana ist verzweifelt, am Boden zerstört. Sie braucht ihre Enkelkinder um sich. Was zum Teufel meinst du damit, dass sie sie aufhetzen würde? Sie vergöttert sie und hat nichts als Respekt für dich und deine Ehe mit Eloise.«

Ted sah mich – und es schmerzte wirklich, das zu erkennen – mit abgrundtiefer Geringschätzung an.

»Ich weiß nicht, wie viel meine Frau dir je über unsere erbärmliche Beziehung erzählt hat. Ich vermute, so wie ich Eloise kannte, Gott steh mir bei, dass sie dir nichts erzählt hat, was sie nicht mit ihrem gewohnten märchenhaften, leuchtenden Heiligenschein zeigte. Es genügt zu sagen, dass unsere Ehe eine Farce war.«

Chris und ich standen zutiefst verstört in unserem schönen Wohnzimmer. Dann schaltete sich bei Chris, dem ewigen Friedensstifter, das ruhige, doktorhafte Verhalten ein. »Ted, bitte setz dich. Wir brauchen alle einen Drink, und dann können wir darüber reden, ohne melodramatisch zu sein.«

Er winkte mir, und ich bewegte mich langsam in die Küche, bemüht, diese schreckliche Situation zu bewältigen, aber mir gleichzeitig sehnlichst wünschend, ich könnte weglaufen, die Treppe hinaufsausen und mich in meine Bettdecke einwickeln. Eine Schlaftablette nehmen, in der Dunkelheit verschwinden, dieses ganze verdammte emotionale Theater vergessen und an einem frischen, klaren Tag morgen wieder aufwachen.

Stattdessen schenkte ich Ted einen Scotch ein, und Rotwein für Chris und mich.

Es war Chris, der anfing. »So, Ted, möchtest du uns nicht erzählen, was du auf dem Herzen hast, was dich so unglücklich macht? Offensichtlich stehst du unter Schock; deine Frau ist gestorben; du bist allein; deine Kinder sind ohne Mutter. Bitte glaub mir, ich verstehe das alles, und ich verstehe auch, dass du sehr starken, wenn auch irrationalen Zorn auf Eloise verspürst. Sie konnte nichts für ihre Krankheit oder ihren Tod, und ich weiß, dass dir das klar ist, aber du hast einen tief sitzenden Groll gegen sie in dir. Ich habe das schon so oft gesehen, und glaub mir, Ted, das ist vollkommen natürlich. Du musst unbedingt darüber reden, über alles. Cath und ich werden dich nicht verurteilen, egal was du sagst.«

Chris hörte auf zu reden, und es gab eine lange, unangenehme Pause. Ted schaute uns beide an, als ob wir verrückt wären. Dann legte er los.

»Herrgott, Chris, du mit deinem dämlichen, verschissenen Job! Weißt du, wie du dich anhörst, so scheißaufgeblasen und scheinheilig? Du bist wie so ein beschissener viktorianischer Pfaffe, um Himmels willen. Du hast *keine* Ahnung von meiner Ehe. Es war nichts, wie es oberflächlich aussah. Wir waren unglücklich, okay? Vollkommen beschissen, wir hassten den verdammten Anblick des anderen. Um ehrlich zu sein, ich konnte es gar nicht abwarten, dass sie endlich stirbt.«

11

Es war acht Uhr am gleichen Abend. Chris und ich saßen uns an einem kleinen, mit Kerzen beleuchteten Tisch im Talland Bay Hotel gegenüber, einen zweiminütigen Spaziergang von unserem Cottage entfernt. Unser Dörfchen ist abgelegen und winzig, mit nur ungefähr zehn Häusern, die sich entlang des steilen Sträßchens zur Bucht schlängeln, aber das ganze Land gehörte einst zum Herrensitz von Porthallow, früher als Portlooe bekannt, das im Domesday Book erwähnt wird.

Es gab kein Geschäft und auch keinen Pub in unserem Dorf, und wir liebten unseren Frieden und die Ruhe, verschont von Touristen. Zu unserem Glück gab es das wunderschöne alte Herrenhaus hier, das schon lange als kleines, unabhängiges Schlosshotel geführt wurde. Es ist ein Geschenk des Himmels für uns, ein Ort, um in der wunderschönen Gartenanlage mit ihrem umwerfenden Ausblick aufs Meer zu essen und zu trinken, oder im Winter im eichengetäfelten Speisesaal, wo in der altertümlichen Kaminecke Holzscheite lodern. Unser Cottage liegt hinter der Rückseite des alten Herrenhauses versteckt; es diente früher dem Verwalter, der den Besitz bewirtschaftete, als Zuhause.

Der Abend war kühl für den Juni, und wir entschlossen uns, drinnen zu essen. Tom und Eve waren über den Klippenpfad nach Polperro marschiert und hatten vor, sich eine Pizza oder ein Steak mit Chips im Crumplehorn Inn zu gönnen, also waren Chris und ich, zumindest für eine Weile, allein. Und wir hatten so viel, über das wir reden mussten, dass irgendwie keiner von uns beiden wusste, wie er anfangen sollte. Zumindest ich wusste es nicht. Chris allerdings wollte über Ted und Eloise reden. Seine Analyse, das wusste ich, würde genau ins Schwarze treffen. Es war nur, dass ich dachte, es gäbe da Dinge, Empfindungen, irrationale Gefühle, die in diesem kleinen Familiendrama eine Rolle spielten, die großen Durchblick erforderten, einen weitgreifenden Ansatz, um zu verstehen. Wir brauchten Nordlicht, Aurora borealis, um diese traurige, undurchsichtige, kleine kornische Tragödie zu erhellen.

»Ted ist offensichtlich in einem sehr schlechten Zustand«, sagte Chris. »Ich will ihm ja gerne helfen, aber zuerst muss er sich eingestehen, dass er ein Problem hat.«

Ich schluckte meinen Ärger hinunter. »Hat er doch. Seine Frau ist gerade an Krebs gestorben, und er hat uns erzählt, er *wollte,* dass sie starb. Ich meine, er hätte ja wohl kaum klarer sein können, oder? Glaubst du wirklich, das ist normal?«

»Natürlich ist es das, Cathy. Verlust löst bei Menschen Höllenqualen aus. Er ist so zornig, dass er momentan nicht weiß, was er da denkt.«

Klar, dachte ich zynisch. Mich überkam ein überzeugender Gedanke. Ted hasste Eloise, und nicht nur, weil sie gestorben war und ihn mit zwei kleinen Mädchen zurückgelassen hatte, die er allein großziehen musste. Da war etwas schrecklich verkehrt mit Ted und Eloise, und es war nicht alles auf ihre Krankheit zurückzuführen, auf die Belastung, die diese für ihre Ehe bedeutet hatte. Ich wünschte, ich hätte nur mit den Schultern zucken und alles dem Schicksal überlassen können – anderer Leute Schicksal, ihre Angelegenheit, hat nichts mit mir zu tun.

Aber Eloise hatte es auch zu meiner Angelegenheit gemacht, und ich wusste mit meinem erschöpften Geist, dass sie von mir erwartete, die Wahrheit herauszufinden.

Seltsamerweise hörte ich in dieser Nacht nichts von ihr. Es schien, als hätte sie anerkannt, dass ich genug hatte. Dass ich etwas Erholung von ihren Forderungen brauchte. Dass ich tatsächlich etwas Ruhe verdiente.

Was für ein Narr ich war. Dass sie, eine gequälte Seele, jemals denken würde, ich bräuchte eine Pause. In Wirklichkeit war ich für sie nichts anderes als ein Mittel zum Zweck. Alles, was ihr geblieben war, war ein moralischer Imperativ; und der betraf ihre Kinder, niemand anderen. Nicht ihre Mutter, nicht ihren Ehemann und bestimmt nicht mich. Sie kümmerte sich um niemanden außer den Kindern, die sie zur Welt gebracht hatte. Sie war ganz sicher nicht auch nur andeutungsweise beunruhigt meinetwegen oder über die geistigen Qualen, die ihre »Besuche« bei mir verursacht hatten.

Ich mochte Eloise nicht mehr. Oh, ich wusste, dass sich alles um ihre Kinder drehte, mit der leidenschaftlichen und natürlichen Bestimmung einer Mutter, sie um jeden Preis an die erste Stelle zu setzen. Aber dieser Preis beinhaltete jetzt mich. Und ich hatte auch Kinder. Sie hatten schon gelitten aufgrund Eloise' Macht über mich. Sie hatten mich wieder krank erlebt. Natürlich lag da eine verzweifelte Sehnsucht in ihrem Eindringen in meine Träume, ein lauter Schrei um Hilfe, da war ich mir sicher. Aber ich war nur ein Medium, ein Rädchen in einer komplexen übernatürlichen Gleichung, die direkt darauf zielte, meinen zerbrechlichen Geist zu lenken. Sie benutzte mich. Ich hatte keinen Schimmer, worum es hier ging, »the big picture«, wie man in Hollywood gewöhnlich sagte. Aber so sehr ich das Andenken meiner liebsten, toten Freundin ehrte, ich hatte kein Bedürfnis, in eine Geistermission für Gerechtigkeit hineingezogen zu werden, die meine Stabilität und das Glück meiner eigenen teuren Kinder zerstören könnte.

Also, was soll's. Deine Kinder oder meine, Ellie? Klarer Fall.

Am Sonntag gingen Chris und ich in die Kirche. Die Kinder blieben im Bett, aber wir beide wussten, auch ohne Worte, dass wir

St. Tallanus besuchen wollten, unsere wunderschöne keltische Kapelle. Die Kirche war das spirituelle Zentrum unseres winzigen Dörfchens. Der Name Talland bedeutet im Kornischen „der heilige Platz auf dem Hügel". Sie wurde, wie alle keltischen Kultstätten, am fließenden Wasser erbaut, einem winzigen Bach, der den Abhang neben der Friedhofsmauer herunterrann. Das gesamte Gebäude hatte eine starke, geheimnisvolle Aura; es wurde erzählt, der Altar wäre an einer Stelle errichtet worden, wo sich zwei historische Brachlinien durchschnitten. Und tatsächlich war es eine tiefe Erfahrung von Ehrfurcht und Zugehörigkeit, dort zu knien und zu beten. Wir hatten unseren Hochzeitssegen vor zehn Jahren dort erhalten. Ursprünglich hatten wir auf einem Standesamt geheiratet, und keiner von uns hatte gedacht, wir wären besonders religiös, aber die absolute Ruhe, die wir in der Kirche von Talland fühlten, bewegte uns dazu, vier Jahre, nachdem wir unser Cottage bezogen hatten, um einen Segen für unsere Ehe zu ersuchen. Diese historische Stätte bot ein sicheres und heiliges Dach, das die Bindung, zu der wir uns gegenseitig verpflichtet hatten, in ein Sakrament verwandelte: Wir sollen einander lieben, in guten wie in schlechten Zeiten, bis dass der Tod uns scheide.

Wir liefen über den Friedhof, vorbei an sehnsuchtsvollen, tragischen Grabsteinen, die bezeugten, wie Kinder und junge Mütter dem Blutbad des Todes bei der Geburt erlegen waren. Vorbei an den romantischeren und kühneren Ehrungen für Schmuggler, die von der Küstenwache niedergemäht wurden, als sie ihre Beute am Strand von Talland an Land bringen wollten. Und, nicht zu vermeiden, vorbei am immer noch gerundeten Erdhügel, der das Ableben von Eloise vor weniger als fünf Monaten markierte. Eloise war auch hier zum Gottesdienst gegangen, wenn sie sich hier aufhielt, und liebte den Frieden und die Stille, und so hatte sie sich entschieden, hier begraben zu werden, mit dem endlosen Meer vor sich und dem sanften Geräusch des nur ein paar Meter entfernten Bachs. Es war noch zu früh, um einen Grabstein aufzustellen – das Erdreich musste sich erst setzen –, aber auf dem frischen Ruheplatz meiner Freundin lag ein Meer von Blumen: zusammenfallende Türme verblühter Rosen, Girlanden pinkfarbener Klematis. Ich starrte darauf, registrierte die Anmut der Blumen, dachte an den Körper meiner toten Freundin in dem Sarg darunter. Ach, Eloise, warum konntest du nur nicht in Frieden ruhen? Warum konntest du dich nicht in diesem wunderschönen Landfriedhof der ewigen Ruhe hingeben, alle Aufgaben erledigt, die Arbeit getan? Und nach all deinen Schmerzen, dem Leid und der Angst sanft schlafen an diesem schattigen Plätzchen, in dem Bewusstsein, dass du dein Bestes gegeben hattest und deine Prüfungen endlich ein Ende hatten?

Aber es gab keine Ruhe für dich, meine Ellie. Noch nicht. Vielleicht nie, außer ich könnte deinen Wünschen nachkommen. Und ich war nicht bereit, das zu tun. Du hattest mich zu stark eingeschüchtert, dein Blatt überreizt.

Ich schaute hoch. Von Eloise' Grab aus konnte man die riesige, funkelnde Wasserfläche des Meeres sehen, grüne Hügel, die nach Sand und Felsen schnappten, erstaunliche Töne von Blau, Gold, Purpur und Silber. Es war ein Platz der Ruhe, den man ersehnte, sich inständig wünschte. Das Paradies. Aber für den einsamen Geist, der da unten gefangen war, war das Paradies wahrlich verloren.

Der Gottesdienst war beruhigend. Wir empfingen das Abendmahl, und als ich mich wieder in die Kirchenbank zurücklehnte, empfand ich echten Frieden. Falls Eloise tatsächlich die Nacht über entlang der Felskuppe herumstreifen sollte, mich zu Tode erschreckend mit ihren düsteren Vorhersagen des Untergangs, dann fühlte ich hier, an diesem heiligen Ort, ich könnte die Stärke finden, ihr zu widerstehen.

Hinterher versammelte sich die Kirchengemeinde, so wie sie war, auf der Eingangsterrasse. Wir verabschiedeten uns von der Pastorin, einer hübschen Frau mit einer wunderbaren, selbstsicheren Kanzelstimme, und mehrere Nachbarn liefen umher, um Klatsch und Einladungen zu Sonntag-Drinks auszutauschen. Eine alte Dame, die ich fast ein Jahr nicht gesehen hatte, kam auf mich zu und umarmte mich.

»Winnie«, sagte ich, freudestrahlend ihren Kuss erwidernd. »Wie geht's Ihnen? Haben Sie diese schreckliche Grippe überstanden?« Winnie Wharton war zu der Zeit um Ellies Tod zu wochenlanger Bettruhe verurteilt gewesen, nicht nur wegen Grippe, sondern auch wegen eines Furcht erregenden Lungeninfekts. Einer ihrer Nachbarn hatte bei Ellies Begräbnis düster angedeutet, sie müsse unter Umständen ins Krankenhaus in Plymouth, und wir alle wussten, was das in ihrem hohen Alter bedeutete. Sie war weit in ihren Achtzigern, und Lungenentzündung war keine willkommene Diagnose. Aber Winnie, immer beherzt und tapfer, war eindeutig von ihrer Krankheit genesen.

»Du meine Güte, ja«, sagte sie. »Ich bin jetzt so fit wie ein Turnschuh, obwohl es bis Mai gedauert hat, und es ist so grandios, wieder in die Kirche zu kommen. Das ist das erste Mal seit Januar.«

»Das ist großartig, Winnie. Wenn Sie nächsten Sonntag da sind, können Sie und Wilf vielleicht mit zu uns kommen und einen Sherry mit uns und ein paar Freunden trinken?«

»Ooh, das würden wir gerne. Ich muss sagen, es war ein wenig still, während es mir so schlecht ging – wir haben monatelang kaum eine Menschenseele gesehen. Ich hätte gern mal wieder ein bisschen Schwof.«

Ich lachte. »Ich bin mir nicht sicher, ob ein paar Sherrys am Sonntagnachmittag schon als Schwof durchgehen, aber ich werde mein Bestes tun.«

»Das wird wunderbar werden. Wird Eloise da sein?«

Ich war verblüfft. Sicher wusste sie, dass Eloise tot und begraben war. Vielleicht hatte ich mich verhört.

»Eloise. Nein, natürlich nicht.« Nicht besonders taktvoll, aber ich war gerade ein bisschen überfordert.

»Ach, das ist schade. Ich würde gerne mit ihr reden. Solch eine bezaubernde junge Frau.«

Ich atmete tief durch. Winnie, für Wochen im Krankenbett von der Außenwelt abgeschnitten, war sich offensichtlich nicht im Klaren darüber, dass Eloise gestorben war. Und da Ellie ihre Krankheit allen außer ihrer nächsten Verwandtschaft und ihren engsten Freunden verschwiegen hatte – warum sollte eine ältere Dame aus der Kirchengemeinde wissen, dass der zauberhafte, lebendige Stern von Süd-Cornwall nun nur ein paar Meter von hier begraben lag?

Winnie plapperte fröhlich weiter. »Ich habe versucht, heute Morgen mit ihr zu reden, als ich sie vor der Kirche sah, aber ich glaube nicht, dass sie mich gehört hat. Und dann dachte ich, ich würde sie beim Abendmahl sehen, aber sie kam nicht. Sie sah entzückend aus in ihrem roten, todschicken Rock.«

Ich starrte Winnie an. »Sie … Sie müssen sich irren. Eloise ist nicht hier. Seit Monaten nicht.«

Ich konnte es nicht ertragen, die Worte *Eloise ist tot* auszusprechen.

»Nun, davon weiß ich nichts.« Winnie fing an, gereizt zu reagieren, wie alte Leute eben so sind, wenn sie meinen, ihr Erinnerungsvermögen wird in Frage gestellt. »Ich weiß nur, dass Eloise heute Morgen hier war, als ich an der Kirche ankam. Sie hat genau da gestanden.« Und Winnie zeigte auf Ellies unmarkiertes Grab.

»Sie hatte auch jemanden bei sich. Einen jungen Burschen, vielleicht sechzehn oder so. Ein bezaubernd aussehender junger Mann war das. Sie schauten beide auf diese prachtvollen Blumen auf dem Grab dieser armen Seele. Weiß nicht, wessen Grab das ist, aber jemand gibt sich richtig Mühe damit.«

Ich war sprachlos. Ich starrte auf das Grab, sah nichts außer aufgeschütteter Erde und abgefallenen Blüten. Ich brachte es wirklich nicht übers Herz, Winnie Vorhaltungen zu machen, und bevor ich auch nur irgendetwas sagen konnte, schrie sie auf.

»Da ist er. Das ist der Junge. Er ist jetzt allein, aber vorhin war sie bei ihm. Und die Art, wie sie ihn anschaute – man hätte meinen können, er wäre ein kleiner Gott.«

Und zwischen den Gräbern umherstreifend, fasziniert die Grabinschriften lesend, während er von Grab zu Grab schweifte, ging da tatsächlich der junge Mann, den Chris und ich aus dem Talland Bay Hotel hatten kommen sehen. Evies wunderschöner Junge, blass und überirdisch, den heiligen Grund heimsuchend, auf dem so viele Bewohner Cornwalls in ihrer letzte Ruhestätte lagen.

Ich fuhr herum und versuchte Eloise inmitten der kleinen Kirchengemeinde auf dem Kirchhof auszumachen. Aber sie war natürlich nicht da.

Ich griff Chris' Hand und ging los, um mit dem Jungen zu reden. Chris war nicht glücklich. Er war in ein Gespräch mit der Pastorin über eine psychotherapeutische Selbsthilfegruppe vertieft gewesen, die sie in der Pfarrei aufbauen wollten. Aber mit seiner gewohnten Geduld und Selbstkontrolle ließ er es zu, weggezogen zu werden.

»Was machst du?«, zischte er, als ich ihn den Abhang herunterzog, zu dem Platz, wo ich den Jungen gesehen hatte.

»Wir müssen mit ihm reden, Chris. Ich weiß, dass er eine wirklich wichtige Rolle in all dem spielt; er ist ein Hinweis darauf, warum ich immer noch von Eloise träume.«

»Reden mit wem? Und was auf aller Welt meinst du damit, ein Hinweis auf deine Träume? Phantasierst du immer noch diesen ganzen Mist über Eloise zusammen? Du redest Unsinn. Und nicht zum ersten Mal«, ergänzte er.

Ich erstarrte. Blieb stehen und drehte mich zu ihm um. »Schau, Chris, ich hab jetzt wirklich die Nase voll. Du behauptest nach wie vor, ich sei verrückt. Ich weiß, dass ich verstört war, depressiv, aber tatsächlich geht es mir gerade glänzend. Irgendetwas ist hier im Gange bezüglich Eloise. Du hast gehört, was Ted gestern gesagt hat. Klang das normal für dich?«

»Vollkommen normales Verhalten nach einem Todesfall. Cathy, schau, ich ertrage nicht mehr viel mehr davon. Kannst du nicht in deinen Kopf kriegen, dass es nichts Außergewöhnliches oder Unerwartetes am Tod von Eloise gab? Das letzte Mal, als wir hier runterkamen, fingst du an, besessen davon zu sein. Es ging dir daheim in London ausgezeichnet, du warst wieder ganz du selbst, aber jetzt fängt wieder alles von vorne an. Ich kann die Anzeichen erkennen. Schau dir an, wie du gerade wieder auf ihr Grab gestarrt hast. Als wenn du es noch niemals zuvor gesehen hättest. Um Himmels willen, sie ist *tot.* Es ist alles vorüber.«

Er sah angeschlagen aus, ernsthaft aufgebracht.

»Ich weiß einfach nicht mehr, was ich mit dir noch machen soll, Cath. Gott weiß, ich hab's versucht. Und ich glaube kaum, dass du verstehst, was du *mir* antust. Ich hätte dich nicht mehr unterstützen oder verständnisvoller sein können. Ich habe alles für dich aufgeschoben. Meine Arbeit, meine Forschung. Ich sollte eigentlich diesen Herbst mein Buch über Schizophrenie veröffentlichen, aber ich habe keine Chance, es jetzt noch fertigzukriegen. Und das wird der Fakultät nicht besonders gefallen.«

Ich unterbrach ihn. »Willst du damit sagen, du kannst meinetwegen nicht arbeiten? Als ob du nicht wüsstest, wie lächerlich das ist. Ich habe dich nie davon abgehalten, deine Forschungen zu betreiben oder dein Scheißbuch zu schreiben.«

Plötzlich sah er stinksauer aus. »Herrgott, Cath, du verstehst gar nichts, oder? Du bist so besessen von dir selbst, dass du an niemand anderen denken kannst. Wie, denkst du, kann ich arbeiten, wenn ich die ganze Zeit krank vor Sorge um dich bin? Du bist so verdammt selbstsüchtig, handelst, als ob nichts anderes zählt als deine verzerrten Emotionen. Und ich meine das so. Sie sind verzerrt und verdreht. Eloise ist an *Krebs* gestorben, um Himmels willen, da gibt's kein großes Geheimnis, aber du kannst nicht loslassen, oder? Herrgott, ich habe mein gesamtes Arbeitsleben mit psychisch gestörten Patienten zu tun gehabt. Was meinst du, was für ein Gefühl es ist, auch noch zu einem nach Hause zu kommen? Du bist meine Frau, nicht noch so ein trauriger Fall im Krankenhaus. Denkst du nicht, ich könnte etwas Fürsorge und Zuneigung gebrauchen, wenn ich nach Hause komme? Stattdessen ist alles, was ich bekomme, dein Stress und deine lächerlichen Wahnvorstellungen. Ich halte das nicht mehr länger aus.«

Er starrte mich an, sein Gesicht von Ärger und Elend verzerrt, drehte sich dann um und stakste zurück zur Kirche. Alle schauten uns an. Sie wussten offensichtlich, dass wir Streit hatten. Ich war wie benommen von Chris' Ausbruch, seiner Feindseligkeit und der Gehässigkeit, die er mir entgegengeschleudert hatte. Er hatte noch nie zuvor so mit mir gesprochen, aber ich wusste, er sagte die Wahrheit. Er hatte genug von mir.

Ich ging fort, den Berg hinunter an der Kirche vorbei. Ich hielt nicht länger Ausschau nach Evies umwerfendem Jungen oder nach Eloise. Ich wusste plötzlich, dass ich auf mich selbst gestellt war. Chris reichte es. Er hatte versucht, mir mit meiner Depression und dann mit meiner Fixierung auf Eloise' Tod zu helfen. Aber er konnte nicht diese Besessenheit akzeptieren, die er für stupide und unsinnig hielt. Er dachte, ich wäre hemmungslos und süchtig nach Aufmerksamkeit. War ich das? Nein. Meine Träume fühlten sich sehr echt an.

Ich fühlte mich schrecklich. Alles um mich herum war tot, vorbei. Wie sollte ich ohne Chris jemals diesen Albtraum überstehen, diese grausame Geschichte, die mich fast jede Nacht heimsuchte?

Ich marschierte den Hügel hinauf, am Hotel vorbei, die Straße hinunter, am Zaun mit der Klematis vorbei und die Stufen zu unserem Cottage hinunter. Die Kinder waren noch im Bett. Ich machte mir eine Tasse Tee und nahm sie mit hinaus auf die Terrasse. Plötzlich überkam mich das Bedürfnis, die Wildblumenwiese und den Garten zu besuchen, die wir mit einem irrwitzigen Aufwand nach dem Kauf des Hauses wiederhergestellt hatten.

Die Rechnungen waren erschreckend gewesen, aber wir hatten es nie bereut. Die Koppel war riesig, rund drei Morgen, aber sie war vollkommen mit Japanischem Schirmknöterich überwachsen gewesen, undurchdringlich und schulterhoch. Es war unmöglich, sich einen Weg freizuhacken, um zu dem hübschen Teich zu kommen, der an der Talsohle lag. Die Landschaftsgärtner, die schließlich unsere Koppel in so eine Art Wunderland verwandelten, hatten auch den Teich vergrößert, sodass er nun über ein kleines Holzpier verfügte, und ein Ruderboot, mit dem man faul zwischen den Wasserlilien und dem Röhricht herumrudern konnte.

Ich lief dort hinunter und saß an dem kleinen Picknicktisch am Teich. Es war perfekt; eine derart wunderschöne und tief greifende Idylle, dass ich glaubte, dort friedvoll sterben zu können und vollständig von diesem lieblichen Land aufgesogen zu werden. Und meine Asche sollte um die hübschen Weiden herum verstreut werden, die sich über die kleine Wasserfläche neigten. Obwohl ich nicht sicher war, ob ich begraben oder verbrannt werden wollte. Ich wusste nur, was immer von meinem Körper übrig blieb, musste in diesem Garten in meinem geliebten Cornwall liegen.

Das Entscheidende jetzt war, dass ich auf mich selbst gestellt war. Chris hatte mehr als genug von meinen gespenstischen Verdächtigungen. Mir war klar, dass er sich hinter der Wut und den harten Worten verzweifelt wünschte, dass zwischen uns alles wie früher wäre. Er und ich uns nahe, glücklich und einander vollkommen ergeben.

Ich war mit meiner Ehe gesegnet gewesen. Warum in Gottes Namen wollte ich eine so gute, starke Bindung zerstören? Weil ich mich genötigt fühlte, den Tod, den völlig gesetzmäßigen, erwarteten Tod einer Freundin zu untersuchen, die an unheilbarem Krebs litt?

Die Antwort glitt unheilvoll wie eine Schlange in mein Bewusstsein. Es war die Stimme meines Arztes, sanft, beruhigend, leicht bevormundend: »Natürlich, weil es Ihnen nicht gut geht, Cathy«, wisperte es. »Sie nehmen Antidepressiva ein. Für große Zeitspannen sind Sie kilometerweit von der Realität entfernt, eingesperrt in eine paranoide Welt. Irgendwie hat Ihr Geist den Tod von Eloise gekapert, ihren völlig natürlichen, aber tragischen, traurigen Tod, und ihn in eine dunkle Gothic-Phantasie verwandelt. Irgendwie in Ihrem Gehirn verbunden mit Mutterschaft und Ihrem eigenen Schuldgefühl darüber, wie Sie Ihre Kinder aufgrund Ihrer mentalen Handlungsunfähigkeit vernachlässigt haben. Das Ganze ist ein Mitleid erregendes Märchen, das Sie erfunden haben, um die Aufmerksamkeit von Ihrem eigenen Wahnsinn abzulenken. Nun gestehen Sie es sich schon ein und fertig.«

Und dann schaute ich hoch.

Und ich sah sie.

Sehr präsent in ihrem roten Rock und dem langen Seidenschal. Zuerst war sie am Horizont zu sehen, silhouettenhaft vor dem Umriss der Kirche. Aber dann, in nur einem Augenblick, war sie unten, dieses Gespenst, stand am Anlegesteg unseres Teichs, ihre ätherische Schönheit floss prunkvoll auf mich zu, badete mich in ihrem unwiderstehlichen Licht, ihrem tragischen Bedürfnis nach Liebe und Erlösung. Ihr Anblick ließ fast mein Herz vor Furcht und Schrecken anhalten.

Würde sie mit mir sprechen? Würde sie mir sagen, was sich zwischen ihr und ihrem Ehemann abgespielt hatte?

»Eloise«, sagte ich mit zitternder Stimme. »Ich kann dich jetzt richtig sehen. Würdest du bitte mit mir reden? Lass mich nur wissen – behutsam, ich flehe dich an, weil deine Besuche mir Angst einjagen –, was ist es? Was brauchst du und was soll ich tun?«

»Es tut mir leid, dass ich dich erschrecke, Cathy.« Oh, diese Stimme wieder zu hören, so sanft wie immer, aber überlagert mit einer Dringlichkeit und Entschlossenheit, die ich selten so gehört hatte, als sie noch lebte. »Aber ich fürchte, ich habe keine andere

Wahl. Wo ich bin, hat man erschreckende …« Sie zögerte. »Einsichten. Man kann die Konsequenzen früherer Handlungen erkennen. Und weil man nicht länger am Leben ist, gibt es nichts, was man dagegen tun könnte. Außer, du kannst einen Freund erreichen, jemanden wie dich, der sich genug sorgt, um zu helfen. Die Quintessenz ist, dass ich dich brauche, um ein schreckliches Durcheinander geradezubiegen, das ich verursacht habe und das ich selbst nicht mehr richten konnte, weil ich zu früh starb.«

»Ich verstehe nicht, was du meinst. Herrgott, Ellie, ich verstehe dich auch in meinen Träumen nie. Kannst du nicht aufhören, in Rätseln zu sprechen?«

Was tat ich da? Versuchte ich, mit einem Gespenst eine Unterhaltung zu führen? Mein Geist rebellierte ungläubig. Wenn Chris mich jetzt gefunden hätte, hätte er einen positiven Beweis dafür gehabt, dass ich überschnappte.

»Ich kann dir nicht alles erzählen, weil ich nicht die Kraft dazu habe. Ich weiß nur, dass du und nur du allein mir helfen kannst. Ich habe es gesehen, Cathy. Ich habe gesehen, was passieren wird, wenn niemand ihn stoppt. Es liegt ganz an dir.«

»Das ist Irrsinn. Ich höre dich nicht. Du bist nur eine Illusion. Ich halte das nicht mehr aus. Ich dachte, du bist am Verblassen, zu schwach, um mich weiterhin zu treffen. Wie kommt es, dass du dich plötzlich genug gesammelt hast, um hier auf unserer Koppel zu sein, vernünftig redest – oder ist es Unsinn? Ich weiß gerade nicht weiter, Ellie, bilde ich mir nur ein, du seist hier? Habe ich gerade wieder einen Nervenzusammenbruch? Um Himmels willen, spiel nicht mit meinem Verstand herum.«

Sie wich nicht zurück. »Ich *bin* real für dich, Cath. Das … das bin ich, was von mir übrig ist. Es ist wahr, ich bin sehr schwach, aber man hat mir eine Rettungsleine zugeworfen. Von kurzer Dauer, aber ich habe darin genug Adrenalin gefunden, um noch eine Weile standzuhalten. Aber du musst alles wissen. Nur du kannst helfen.«

»Dann erzähl. Was soll ich tun? Keine Andeutungen mehr, Eloise, keine dramatischen Drohungen. Was willst du, dass ich mache?«

Ich dachte sogar noch, als ich dies sagte, dass das Quatsch wäre. Meine Kommunikation mit Eloise war derart bruchstückhaft gewesen, so grundsätzlich nichtssagend, dass ich dachte, sie könnte ohnehin nichts anderes, als düstere Vorhersagen von Tod und Schrecken von sich geben.

Aber dann überraschte sie mich.

»Du weißt es nicht, aber du hast Arthur schon gesehen. Er ist der Lebensfaden, der mir geblieben ist. Du musst nach Roseland zurück und mit meiner Mutter reden. Sie weiß fast alles.«

»*Fast* alles? Herrgott, *du* weißt alles, was es zu wissen gibt. Warum die Geheimnistuerei? Du bist jetzt hier, genau jetzt. Erzähl mir doch einfach alles – sag mir, worum es hier geht. Hör auf, Spielchen zu spielen, um Himmels willen. Das ist kein *Märchen* hier. Oder ist es das? Oder noch schlimmer, bist du irgendein schreckliches Gebilde meiner verzerrten Phantasie? Ist das alles nur noch ein Symptom? Ein weiteres Anzeichen dafür, dass ich verrückt werde?«

Eloise war nun wieder weit weggetrieben. Natürlich war sie das, möge sie verrotten; ich hatte sie bedrängt, hatte zu viele Fragen gestellt. Oder, dachte ich, ich hatte meinen zerbrechlichen Geist zu nah an sie herankommen lassen. Vielleicht hatten die paar Reste von Selbstschutz, die in meinem unsteten Hirn noch vorhanden waren, mich zurückgezogen, mich von ihrem hartnäckigen Ego entfernt?

Und dann erinnerte ich mich, was sie über Arthur gesagt hatte. Ich hatte ihn gesehen. Ja, dachte ich. Der wunderschöne Junge am Friedhof. Derselbe Junge, den ich mit Chris zusammen auf dem Weg gesehen hatte. Der mir so vertraut vorkam. Ich wusste das. Ich war nur schrecklich unglücklich bei der Aussicht, mehr herauszufinden.

Eloise war verschwunden. Ich schaute hoch zur Kirche, zu dem beruhigenden Umriss auf dem Gipfel des Hügels. Mein geliebtes Talland. Wie konnte dieses stärkende kleine Dörfchen, dieser Ort spiritueller Klarheit, eine Rolle in einem Drama spielen, das meinen Geist vergiftete?

Und dann verdunkelte sich der Himmel. Violette Gewitterwolken rollten vom Meer heran, Wellen brodelten und krachten an den Strand. Sie war wieder da. Ich konnte sie nicht sehen, aber ihre Stimme hatte sich hartnäckig in meinem Kopf festgesetzt. »Siehst du, Cathy, ich sollte nicht hier sein. Zumindest noch nicht. Ich war unheilbar krank, aber mein Ableben war … verfrüht. Und es hätte nicht geschehen sollen; es war eine Sünde, dass ich zu diesem Zeitpunkt starb. Ich war gerade dabei, zu versuchen, das Chaos, das ich zurückgelassen hatte, wiedergutzumachen, aber ich bekam die Zeit nicht. Ich habe schreckliche Fehler gemacht, aber bei Gott, ich habe dafür bezahlt. Nun brauche ich jemanden – *dich* –, um alles wieder in Ordnung zu bringen. Meine Mutter wird dir helfen. Bitte, Cathy, bitte.« Die Wellen schlugen wild über den Felsen zusammen, der Wind heulte über dem Kriegerdenkmal auf der Klippe, die Luft war gesättigt von unerträglicher Spannung. Der Himmel war indigo und schwarz, bedeckt mit riesigen Wolken, schwanger von Verdammnis.

Ich wurde ohnmächtig. Ich lag immer noch im Gras neben dem Picknicktisch, als Eve und Tom den Abhang im Obstgarten hinunterkamen und mich bewusstlos neben unserem kleinen Teich fanden.

Eve sauste sofort die Koppel hoch und rief: »Dad! DAD! Mum ist zusammengebrochen. Komm hierher.«

Tom indessen wiegte mich nur in den Armen und küsste meine Stirn. Ich kam schon wieder zu Bewusstsein und war zutiefst dankbar für seine schnörkellose Zuwendung. Chris zog mich hoch auf meine Beine. Er sah bestürzt aus, doch ich fragte mich, ob er mir immer noch böse war. Ich murmelte, ich sei in Ohnmacht gefallen, keine Ahnung warum, und er sagte ungefähr, ich sei emotional viel zu verstört und brauchte jetzt mein Bett.

»Und ich werde dir ein Beruhigungsmittel geben. Du musst dich beruhigen.«

Ich protestierte. Ich wollte dieses Zeug wirklich nicht mehr in meinem Körper haben. Ich nahm immer noch Prozac, und das war sicher genug. Er begleitete mich behutsam hoch zum Haus und sagte, ich müsse ausruhen.

»Glaub mir, Cathy. Ich tue nur, was gut für dich ist.«

Und die Stimme von Eloise hallte sanft und entfernt in meinem Kopf nach.

»Glaub nichts von dem, was er sagt.«

12

Ich hatte die Schlaftablette genommen, von der Chris behauptete, dass ich sie brauchte, und wachte am nächsten Morgen spät auf.

Als ich nach und nach wieder zu mir kam, wurden mir tiefe männliche Stimmen in der Küche unten bewusst. Eine Weile schwamm ich auf dem Tonfall dieser tiefen, starken Wellen, fand sie beruhigend, ohne dass ich etwas von dem verstand, was sie sagten. Ich döste, noch groggy von der Tablette, bis ich plötzlich Chris' Stimme hörte.

»Schau, sie ist jetzt gerade sehr verletzlich. Denkt nicht logisch. Ich will nur, dass sie ausruht, aber das ist schwierig, solange sie diese fixe Idee über Eloise hat.«

»Chris, es tut mir leid, dass mir neulich all das über unsere Ehe rausgeplatzt ist. Ich weiß, dass es Cathy aufgeregt hat.« Ich erstarrte. Ted war unten und redete mit Chris über mich. »Tatsache ist, dass ich jetzt schon so lang unter furchtbarem Druck gestanden habe. Eloise und ich waren sehr unglücklich, aber das wurde alles durch ihren Krebs übertüncht. Natürlich musste ich mein Bestes tun, um ihr zu helfen, aber um ehrlich zu sein, wäre sie nicht krank gewesen, dann wären wir längst geschieden.«

»Könntest du mir sagen, warum?«, fragte Chris behutsam.

Es gab eine lange Pause. »Schau, Chris. Es gibt 'ne Menge, was ich dir gern über Ellie und mich erzählen würde. Aber jetzt ist nicht der richtige Zeitpunkt dafür. Vor allem, da Cathy so eindeutig gegen mich eingenommen ist.«

Chris seufzte.

»Ich denke, sie muss ein oder zwei Tage schlafen. Sie ist immer noch ziemlich zerbrechlich, und sie lässt sich weiter von allen möglichen dummen Ideen beeinflussen.«

»Über mich, meinst du?«

»Nicht mehr als über jeden anderen, Ted. Schau, wir reden später miteinander. Lass uns doch bei Sam's zu Mittag essen. Die Kinder werden ihr eigenes Ding durchziehen.«

»Und Cathy?«

»Mach dir keine Sorgen. Ich werde ihr etwas geben, damit sie schläft.«

Ich konnte kaum glauben, was ich da hörte. Chris fabrizierte da eine Art Plan, um mich außer Gefecht zu setzen, damit er gehen und mit Ted reden konnte. Also dachte er offenbar, ich sei derart instabil, dass ich unwissend gehalten werden musste. Ich hörte ihn die Treppe hochkommen und beschloss, so zu tun, als würde ich noch schlafen. Als er den Raum betrat, machte er eine Pause und setzte sich dann behutsam aufs Bett. Er berührte meine Schulter. »Cathy?«, fragte er leise. »Bist du wach, Liebling?«

Ich stöhnte, mich ins Kopfkissen drehend. Chris' Stimme war versöhnlich. Er verhielt sich, als wäre sein wütender Ausbruch gestern nach der Kirche nie passiert. »Schatz, ich muss weg. Tom und Evie geht's gut, sie sind unten am Strand. Ich werde bald zurück sein, aber nimm das eben mal, Liebling, ja? Setz dich auf.« Ich kämpfte mich hoch und tat so, als wäre ich nur halb wach. Chris öffnete meine Hand und legte zwei Tabletten auf meine Handfläche. Er hob ein Glas Wasser an meine Lippen und sagte: »Es ist okay, Süße. Du brauchst nur Schlaf. Du wirst dich viel besser fühlen, wenn du wieder aufwachst.«

Ich brachte meine Hand hoch zum Mund, akzeptierte das Wasser, das er mir gab. Dann nahm ich die Hand runter, ließ die Pillen los und schob sie unter mein Kissen. Chris strahlte. »Gut gemacht, Liebes. Schlaf schön. Ich bin bald zurück, und dann mach ich uns allen Abendessen. Oder wir könnten auch nur Fish and Chips von der Bude an der Wayland Farm holen.«

Er lehnte sich rüber und küsste mich auf die Wange. Ich heuchelte Halbbesinnungslosigkeit und drehte mich um. Er hastete leise im Schlafzimmer herum, sammelte Sachen zusammen, die er meinte zu brauchen, und schloss dann leise die Tür hinter sich. Eine Minute später hörte ich deutlich die Küchentür, als er und Ted rausgingen, und dann, wie zwei Wagen gestartet wurden und unsere Einfahrt verließen.

Ich setzte mich auf, fassungslos. Das war wie die Handlung eines viktorianischen Dramas. Mein Ehemann hatte versucht, mich zu betäuben, damit er vertraulich mit dem Mann reden konnte, der für die Ängste meiner Freundin um ihre Kinder mit verantwortlich war, wie ich zunehmend sicherer wusste. Ich fühlte mich vollkommen verraten. Bis zu diesem Tag hatte ich immer an Chris geglaubt. Wenn es überhaupt jemanden gab, dem ich in meiner umwölkten Sphäre der Depression vertrauen konnte, der mich verteidigte und an mich glaubte, so war das Chris. Jetzt hatte er die Seiten gewechselt. Er führte geheime Gespräche mit Ted. Mit dem Mann, dem ich nicht ein Wort glauben sollte, wie Eloise mir gesagt hatte.

Ich zog mich an, linkisch mit den Sachen herumfummelnd. Ich fühlte mich krank vor Schock und Traurigkeit. Ich konnte mich nicht mehr auf Chris als meinen Verbündeten verlassen. Wer war mir geblieben? Meine Kinder natürlich, aber die konnte ich unmöglich mit meinen Problemen belasten – die ja sogar mir seltsam vorkamen. Und wirklich, wenn sie zu wählen hätten zwischen den bizarren Vorstellungen ihrer Mutter und dem gesunden Menschenverstand ihres Vaters, wem von uns würden sie glauben? Sie hatten mich nahezu katatonisch vor Depressionen gesehen, tagelang schlafend, unfähig, an ihrem Leben Anteil zu haben. Ihr Dad war immer da, auf ihn war immer Verlass. Er war ihr Fels, wenn ihre Mum weggeschlossen war, eingesperrt in einem

Zimmer, so uneinnehmbar wie ein Kerker, verflucht von einer bösen Hexe in einem Märchen.

Also nein, ich konnte mich nicht an sie wenden. Oder an Chris.

Wer blieb dann übrig? Nur eine Person.

Wenig später saß ich in meinem kleinen Auto, meinem cremefarbenen Käfer, den Schlüssel im Zündschloss, das Herz in der Hose. Ich fuhr los, die Einfahrt runter, bog rechts ab die Straße hoch. Ich fuhr Richtung Roseland, zu Juliana, hoffte, dass ihre Wärme, ihre mütterlichen Arme, mich halten und vor dem unkontrollierten Abrutschen in einen dunklen, einsamen Abgrund behüten würden.

Ich kann mich kaum an die Fahrt erinnern. Es war wie einer dieser schrecklichen Träume, wenn man feststellt, dass man sich am Steuer eines Wagens befindet, aber nicht in der Lage ist, die Bremse oder die Kupplung ganz zu erreichen. Irgendwie fuhr ich über Landstraßen und Angst einflößende doppelspurige Schnellstraßen. Ich war kaum bei Bewusstsein und habe keine Ahnung, wie ich es geschafft habe, den Weg zu Julianas Farmhaus zu finden. Ich kann mich noch nicht einmal daran erinnern, auf der Bodinnick-Fähre nach Fowey übergesetzt zu haben.

Aber wunderbarerweise kam ich dort an und brachte den Wagen schlingernd vor der Eingangstür des Farmhauses zum Halt. Die offen stand – nicht ungewöhnlich in diesem seligen, ruhigen Teil Englands. Keine Bedrohung, wissen Sie. Alles ist perfekt, sicher, man fühlt sich rundum wohl. Ich gab einen Seufzer der Erleichterung von mir, stieg aus dem Käfer und eilte durch die einladend offene Tür.

Zwei Menschen standen in der mit Schiefer gefliesten Eingangshalle, wo trotz des warmen Tages der Kamin an war. Einer von ihnen war der Junge. Der strahlend schöne Teenager, den ich auf meinem Weg zurück vom Strand gesehen hatte, und dann wieder auf dem Friedhof.

Die andere Person war Juliana. Sie trat vor, überrascht, aber offensichtlich erfreut über mein Kommen. Sie umarmte und küsste mich und deutete dann auf den Jungen.

»Cathy, ich möchte dir Arthur vorstellen. Meinen Urenkel.«

13

Chris kam mit dem Taxi. Er hatte angerufen und mir gesagt, ich solle an der Tür warten. Er begegnete Juliana oder Arthur nicht, *wollte* ihnen nicht begegnen. Er packte mich in den Käfer, übernahm den Fahrersitz, sagte, er wolle kein Wort hören bis später, und fuhr uns rechtzeitig nach Hause, um mit Eve und Tom Fish and Chips zu essen. Wir waren alle still, Chris und ich mit mehr Wissen belastet, als uns lieb war. Auch die Kinder waren verstummt; offensichtlich spürten sie, dass es da etwas gab, an dem sie nicht beteiligt waren. Nach dem Abendessen gingen sie nach nebenan, um Poolbillard mit den Nachbarskindern zu spielen.

Chris und ich saßen uns am Küchentisch gegenüber.

»Willst du zuerst reden, oder soll ich?«

Das war Chris, rational wie immer. Ich schaute ihn an. Ich war so sprachlos über das, was ich in Roseland Farm erfahren hatte, dass ich nicht wusste, wie ich beginnen sollte. Ich schüttelte den Kopf.

»Fang du an«, sagte ich. »Und übrigens, ich weiß, dass du versucht hast, mich zu betäuben, damit ich aus dem Weg bin, als du weggegangen bist, um dein Gespräch mit Ted zu führen.«

Chris wurde rot und hatte den Anstand, beschämt auszusehen.

»Es tut mir leid, Cath. Ich wusste nur, dass ich Klartext mit ihm reden musste, von Mann zu Mann. Und das wäre nicht gegangen, wenn du dabei gewesen wärst. Und nebenbei, du musstest ausruhen.«

»Nein, musste ich nicht. Tu nicht so, als ob du mir die Schlaftabletten zu meinem eigenen Wohl gegeben hättest. Wenn du mit

Ted alleine sprechen wolltest, warum um alles in der Welt hast du mir das nicht einfach gesagt?«

Er senkte den Blick und murmelte: »Ich dachte, du würdest mich nicht lassen. Du bist so besessen von Eloise, ich dachte, du bestehst darauf, mit dabei zu sein.«

»Herrgott, Chris, das ist eine jämmerliche Entschuldigung. Du hast mich betäubt, weil ich ein unbequemes Hindernis für etwas war, was du Ted sagen musstest. Das ist unverzeihlich. Wenn du so etwas jemals wieder versuchen solltest, lasse ich mich scheiden. Das tu ich wirklich. Ich kann nicht glauben, dass du, ausgerechnet du, mein Ehemann um Himmels willen, dein medizinisches Wissen dazu missbrauchen würdest, um deine Frau mundtot zu machen, damit sie ein verdammtes Gespräch mit einem gemeinsamen Freund nicht stört.«

Chris war offensichtlich beschämt, aber trotzig. »Schau, Cathy, das Gespräch mit Ted heute war wichtig. Und ich hätte es nicht führen können, wenn du da gewesen wärst.«

»Ah, richtig. Fein. Dann lass mich doch das nächste Mal gleich einweisen, wenn ich dein kostbares Leben beeinträchtige. Oder vielleicht kannst du mich endgültig mundtot machen. Schließlich hast du ja Zugang zu den richtigen Medikamenten. Du könntest mir eine Überdosis unterschieben, und niemand würde jemals etwas merken. ›Nur die Frau von Chris, wieder auf Pillen, hat zu viel geschluckt. War ja schon lange fällig, seit ihrem Zusammenbruch.‹«

Wieder einmal wurde Chris fuchsteufelswild meinetwegen. »Werd erwachsen, ja? Es geht dir nicht gut. Du *brauchst* Medikamente, und du bist viel anfälliger, als du glauben möchtest. Ich kümmere mich um dich, um Gottes willen. Du bist meine Frau und meine wichtigste Verantwortung. Du musstest diesen Nachmittag ausruhen, und es tut mir leid, dass ich die Gelegenheit genutzt habe, mit Ted zu reden, als ich dachte, du würdest schlafen. Es schien eine gute Idee zu sein. Er hat Sachen gesagt … nun, er hat Sachen über sich und Eloise gesagt, über die er nie geredet hätte, wenn du dabei gewesen wärst. Weil du und Ellie euch so nahegestanden habt.«

»Was hat er gesagt?« Meine Neugier siegte über meinen Zorn.

Chris lehnte sich zurück in seinen Stuhl, trank einen Schluck Wein aus seinem Glas und sagte: »Cathy, er ist kein netter Mann. Nicht der Mann, der ich dachte. Ganz und gar nicht.«

Ich schaute ihn an. Das weiß ich, dachte ich. Darum dreht sich alles; deshalb ist Eloise so verzweifelt bemüht, mich zu erreichen.

Glaub kein Wort von dem, was er sagt. Ihre Worte hallten in meinem Kopf.

Sicher meinte sie Ted.

Aber Chris hatte mich betäubt. Wer von den beiden war also ein Verräter?

Chris schaute auf den Tisch. »Erst einmal, Cath, ich glaube, er hat Eloise nur wegen ihres Geldes geheiratet.«

»Was? Das ist lächerlich«, sagte ich, trotz des Wissens, dass auch Juliana so etwas vermutet hatte, als er und Eloise sich anfangs trafen. »Ausgeschlossen.«

»Warum ist das so schwer für dich zu glauben?«, fragte Chris. »Denk mal drüber nach, Cath. Ein bettelarmer Künstler heiratet eine kornische Erbin, und wir alle denken, es ist eine Liebesheirat?«

»Aber wir haben alle geglaubt, es wäre eine Liebesheirat, oder nicht? Erinnerst du dich noch, wie er sie angeschaut hat? Und sie war sehr schön. Warum sollte er sie nicht lieben?«

»Er hat gesagt, ihre Ehe sei entsetzlich gewesen. Er ließ durchblicken, dass sie fremdgegangen ist.«

»Eloise? Nein! So war sie nicht, und überhaupt, das hätte ich gewusst.«

»Hättest du, Cathy? Ich denke nicht, dass sie dir alles erzählt hat.«

Das war sicher richtig. Ich stand auf. »Lass uns einen Spaziergang machen. Nur runter zum Strand. Ich muss meinen Kopf klar kriegen.«

Wir gingen langsam zwischen den kleinen weiß getünchten Cottages und den historischen Steinmauern mit ihren Wildblumen, die aus jeder Ritze und jeder Spalte wucherten, die Straße runter. Wir hatten hier einmal eine Haselmaus gesehen, winzig und frech, wie sie sich da auf einem Felsbrocken niedergelassen hatte, der süßeste Anblick meines Lebens. Und nachts gab es hier Dachse und Füchse, sie wuselten verstohlen um die Hecken, wühlten herum und suchten nach Nahrung. Tagsüber jedoch war das Meer allgegenwärtig, blau und golden über jedem Tor, jedem Zaunübertritt flüchtig zu sehen, die Wellen murmelten sanft und lockten dich hinunter zur Bucht.

»Hat Ted dir irgendwas über Arthur erzählt?«, fragte ich.

Chris schüttelte seinen Kopf.

»Nein. Wer ist Arthur?«

»Eloise' Enkel«, erwiderte ich.

Chris hielt an. Er drehte sich, um mich anzusehen, sein Gesicht leicht amüsiert, voller Unglauben. »Jetzt bist du kindisch. Ihr Enkel? Um Himmels willen, Sie war erst in den Vierzigern, als sie starb. Wovon um alles in der Welt redest du?«

Wir setzten uns auf eine der Picknickbänke am Strandcafé. Das Café war geschlossen, der Strand verlassen. Ich langte nach vorn und nahm Chris' Hand über den Tisch. »Hör mir zu, Chris. Dies ist wichtig, wirklich wichtig. Eloise hat so lange versucht, mir diese Geschichte zu erzählen, aber es war Juliana, die mich heute in die Details eingeweiht hat. Es ist eine lange Geschichte, aber was sie mir erzählt hat, ist, dass Eloise ein Baby auf die Welt gebracht hat, als sie erst dreizehn war.«

»Was?«, unterbrach Chris. »Das ist absurd. Sicher hätten wir etwas gewusst über etwas … etwas derart Gravierendes.«

»Bitte sei still, Chris, und hör mich fertig an. Kaum jemand wusste davon. Es wurde alles streng geheim gehalten, aus offensichtlichen Gründen. Lass mich erzählen …«

Von der Zeit an, als Eloise klein war, ein einsames Einzelkind, wurde sie in einer Privatschule in Truro unterrichtet, ein ganzes Stück westlich von ihrem Zuhause. Sie war Internatsschülerin und kam jeden Freitagnachmittag zurück nach Roseland Hall. Zu diesem Zeitpunkt lebten ihre Eltern noch in dem riesigen Herrenhaus der Familie; aber sie hatten keinen männlichen Erben. Geld war da, aber nicht genug, um das mustergültige Haus und den Park unbefristet unterhalten zu können, und Charles weigerte sich, die Öffnung des Besitzes für die Öffentlichkeit zu erlauben.

»Lächerliche Idee«, schnaubte er, wann immer Juliana auch nur die Möglichkeit andeutete. »Wir sind keine Ausstellungsstücke in einem Zoo. Ich will keinen Plebs, der mit seinem verdreckten Schuhwerk überall in der Langen Galerie oder durch meine Gebüsche trampelt. Mein Vater hätte einen Anfall gekriegt.«

Charles war so sehr Snob wie Juliana pragmatisch. Sie wusste, dass er nie einwilligen würde, aber sie erklärte ihm, dass die praktischste Alternative die Übergabe des großen Hauses und des Anwesens an den National Trust sei. Sie würden immer noch ein ansehnliches Vermögen besitzen, genug, um sicherzustellen, dass sie, Eloise und eventuelle Kinder, die sie haben würde, sich niemals Sorgen um Geld machen müssten. Sie könnten in dem hübschen alten Farmhaus auf dem Grundstück leben, das mehr als ausreichend war, um ihre kleine Familie standesgemäß unterzubringen, und sie würden nicht länger die erstickende Verantwortung ertragen müssen, einen riesigen Herrensitz unterhalten zu müssen, der Geld fraß.

Aber Charles hasste die Idee, das Haus aufzugeben, das sein Erbe war. Er hätte an Roseland auf unbestimmte Zeit festgehalten, ganz egal, wie viel Geld es auffraß. Er meinte, dass es das Symbol seiner Würde war, seinen Wert als Mann definierte. Tatsächlich war er weniger wegen des Geldes beunruhigt, als über die Tatsache, dass er keinen Sohn hatte, dem er das Anwesen hinterlassen konnte. Er schämte sich deswegen, war wie besessen von der Angst, dass seine kornischen Brüder im Geiste ihn als unzulänglich und saft- und kraftlos ansahen.

Während Juliana versuchte, mit der emotionalen Krise ihres Ehemanns fertig zu werden, wurde ihr liebender mütterlicher Blick von ihrem einzigen Kind abgelenkt. Aber Eloise, von ihrer Mutter angespornt, ein Tagebuch zu führen, seit sie sehr jung war, zeichnete die Ereignisse des traumatischen Sommers auf, in dem sie dreizehn wurde. Und dann, Jahre nachdem ihr Vater gestorben war, erlaubte sie ihrer Mutter, es zu lesen. Und als sie Ted heiratete, ließ sie das Tagebuch bei ihrer Mutter und nahm Juliana das Versprechen ab, es geheim zu halten und vor allem sicherzustellen, dass ihr frischgebackener Ehemann es nie finden würde.

Jetzt jedoch, nach Arthurs wunderbarem Erscheinen in ihrem Leben, hatte Juliana schließlich entschieden, mir die Aufzeichnungen dieses folgenschweren Sommers zu zeigen. Und weil sie so viel von dem wusste, was ihre Tochter in diesem verletzlichen Alter durchgemacht hatte, katapultierte mich ihr Wissen in Kombination mit Eloise' herrenlosen, liebeskranken, weitschweifigen Notizen in eine Welt, in der ich meine Freundin nie vermutet hatte. Mein liebes, goldiges Mädchen, dessen Leben mir jetzt so düster, so verloren vorkam.

Eloise hatte in ihrer ordentlichen, kindlichen Handschrift niedergeschrieben, wie einsam sie sich fühlte. Sie war schüchtern in ihrem Internat und fand es schwierig, sich in die Gruppe der anderen Mädchen einzufügen. Sie vergrub sich in den Rollen, die sie so mühelos in der Schultheatergruppe ergatterte. An den Wochenenden zu Hause war sie meist auf sich gestellt. Isoliert, die Schritte in den riesigen, leeren Räumen widerhallend, die einst so von Leben erfüllt gewesen waren, von glamourösen gesellschaftlichen Treffen, Tanzveranstaltungen, Musikabenden, Dinner-Partys glänzend vom feinsten Silber und wertvollsten Porzellan, zog sie sich zurück. Sie verbrachte ihre Wochenenden in ihrem Schlafzimmer, schloss sich nur widerwillig ihren Eltern zu den Mahlzeiten an, während denen ihr Vater schweigsam blieb, seine Augen trüb, wenig essend, aber ein Glas Wein nach dem anderen trinkend. Und nach dem Essen, wenn er allein in sein Arbeitszimmer ging, beobachtete Eloise von der Treppe aus, wie der Butler Eric ihm eine Karaffe mit Whisky brachte. Charles kam nicht aus seinem Schlupfwinkel hervor, egal wie lange sie aufblieb. Zweimal stand sie aus ihrem Bett auf, als sie nicht schlafen konnte, und ging hinunter zum Arbeitszimmer, stand lange Minuten nervös davor, bis sie zögernd die Tür öffnete. Beide Male sah sie ihren Vater auf dem Sofa neben dem Kamin ausgestreckt, ohne Bewusstsein. Er schnarchte, und die Whiskykaraffe stand leer auf dem Nussbaumtisch an seiner Seite.

Die langen Sommerferien begannen am Vorabend ihres dreizehnten Geburtstags. Ihre Eltern waren beide viel zu beansprucht von ihren Eheproblemen, als dass sie ihrer einsamen kleinen Tochter viel Aufmerksamkeit geschenkt hätten. Und so verbrachte sie, wie sie wehmütig in ihrem Tagebuch schrieb, ihre Zeit damit, in der herrlichen Parklandschaft herumzuwandern, zu träumen und manchmal in dem kleinen Pavillon zu sitzen, um ihre Lieblingsbücher zu lesen, *Jane Eyre* und *Sturmhöhe.*

Und sie verbrachte immer mehr Zeit mit dem Sohn des Verwalters, Jack.

Wie Eloise war Jack ein Einzelkind, nur ein paar Jahre älter als sie. Obwohl er in die Dorfschule ging und oft Freunde zu Besuch hatte, um im großen Garten seiner Eltern Fußball zu spielen, war er ein schwermütiger Junge, verträumt, mit großen blauen Augen und einer blonden Mähne. Ein kornisches Kind, am Strand aufgewachsen, das wellenreiten konnte und schwamm wie ein Fisch. Eloise hatte Jack immer bewundert. Er konnte alles; er machte

Lagerfeuer mit Kleinholz und briet in der Abenddämmerung Würstchen für seine Freunde. Er kannte sich an den seltsamen und geheimnisvollen Plätzen im Bodmin Moor aus und erzählte seinen Freunden haarsträubende Geschichten über die Geister und Kobolde, die die nebligen, wilden Gebiete um das Jamaica Inn herum heimsuchten. Er behauptete, er habe Erscheinungen gesehen, grau und Furcht erregend, die in schrecklichen Qualen zwischen den uralten Steinkreisen heulten, die verstreut im Moor lagen – Seelen, die von ungeklärten Leidenschaften gepeinigt wurden, von erbitterten Ungerechtigkeiten, die sie nicht in Ordnung bringen konnten.

Kein Wunder, dass Eloise sich in ihn verliebte, diesen wunderschönen kornischen Jungen, blond wie Heu und braun wie eine Nuss, mit seinen furchtlosen Geschichten über die gemeuchelten Unschuldigen, die dazu verurteilt waren, in der verfluchten Heidelandschaft von Bodmin herumzuziehen, bis sie Erlösung fanden.

Den ganzen Sommer, schrieb sie, konnte sie ihre Augen nicht von ihm lassen. Scheu und sprachlos, wenn sie unter Freunden war, sehnte sie sich danach, mit ihm allein zu sein. Wenn sie es war, erzählte sie ihm von ihren Lieblingsbüchern. Er hatte sie nicht gelesen, aber er beobachtete sie aufmerksam, wenn sie von Jane Eyre und ihren rätselhaften Andeutungen über die Verrückte auf dem Dachboden sprach, von der Flucht vor ihrem geliebten Mr Rochester und der übernatürlichen Stimme, die sie durch die Wildnis des Yorkshire Moors hindurch hörte und die sie an die Seite ihres erblindeten Liebsten zurückrief.

Sie erzählte ihm von Cathy und Heathcliff, ihrer dunklen, dem Untergang geweihten Liebesaffäre in Wuthering Heights, und wie die Leidenschaft Cathys Tod überlebte.

Und er beobachtete sie, neben ihr im duftenden Gras liegend, den Kopf auf seine Hände gestützt.

Eloise' dreizehnter Geburtstag fiel auf den dreizehnten Juli. Ihre Mutter, wie immer durch die Launen ihres Ehemanns abgelenkt, fragte Ellie, wie sie feiern wollte. »Willst du eine Party, Liebes? Wir könnten ein paar deiner Freunde in der Schule fragen. Und ein paar schöne Partyspiele machen, vielleicht mit einem Zauberer oder so was?«

Eloise schauderte. Sie hatte kaum Freunde, wollte sie sicher nicht bei sich zu Hause haben und sie sehen lassen, wie ihr Vater sich betrank. Und Partyspiele? Geht's noch schrecklicher? Das schien alles zutiefst reizlos zu sein. Also zögerte sie. Sagte, dass sie wirklich kein Theater wolle. Dass sie glücklich wäre, zu Hause mit ihren Eltern zu feiern, mit einer Geburtstagstorte und vielleicht einem Ritt auf ihrem Pony Daisy.

Juliana war erleichtert. Charles war in letzter Zeit besonders schwierig gewesen. Er war jeden Abend betrunken, und wenn er wieder nüchtern war, weigerte er sich, darüber zu reden, was mit Roseland passieren sollte. Die Dienerschaft spürte, dass eine Krise da war. So war die Atmosphäre auf Roseland fiebrig und unangenehm, und wenn Juliana die Wogen glätten wollte, konnte sie nur damit fortfahren, sich wie die liebenswürdige Herrin des Landsitzes zu benehmen, auch wenn ihr jeden Morgen das Herz bis zum Halse schlug und sie Magenkrämpfe vor Angst hatte.

An Ellies Geburtstag wurde eine feierliche Teestunde zelebriert. Sandwiches, Scones und eine wunderschöne Torte, von Annie gemacht und mit großem Aufwand glasiert. Die gesamte Dienerschaft war anwesend, plus der Gärtner, der Jagdaufseher und der Verwalter mit seiner Frau, John und Angela Merchant. Auch ihr Sohn Jack war da, die einzige andere Person im gleichen Alter wie das Geburtstagskind.

Alle sangen voller Begeisterung »Happy Birthday To You«, und danach, als die Erwachsenen zum Wein übergingen, winkte Jack Eloise auf die Palladian-Terrasse und dann, seinen Finger vor dem

Mund, über die Rasenflächen und um die Seite des Hauses zum Stallhof.

Juliana hatte mir Eloise' Aufzeichnungen darüber gezeigt, was als Nächstes passierte.

»Ellie, möchtest du auf einen Geburtstagsausritt mit mir mitkommen?«

»Wohin?«, quietschte sie vor Aufregung.

»Hoch nach Bodmin. Ich muss dir so viele Plätze zeigen. Orte, die so gruselig sind, dass du es nicht glauben würdest. Ehrlich, Ellie, es ist wirklich *voll* mit Geistern. Aber mach dir keine Sorgen. Ich weiß, wie man mit ihnen umgehen muss. Ich pass auf dich auf.«

Ellie und Jack ritten auf ihren Ponys aus; Jack auf einer widerspenstigen Kreatur genannt Red, Eloise auf ihrem eigenen gefügigem Haustier, Daisy.

Das Bodmin Moor ist an einem nasskalten und nebligen Tag nicht nur abweisend und karg. Manchmal, wenn der Nebel sich um den Ginster windet und man nur wenige Meter weit sehen kann, überkommt dich ein Zittern vor Angst, wenn du begreifst, dass du nicht weißt, wo du bist, dass es so schrecklich einfach wäre, von der Straße abzukommen und sich auf einem Pfad wiederzufinden, der nirgendwohin führt. Und um dich herum die gespenstischen Atemzüge der uralten Steingötter dieses unwirtlichen Landes.

Jack saß stark und selbstsicher auf seinem Pony. Obwohl Eloise ihm etwas beklommen im Nebel folgte, vertraute sie ihm vollkommen. Sie fühlte sich mit ihm verbunden, wusste, er würde ihre Sicherheit garantieren, sie vor jedem Unheil beschützen.

Sie erreichten das Jamaica Inn, das mehr als zwei Jahrhunderte in einsamer Isolation im Moor gestanden hatte.

»Also, dies«, erzählte Jack ihr leise, als sie ihre Ponys an der Pferdestange vor dem Gasthaus anbanden, »dies ist ein wahrlich heimgesuchter Ort. Und das nicht nur nachts.« Er zeigte auf eine kleine Wiese hinter dem Gebäude, sichtbar in einer plötzlich auftauchenden Lücke im Nebel. »Siehst du diese Wiese?«

Eloise nickte, zu aufgeregt zum Sprechen.

»Irgendetwas ist nicht in Ordnung damit«, sagte Jack. »Die Leute mögen es nicht, über sie drüberzulaufen. Ich kenne eine Frau, die hier Putzfrau war und auf ihrem Weg zur Arbeit über die Wiese ging, aber sie hörte bald damit auf, das sage ich dir.«

Eloise wandte sich ihm zu. »Wa-warum?«, fragte sie atemlos. »Was ist passiert?«

Jack schüttelte leicht den Kopf. »Tatsächlich ist niemals etwas passiert – niemandem. Es ist das Gefühl, das sie überkommt, wenn sie sie überqueren, egal in welche Richtung. Eine wirklich starke Empfindung, dass sie verfolgt werden, und nicht von etwas, das ihnen etwas Gutes wollte. Ich erinnere mich, dass ich an einem Tag im letzten Sommer hier war, und ich sah ein paar Radfahrer, die auf ihrem Weg zurück vom Roughtor durchkamen. Sobald sie über diesen Zaunübertritt geklettert waren, den du auf der anderen Seite sehen kannst, und anfingen, zu der Stelle zu gehen, wo wir gerade stehen, fingen sie an, sich über die Schulter zu sehen – jeder von ihnen. Sie begannen sich zu beeilen, und als sie nah genug waren, dass ich ihre Gesichter erkennen konnte, sahen sie reichlich verängstigt aus. Sie konnten nicht schnell genug wieder von der Wiese runterkommen.«

Eloise starrte auf die unschuldige Wiese. »Was glaubst du, was es ist, Jack? Was ist da drin?«

Er zuckte mit den Schultern. »Was weiß ich! Ich habe keinen Schimmer. Möchtest du jetzt versuchen, sie mit mir zu überqueren?«

Eloise schüttelte heftig ihren Kopf. »Nein! Wirklich nicht!« Sie erschauerte und drehte sich, um zum Gasthaus zu schauen. »Was ist damit – spukt's da auch?«

Jack lachte. »O ja, Ellie. Das ist soooooo gruselig … der älteste

Teil des Jamaica Inn ist die Ostseite.« Er deutete mit der rechten Hand auf das Gebäude. »Der ganze unheimliche Kram passiert da drin.«

Eloise gaffte den Ostflügel an. »Was für ein unheimlicher Kram?«

»Zu viel, um dir alles auf einmal zu erzählen. Man sagt, das Restaurant werde von einem Mann mit einem grünen Cape heimgesucht. Ich kenne jemand, der gesehen hat, wie er das Restaurant verlassen hat und ganz, ganz schnell zur Rezeption gelaufen ist. Als er die Angestellten fragte, wer das war, wurden sie bleich und sagten, er habe niemanden aus dem Restaurant kommen sehen können, weil die Tür abgeschlossen war. Er probierte es aus, und sie war es!«

»Mehr! Ich will alles wissen.«

Jack lachte. »Wir wären den ganzen Tag hier … okay, eine noch. Einer meiner Kumpels, sein Dad ist ein Klempner. Er wurde gerufen, um einen lecken Wassertank im östlichen Dachboden zu reparieren. Er war ganz allein da oben und fühlte sich plötzlich völlig gelähmt. Er sah nichts, absolut gar nichts, aber er war davon überzeugt, etwas Schreckliches würde sich da oben verstecken, und er war die Leiter wieder runter, ehe man sich's versah. Kam nie zurück. Soweit er weiß, leckt der Tank noch immer.«

Eloise erschauerte. »Ich will hier nicht bleiben. Können wir bitte gehen, Jack?«

Er grinste. »Hab ich dir Angst gemacht, Ellie? Tut mir leid, Geburtstagskind. Okay, lass uns rüber zum Fuß des Roughtor reiten. Das ist der Teil dieses verdammten Moors, wo es am meisten spukt.«

Als sie Richtung Roughtor ritten, einem der höchsten Punkte Cornwalls, erzählte Jack Eloise die schreckliche Geschichte von Charlotte Dymond. Charlotte war ein kokettes Dienstmädchen, das auf einer hiesigen Farm arbeitete. Am Ostersonntag des Jahres 1844 wurde sie am Fuß des Roughtor ermordet. Ihre Kehle war durchgeschnitten, nicht einmal, sondern zweimal.

»Dad hat ein Buch darüber«, erklärte Jack. »Es war ein gewaltiges Drama zu jener Zeit. In allen Londoner Zeitungen und so.«

Er berichtete Eloise, dass Charlottes Körper ganze neun Tage unentdeckt gelegen habe, bevor jemand darüber stolperte. »Du kannst dir vorstellen, in welchem Zustand der Körper war nach dieser Zeit – Fliegen und Maden und alles.«

Eloise würgte.

»Willst du, dass ich weitererzähle?«

Sie nickte. »Ja. Ich bin in Ordnung, ehrlich.«

Sofort war der Verdacht auf Charlottes Verehrer gefallen, einen ungebildeten Farmarbeiter, auf einem Bein lahm und um die Zwanzig. Charlotte habe ihn abgewiesen, sagte man.

Das Ende vom Lied war, dass der Mann vors Schwurgericht von Bodmin gestellt, abgeurteilt und vier Monate nach dem Mord gehängt wurde – öffentlich. Die Menge, sagte Jack, war von beträchtlicher Größe.

»Aber jetzt kommt der Clou, Ellie – es stellt sich heraus, dass der arme Kerl die ganze Zeit unschuldig war. Ich kann mich nicht mehr an die Einzelheiten erinnern, aber bald nachdem sie ihn aufgeknüpft hatten, begann die Anklage gegen ihn zusammenzufallen. Zu spät für den armen Kerl, natürlich. Er lag unter der Erde im Gefängnishof. Er hätte nie hingerichtet werden dürfen.

Nun, Charlotte Dymond soll angeblich in den Mooren rund um den Roughtor spuken. Man sagt, ihr Geist könne niemals Ruhe finden, weil ihr Mörder nie zur Rechenschaft gezogen wurde, und ein unschuldiger Mann starb, ihretwegen …«

»Das überrascht mich kein bisschen«, sagte Eloise entrüstet. »Es war nicht ihre Schuld, aber ich denke, wenn ich sie wäre, ihr Geist, würde ich auch so empfinden! Ich ertrage keine Ungerechtigkeit. Wer hat sie gesehen?«

Jack sagte, die vertrauenswürdigste Sichtung sei von The Cornwall Rifle Volunteers gewesen, die in den frühen 1900ern auf Nachtübung beim Roughtor gewesen waren und Charlotte gesehen hätten, wie sie genau an der Stelle herumlief, wo ihre Leiche gefunden worden war und wo nun ein Gedenkstein stehe. Sie wären so entsetzt gewesen, dass sie die Patrouille im Stich ließen und nach Hause flohen. Ein paar Jahre früher hatten Männer aus dem nahe gelegenen Stannon-Lehmwerk mehrfach Sichtungen gemeldet.

Interessanterweise sahen nie Frauen Charlotte Dymonds Geist. Nur Männer.

Natürlich gab es nichts zu sehen, als die beiden den Roughtor erreichten, nur herumwirbelnder Nebel und der Gedenkstein für die arme Charlotte, der ein Jahr, nachdem sie an dem einsamen Ort dahingeschlachtet wurde, durch Spenden finanziert und errichtet worden war.

Eloise versuchte, ihre Enttäuschung zu verbergen. Sie hatte wirklich halb erwartet, eine weinende Erscheinung des ermordeten Mädchens zu treffen.

»Na los«, sagte Jack. »Ich kenne einen Platz, der dich garantiert ernsthaft erschrecken wird. Er ist viel, viel älter als alles, was ich dir bisher gezeigt habe. Und es ist so gespenstisch dort, Eloise. Ich werde dir den Stone Quoit von Trevetheyan zeigen.«

Schließlich erreichten sie Jacks angestrebtes Ziel. Die Steinkammer türmte sich über ihnen auf. Nach Jacks Beschreibung hatte sie sich vorgestellt, sie würde wie ein Hexenhaus aus einem alten Märchen aussehen, aber die Realität war gewaltiger, Furcht einflößend. Dieses erstaunliche Monument, so groß und kompromisslos, so elementar in seiner alterslosen Missachtung der Zeit, löste Schrecken in Eloise' Seele aus.

»Wofür ist das, Jack?«, wisperte sie.

Er sah aus, als wäre er stolz, es zu wissen. »Es ist eine Grabkammer. Hier legten sie die Gebeine von Königen und Prinzen nieder. Weißt du, wie alt es ist, Ellie?«

Sie schüttelte den Kopf.

»Fünfeinhalbtausend Jahre. Es waren Menschen hier, Menschen wie wir, vor so langer Zeit. Und sie haben das gebaut. Komm rein.«

Sie wollte nicht. All diese toten Gebeine, all diese Jahrhunderte voll ruheloser Erinnerungen. Sie schüttelte den Kopf.

Er lachte, nahm ihre Hand. »Hast du Angst?«

Sie nickte, schaute ihn an und sagte, sie wolle nach Hause.

Jack sah ernst aus. »Ellie, ich verspreche dir, da gibt es nichts zu fürchten. Ich bin schon so oft hier oben gewesen, sogar nachts, und ich habe nie einen Geist gesehen. Obwohl«, er pausierte, er war nicht im Stande, seinen übernatürlichen Bann über sie aufzugeben, »ich habe Lichter gesehen. Matt, lila und grün. Und ich habe Dinge gehört.«

»Was für Dinge?«, fragte Eloise zittrig.

»Ach, nur Töne. Wie Stimmen, aber sehr weit entfernt. Ich konnte nicht hören, was sie gesagt haben.«

Eloise erschauderte. »Nein, Jack. Ich will nach Hause, jetzt sofort.«

Und Jack lachte weich, berührte ihre Wange und ging voraus, zurück zu ihren Ponys.

Später in dieser Nacht, als sie im Bett in ihrem Tagebuch schrieb, konnte Eloise an nichts anderes als Jack denken, seinen Charme, sein Wissen, seine Selbstsicherheit. Sie erinnerte sich an seine Geistergeschichten, umarmte sich und genoss den Angst einjagenden Nervenkitzel, den sie ihr bescherten. Und dann erkannte sie, dass der Kitzel, den sie empfand, nicht nur mit seinem Geflüster über absonderliche Geschehnisse im Moor zu tun hatte. Sie wusste, da war auch was mit seiner Berührung ihrer Wange, seiner lässigen Unterstellung, er hätte das Sagen, dass er sie hinbringen würde, wohin er wünschte, aber wohin auch sie gehen wollte.

Sie schlief diese Nacht und träumte, er wäre neben ihr; hätte seine Arme um sie gelegt, sein Atem heiß an ihrem Nacken. Sie träumte, sein Körper stieß gegen ihren. Und etwas passierte; etwas so Exquisites, sie konnte nicht verstehen, was es war. Nur, dass der Aufruhr, den sie in sich fühlte, sie atemlos zurückließ. Und dass sie auf ewig Jack gehörte.

Er war ein Junge.

Ihr Junge.

Am nächsten Morgen war Juliana neugierig wegen ihres Ritts mit Jack.

»Wo seid ihr hin, Liebes? Es war fast dunkel, als ihr nach Hause gekommen seid.«

»Ach, wir sind hoch zum Jamaica Inn geritten. Eigentlich ein bisschen langweilig, aber Jack kennt jede Menge Geistergeschichten vom Moor, sodass es ganz interessant war.«

»Ja, er ist ein netter Junge. Sehr schlau, denke ich. Es ist ein Jammer, dass er in die Dorfschule geht.«

»Warum? Ich würde gerne in die Dorfschule gehen.«

Juliana seufzte. »Schau, Liebling. Wir hatten das schon mal. Truro wird dir eine hervorragende akademische Ausbildung vermitteln. Du bist sehr intelligent, und du machst dich so gut. Daddy und ich möchten, dass du auf die Universität gehst.«

»Warum? Bist du auch nicht.«

»Ja, aber die Dinge verändern sich. Es kann einmal wichtig für dich sein, dein eigenes Geld zu verdienen, einen Beruf zu haben.«

»Ist es das, worum ihr die ganze Zeit streitet, Mummy? Ist es das, warum Dad sich jeden Abend betrinkt? Geht uns das Geld aus? Werden wir Roseland verlassen müssen?«

»Pst, Liebling! Wir werden hier nie weggehen. Alles was ich sage, ist, dass in einer modernen Welt Mädchen unabhängig werden müssen. Und du hast den Kopf dafür, deine Sache gut zu machen.«

Eloise konnte sich nicht vorstellen, Roseland zu verlassen. Es hatte einen magischen Kreis um sie gezeichnet, und innerhalb seiner Grenzen fühlte sie sich beschützt. Aber vielleicht erzählte ihre Mutter die Wahrheit. Vielleicht würden sie gehen müssen. Würde sie diesen warmen und glücklichen Ort verlassen müssen, diese wunderschönen Gärten, ihren Lieblingspavillon, wo sie von Jane Eyre und Catherine Earnshaw las und träumte?

Und würde sie Jack verlassen müssen? Ihn nie wieder sehen? Ihr jugendliches Herz hörte fast auf zu schlagen.

»Nein«, dachte sie. »Niemals. Ich werde Jack *niemals* verlassen. Ich werde immer ihm gehören, und er auf immer mir.«

Drei Tage nach ihrem Geburtstag hatte Eloise Jack noch nicht wieder gesehen. Sie wunderte sich, warum er nicht nach ihr gefragt hatte. Sie sehnte sich danach, wenigstens einen kurzen Blick auf seinen geschmeidigen braunen Körper zu erhaschen, seine hellblauen Augen zu sehen, seinen Geschichten über die Geister des Bodmin Moors zu lauschen. Aber mehr als alles wusste sie: Was sie wollte, war seine Berührung. Seine Hand auf ihrer Wange, sein Arm um ihre Schulter. Und mehr.

Sie war verwirrt. Sie hätte nicht benennen können, was sie von Jack wollte. Sie war nur sicher, dass sie in ihn verliebt war und dass sie alles tun würde, damit er sie auch liebte.

Es kam der Tag, eine Woche nach Eloise' Geburtstag, dass Jack sie in dem Pavillon fand, wie immer in ein Buch vertieft. Er schlich sich von hinten an und legte einen Arm um ihren Nacken. Sie fuhr zusammen, und er lachte. »Schau, Ellie, ich hab dir ein Geschenk mitgebracht.«

Es war albern, ein Piskie, ein kornischer Elf, auf einem Felsen sitzend, aus dem Touristenladen, aber ihr Herz schmolz dahin und ihr Körper pulsierte. Zu wissen, dass er an sie gedacht hatte, dass sie ihm so viel bedeutete, dass er ihr etwas schenkte, einen kleinen Beweis, der zeigte, dass er sie mochte.

Sie lächelte und bedankte sich. Es gab eine peinliche Pause, und er fragte eilig, ob sie ihn diesen Abend zu einem Picknick begleiten würde, wenn es dunkel sei.

»Im Bodmin Moor?«, fragte Eloise nervös.

»Nein«, antwortete er. Nur irgendwo hier, auf Roseland, auf dem Gelände. Er werde Sandwiches und etwas zu trinken mitbringen. Und er habe jede Menge schaurige Geschichten über das Moor zu erzählen, aber sie seien ziemlich sicher hier unten. Es gebe in Roseland Hall keine Geister, sagte er ernst. All die alten Gespenster hier seien so vornehm, dass sie sich nicht außerhalb ihrer protzigen Gräber sehen ließen.

Er brachte sie zum Lachen. Er brachte sie dauernd zum Lachen.

Sie trafen sich später am Abend, nachdem Eloise das Abendessen mit ihren schweigsamen Eltern überstanden hatte. Ihre Mutter hatte anfangs versucht, Konversation zu machen, aber ihr Vater war tief in seiner gewohnten zornigen Stumpfheit versunken. Er ging in sein Arbeitszimmer, sobald er nur wegkommen konnte. Juliana versuchte, im Salon mit ihrer Tochter zu reden, aber sie war offensichtlich aufgebracht. Nach einer Weile küsste sie Eloise und sagte, sie hoffe, es werde ihr nichts ausmachen, wenn sie ins Bett gehe. Sie fühle sich sehr erschöpft, sagte sie. Vielleicht wolle Ellie im kleinen Fernsehraum fernsehen? Und dann werde Annie ihr ein heißes Getränk vorm Schlafengehen bringen.

Eloise willigte eifrig ein. Als sie erst einmal in dem kleinen, gemütlichen Raum mit dem angeschalteten Fernsehgerät saß, und Annie genug Aufhebens um sie gemacht und ihr hausgemachte Limonade gebracht hatte, wartete sie ungeduldig. Um halb zehn war es still im Haus. Natürlich würde die Dienerschaft noch auf sein, auf einen späten Ruf ihrer Herrschaft wartend, aber Ellie war überzeugt, dass ihre Mutter schlief und ihre Vater sinnlos betrunken war. Sie stand auf und machte sich auf die Suche nach Annie.

Oben auf der Treppe, die hinunter in den Dienstbotenraum führte, rief sie: »Annie, ich gehe jetzt ins Bett. Naaa-acht.«

Sofort war von unten reges Gewusel zu hören.

»Aber bitte doch nicht mit mir, junge Dame. Ich werde dich

ins Bett bringen. Jetzt geh nach oben, und ich komme in einer Minute nach.«

Sie grinste. Annie war so angenehm ausrechenbar. Ellie ging die Treppe hinauf.

Ihr Zimmer war angenehm kühl, die Fenster standen offen, und der Rosenduft aus dem Garten fühlte sich berauschend an. Heute Nacht würde sie Jack treffen. In ihrem Kopf drehte sich alles. Sie legte sich aufs Bett, beim Tagebuchschreiben vor sich hin summend, bis Annie mit einem Tablett mit heißer Schokolade hereinhastete.

»Willst du nicht mal anfangen, dich auszuziehen, junge Dame?«, fragte sie, da Ellie voll angezogen quer über der Tagesdecke lag.

»Ja, natürlich, Annie. In einer Minute. Ich bin noch nicht so müde.«

»Nun gut, trink das und bleib nicht zu lange auf mit der Leserei. Du tust deinen Augen nichts Gutes, all diese Bücher immer.«

Sie ging, vor sich hin murmelnd. Eloise lag ruhig auf ihrem Bett, bis die Uhr halb elf zeigte. Jack hatte gesagt, sie sollten sich um diese Zeit am Pavillon treffen. Sie stand auf, öffnete die Tür, lauschte der vollkommenen Stille und schlich die Treppe hinunter.

Die Hintertür war abgeschlossen, aber sie wusste, dass der Schlüssel in einem kleinen Schränkchen im Korridor aufbewahrt wurde. Sie schloss die Tür auf, trat hinaus in die Sommernacht, schloss dann hinter sich ab und verstaute den Schlüssel in ihrer Tasche.

Es war eine wundervolle Nacht, sanft und warm. Sie badete im Duft von Levkojen, Rosen und Lavendel auf ihrem Weg zum Pavillon. Ihr war leicht und träumerisch zumute. Ihr war noch nicht ganz klar, was sie tun sollte, aber sie war sich absolut sicher, dass es sein sollte.

In den Pavillonfenstern waren schwache Lichter zu sehen. Sie folgte ihnen und fand leicht ihr Ziel. Die breiten Türen standen offen, und sie ging hinein; der Anblick, der sie erwartete, ließ sie sich daheim angekommen fühlen. Ihr Jack saß auf einem Schlafsack vor dem Ofen. Er hatte ihn angefacht, obwohl es eine warme Nacht war, und er hatte Kissen auf dem Boden verteilt. Überall in dem kleinen, achteckigen, weiß getünchten Raum brannten Kerzen, und er hatte das Essen auf einer Wolldecke vor den dezenten Lichtern angerichtet.

Er grinste sie an. »Hey, Ellie. Gefällt es dir?«

Sie dachte, das wäre das Schönste, was sie je gesehen hatte. Sie ließ sich auf der Decke neben ihm nieder. Schüchtern und sprachlos wie so oft.

Er zeigte ihr sein Picknick. Irgendwie hatte er es geschafft, kalten Schinken, Rindfleisch, Käse und Brot von zu Hause zu schnorren. Und Cider. Einen großen Plastikbehälter voll und Gläser, die er aus dem Geschirrschrank seiner Mutter stibitzt hatte.

Eloise war bezaubert. Sie hatte noch nie in ihrem Leben so etwas Ungezogenes, so etwas Heimliches wie dies hier gemacht. Und jetzt war sie hier mit diesem wundervollen Jungen, diesem außergewöhnlichen Engel, den sie liebte und zweifellos immer lieben würde, egal was in der Zukunft, die noch vor ihnen lag, passieren würde. Er gehörte ihr; sie existierte nur in diesem Moment. Ihre jungen Körper wurden vom Feuer erleuchtet, der goldene Glanz auf ihren sehnsüchtigen Gesichtern so wahrhaftig und perfekt wie ein Gemälde in einer italienischen Kirche.

Sie aßen den Schinken, etwas Käse und Brot. Aber hauptsächlich tranken sie Cider, weil sie sich Mut machen mussten. Um eine Brücke zu bauen über die Geschichte ihrer Kindheit hinweg, die sie verband, aber in diesem unbekannten Territorium voneinander trennte, in dieser seltsamen und sinnlichen Welt des Erwachsenwerdens. Sie redeten leise. Jack erzählte ihr, wie verzweifelt seine Eltern sich noch ein Kind wünschten und wie dies zu Spannungen in ihrem Familienleben führte.

Eloise erzählte Jack von der Verzweiflung ihres Vaters, keinen Sohn zu haben, der den Namen Trelawney weitergab, und wie unglücklich ihre Mutter sei.

Sie waren sich einig, dass sie, wenn sie Familien hätten, nie zulassen würden, dass solche Sorgen ihre Liebe zerstörten. Und dann schauten sie sich scheu an, weil sie das Wort erwähnt hatten, das nun leichtfertig im Raum herumwirbelte.

Und Eloise merkte, wie sie dahinschmolz. Sie war beschwipst, ja sicher. Aber sie war auch beherrscht von einem Gefühl, das sie noch nie zuvor erfahren hatte. Als sie so auf Jacks Schlafsack beieinander lagen, Cider trinkend, und ihre Zungen beim Trinken schwerer wurden und sie sich ihre geheimsten Träume erzählten, da wurde Ellie ungeduldig. Sie wollte etwas von ihm. Sie war verwirrt, aber ihr Körper wusste genau, was sie tat.

Sie erzählte ihrer Mutter später, dass Jack sie nicht bedrängt habe. Obwohl sie beide mehr als nur ein bisschen betrunken waren, wollte sie ihn genauso sehr, wie er sie. Sie waren eingehüllt in einem Traum, unfähig aufzuhören, blind für die Konsequenzen. Sie lagen zusammen in diesem kleinen Sommerhaus, erleuchtet vom flackernden Feuer und Kerzen. Eng umschlungen. Und es war die vollkommenste Erfahrung in Eloise' Leben.

Tatsächlich war es der Moment, der das Fundament für ihre Zukunft legte.

Und für ihren frühen Tod.

14

Chris beobachtete mich, als ich meine Erzählung beendete.

»Hat Juliana dir sonst noch etwas erzählt?«

»O ja«, sagte ich. »Aber Chris, es ist eine schrecklich traurige Geschichte.«

»Erzähl's mir«, sagte er.

Ich runzelte die Stirn. »Warum? Ich meine, willst du es ernsthaft wissen oder ist das nur wieder eine deiner psychologischen Begutachtungen? Wenn du mir nicht glaubst, schlage ich vor, du redest mit Juliana. Ich denke, du weißt, dass sie fast verrückt vor Trauer ist, aber weißt du, ich denke, sogar dir würde es schwerfallen, die Existenz von Arthur zu leugnen. Du hast ihn gesehen, um Himmels willen. Du kennst ihn.«

»Nun, ich schätze mal, ich weiß, wer er zu sein vorgibt. Was natürlich günstig ist angesichts der Größe des Vermögens, das es zu erben gibt.«

»Aber Juliana erkennt ihn eindeutig als ihren Urenkel an.«

»Na ja, klar. Sie hat gerade ihre einzige Tochter verloren, ihr Schwiegersohn kann sie auf den Tod nicht ausstehen und lässt sie nicht am Leben ihrer Enkel teilhaben. Ist es da nicht vorprogrammiert, dass sie einen Urenkel, der sich ihr zuwendet, mit Freuden annehmen wird? Arthur kommt, als sie gerade am verletzlichsten ist. Wenn seine Geschichte überzeugend genug ist, wird sie ihn natürlich als Verbindung zu Eloise ansehen und gleichzeitig noch Ted eins auswischen, der ihr das Leben schwerer macht, als es sein muss. Cathy, du siehst, vom Standpunkt eines Nichtbeteiligten aus ist das alles reichlich windig.«

»Okay, ich kapiere, dass ich es nicht schaffen werde, dich bezüglich Arthur zu überzeugen. Aber Eloise hat mit dreizehn ein Kind bekommen. Juliana hat mir die Geburtsurkunde gezeigt. Und verdammt noch mal, Arthur ist erst sechzehn. Wie, meinst du, hätte er etwas über sein Geburtsrecht herausfinden sollen?«

»Nun«, sagte Chris. »Wie wär's mit seinem Großvater?«

Sein Großvater? Das wäre Jack, Eloise' Jugendliebe.

»Willst du jetzt, dass ich dir den Rest erzähle, oder willst du lieber debattieren?«

Chris trat den Rückzug an. »Ja«, sagte er. »Ich möchte den Rest hören.«

Der Rest des Sommers, schrieb Eloise, verging wie im Traum. Sie fühlte sich über die benachbarten Felder und Strände hinwegschweben. Sie war unsterblich verliebt, hielt hinter jedem Baum, jedem Grashalm Ausschau nach ihm; jede Person, die sie in der Ferne erspähte, musste sicher er sein. Und wenn er es nicht war, war sie völlig verzweifelt. Eines Tages saß sie mit ihrem geliebten Pony im Stall. »Daisy, ich stecke in Riesenschwierigkeiten. Ich liebe ihn und ich werde so unglücklich sein, wenn ich wieder in die Schule muss.«

Daisy schlug mit ihrem Schweif. Sie war beruhigend unbeeindruckt.

Jack suchte sie nach ein paar Tagen auf. Er kam zur Hintertür und fragte nach ihr. Sie stürmte zu ihm, voller Angst, sie würde Desinteresse in seinem Gesicht entdecken, aber seine Augen sagten ihr, dass seine Qualen genauso groß waren wie die ihren. Sie gingen hinüber zum Pavillon, setzten sich diesmal aber draußen ins Gras.

Sie plauderten ein bisschen über die Ferkel in dem neuen Pferch, ihre Ponys und, unvermeidbar, ihre Eltern.

»Wenn ich mit der Schule fertig bin, möchte ich Schauspielerin werden, glaub ich.«

Jack redete über seine Liebe zum Land, wie gern er eine Farm oder einen Kleinbauernhof hätte. Und dann sagte er: »Ellie, meine Eltern reden darüber, nach Australien überzusiedeln.«

Sie war fassungslos. »Wann?«

»Anfang nächsten Jahres. Sie wollen eine eigene Farm, und sie könnten sich hier nur einen kleinen Bauernhof leisten – aber in Australien könnten sie etwas wirklich Rentables bekommen.«

»Und du wirst mit ihnen gehen?«

»Ich muss.«

»Aber Jack …«

Er schaute sie sehr ernst an. »Ellie, ich denke, du bist wunderschön, und ich würde gern für immer mit dir zusammen sein. Aber lass uns den Tatsachen ins Auge sehen: Deine Familie wäre nicht begeistert über mich als deinen Freund – meine Eltern sind die Pächter von deiner Mum und deinem Dad.«

»Ich denke, du willst gehen«, sagte Eloise. »Du erzählst mir gerade, du wirst nicht bei mir bleiben, nicht mal, wenn ich dich darum bitte.«

Jack schaute weg, dann drehte er sich abrupt zu ihr. »Eloise Trelawney, du hast nicht die geringste Ahnung, was es bedeutet, jemand wie ich zu sein. Allmählich zu begreifen, dass mein Zuhause mir gar nicht gehört, dass man von den Launen anderer abhängig ist. Es gibt keine Sicherheit, Ellie, überhaupt keine. Dein Vater könnte uns rausschmeißen, wann immer ihm danach zumute ist. Mein Vater ist ausgebildeter Grundstücksverwalter, aber er hat kein Land. Wenn wir nach Australien gehen, bekommen wir unsere eigene Farm. Und dann bin ich kein Sohn eines Pächters mehr. Ich bin dann auch Erbe, werde meine eigene Farm haben, wenn ich möchte.« Er machte eine Pause. »Und vielleicht kann ich dir dann etwas bieten.«

Eloise kehrte zurück in ihr Schlafzimmer. Sie fühlte sich krank und traurig. Jack würde auf die andere Seite der Welt ziehen, und es gab nichts, was sie dagegen tun konnte. Sie konnte ihm nichts geben, hatte nichts anzubieten außer ihrer Liebe. Er war erst fünfzehn, und seine Eltern hatten ihm eine neue Perspektive eröffnet. Und sie – sie wäre auch gegangen, wenn man ihr nur die Hälfte davon anbieten würde. Eine ganz neue Welt. Wer würde nicht alles dafür geben?

Ellie hatte sich schon ein paar Tage schlecht gefühlt. Sie war zutiefst bestürzt über Jack und seine Entscheidung, sie nicht nur zu verlassen, um mit seinen Eltern auszuwandern, sondern auch, obwohl er das nicht in Worte fasste, seinem offensichtlichen Bedürfnis, sich von ihr zu distanzieren, und von der Nacht, die sie miteinander verbracht hatten.

Der Schmerz, den sie empfand, war unbeschreiblich groß. Im Laufe des Sommers begann Eloise zu verblassen, sie verblühte, verlor ihre Anmut. Sie wollte ihr Zimmer nicht verlassen, sie fiel in Ohnmacht, wenn man von ihr verlangte, sich der Gesellschaft im Salon anzuschließen. Ihr war oft übel, und sie verbrachte viel Zeit in ihrem schön gefliesten Badezimmer, weigerte sich, mit ihrer Mutter oder Annie zu reden, wenn die darum bettelten zu erfahren, was los war.

Die Sache war ganz einfach. Eloise war schwanger. Aber weder sie noch ihre Mutter erkannten das über Monate. Nur Annie ahnte, was los war. Und nur Annie hatte den Anschein einer Lösung parat, als sich alles zuspitzte.

Es war Anfang September, als Juliana in einem Anfall von Ungeduld in Eloise' Zimmer rauschte.

»Ellie, komm schon, Liebling. Du fährst morgen zurück in die Schule. Du hast noch nicht einmal deine neue Schuluniform anprobiert. Und du hast die Bücher auf deiner Leseliste noch nicht angerührt.«

»Mum, ich fühl mich so krank. Lass mich bitte in Ruhe. Ich will sowieso nicht in die Schule zurück, ich hasse es da. Mir geht's nicht gut. Kann ich nicht einfach hier bleiben, bis es mir besser geht?« Sie fühlte sich so krank, so erschöpft und schwer.

Juliana saß auf dem Bett ihrer Tochter.

»Ellie, Schatz, ich weiß, du bist diesen Sommer unglücklich gewesen. Es tut mir leid, dass die Sorgen deines Vaters dich beeinträchtigt haben. Aber, weißt du, ich bin sicher, alles wird gut werden, und ich glaube, du wärst viel fröhlicher in der Schule mit all deinen Freundinnen.«

Eloise setzte sich auf. »Mum!«, schrie sie. »Wie oft soll ich dir denn noch sagen, dass ich dort keine Freundinnen habe. Ich will nicht zurück. Ich will hierbleiben bei …«

Sie verstummte, brach in Tränen aus, drehte ihr Gesicht ins Kissen und sagte ihrer Mutter, sie solle sie in Frieden lassen.

Chris sagte: »Also, was geschah? Was haben sie gemacht, als ihnen klar wurde, dass sie schwanger war?«

»Juliana vertraute sich Annie an, die Zeit gehabt hatte, sich eine Strategie zu überlegen. Sie hatte Freunde in Plymouth, die sich um das junge Mädchen in Not kümmern konnten. Charles wusste nichts. Nicht zu dem Zeitpunkt.«

»Wie haben sie es vor ihm geheim gehalten?«

»Das war einfach. Er war total besessen von der Zukunft des Anwesens. Solange Eloise aus dem Haus war, ging er davon aus, sie wäre im Internat.«

»Obgleich?«

»Juliane hatte sie aus dem Internat in Truro genommen und sie nach Plymouth zu Annies Freunden gebracht. Juliana fuhr mindestens zweimal die Woche hin, um sie zu besuchen.«

»Und Juliana selbst? War sie wütend, dass sich Eloise vom Sohn des Pächters hatte schwängern lassen?«

»Seltsamerweise nicht. Juliana ist ein ziemlicher Freigeist, immer etwas unkonventionell. Solange sie alles vor ihrem Mann geheim halten konnte, dachte sie, sie könnte alles regeln und Eloise vor den Konsequenzen beschützen.«

»Herrgott!«, sagte Chris. »Aber was war mit dem Baby?«

»Nun gut, ja. Das war der Haken an der Sache. Obwohl Ellie noch sehr jung war, weigerte sie sich, eine Abtreibung machen zu lassen. Und Juliana, die bemüht war, ihrer Tochter den Wunsch zu erfüllen, versuchte sie davon zu überzeugen, das Kind zur Adoption freizugeben. Eloise fühlte sich wie zerrissen. Sie konnte keine Zukunft für sich und ihr Baby sehen – sie wusste, ihr Vater würde ihr wahrscheinlich nie verzeihen –, aber sie bestand darauf, dass er von dem Kind erfahren sollte und wollte sich seiner Gnade ausliefern. Sie hoffte, obwohl sie es eigentlich besser wusste, er würde ihr verzeihen und das Enkelkind akzeptieren.«

»Und? Tat er das?«

»Natürlich nicht. Sobald er herausfand, dass Ellie schwanger war, enterbte er sie. Sagte, sie sei erst wieder in Roseland willkommen, wenn das Kind irgendwo weit entfernt von zu Hause untergebracht und adoptiert sei.«

»Und was machte Juliana?«

»Sie redete mit Jacks Eltern. Und die sagten, sie würden das Baby gerne adoptieren und mit nach Australien nehmen. Jacks Mutter konnte nach dem ersten Kind keine Kinder mehr bekommen, hatten die Ärzte festgestellt. Unerklärlich, aber es kommt vor. Sie hatten ohnehin Adoption in Betracht gezogen, und das Kind ihres Sohnes als ihr eigenes anzunehmen, schien ein Geschenk des Himmels zu sein.«

»Und Jack war einverstanden damit?«

»Jack war noch ein Kind, Chris. Er wusste nicht ein noch aus, er war schuldbewusst, dass er mit Eloise Liebe gemacht hatte aus einem Impuls heraus, erschrocken über die Konsequenzen. Seine Mutter versicherte ihm, dass das Baby ihres sein werde, nicht seins. Es werde offiziell adoptiert werden, er würde keine Verantwortung dafür tragen. Es würde sein Bruder oder seine Schwester sein, nicht sein Nachwuchs.«

»Was empfand Eloise bei all dem?«

»Sie wusste nichts davon. Sie durchlebte ihre Schwangerschaft im Haus von Annies Freunden in Plymouth. Sie war sehr unglücklich. Sie wollte das Baby behalten, aber war dreizehn, um Himmels willen. Und sie wusste, dass ihr Vater angewidert war von ihr. Er kam nie nach Plymouth, um sie zu besuchen, nicht ein einziges Mal.«

Es war spät. Chris und ich traten den Rückweg den Hügel hoch zu unserem Cottage an. Wir waren beide müde und froh, nicht mehr über Eloise zu reden, als unsere Kinder uns vom Rasen im Vorgarten aus ansprangen, wo sie ziemlich ehrgeizig Fußball gegeneinander spielten.

»Mum«, rief Evie. »Rat mal! Sam kommt morgen her. Er sagt, er ist morgen am späten Nachmittag in Liskeard. Er ruft noch mal an und gibt durch, wann der Zug ankommt.«

Das waren gute Nachrichten. So, wie ich mich im Moment fühlte, war ich umso glücklicher, je mehr von meiner Familie da waren. Sie waren zu einem dicken, warmen Puffer geworden, umgaben mich wie eine wattierte Steppdecke, die mich vor der erdrückenden Kälte von Eloise' nächtlichen Besuchen schützte.

Später am Abend fielen Chris und ich erschöpft ins Bett. Wir hielten uns eng umschlungen, bis wir einnickten.

Ich träumte, ein sperriges Etwas drücke runter in meinen Magen. Es war prall und hart und packte mich so fest, dass ich kaum atmen konnte. Ich kämpfte wild gegen den eindringenden Druck. Ich stöhnte so sehr, dass Chris aufwachte.

»Süße, stimmt was nicht?«, murmelte er schlaftrunken.

Aber ich nahm seine Anwesenheit kaum wahr. Ich wusste nur, dass ich wieder unterging, der Herrschaft von Eloise über meine Träume vollkommen unterworfen. Und natürlich wusste ich aus Eloise' Tagebuch, was sie hatte durchmachen müssen. Ich hatte ihren Bericht über die Geburt ihres Babys gelesen. Sie schrieb ihn, als alles vorüber war und sie mit gebrochenem Herzen und allein zurück zu Hause in Roseland war.

Eloise' Tagebuch

Ich werde nie wieder glücklich sein. Das letzte Mal, dass ich gelacht habe, war im letzten Sommer, als ich so in Jack verliebt war. Nun ist er auf der anderen Seite der Welt, und mein liebes kleines Mädchen ist mit ihm gegangen. Ich habe sie beide verloren, und ich denke, ich werde verrückt. Ich bin wieder zu Hause, im Bett. Ich will nie wieder aufstehen. Ich liege hier nur und heule. Mein Körper tut weh und blutet. Mein Herz tut weh und blutet. Ich habe den Jungen verloren, den ich liebe, den einzigen Jungen, den ich je lieben werde, und das Baby auch noch zu verlieren, bricht mir das Herz. Als ich nach Hause kam, sagte mein Vater, ich würde keinen von beiden je wiedersehen. Er riet mir, beide zu vergessen und Gott zu danken, dass ich eine zweite Chance auf ein »normales« Leben erhalten habe. Normal! Mein Leben ist ruiniert. Er redete über die Zukunft, aber wie kann ich ohne Jack und Isabella eine Zukunft haben? Meine Mutter war sanftmütiger. Sie sagte, wenn ich älter sei, könne ich selbst entscheiden, ob ich sie wiedersehen will. Ich vermute mal, das bedeutet, wenn ich mit der Schule fertig bin, wenn ich achtzehn bin. Aber bis dahin sind es mehr als vier Jahre. Mein Baby wird mich nicht mehr kennen. Und Jack wird bis dahin zwanzig sein, und er wird jemand anderen gefunden haben. Ich halte es nicht aus, mir vorzustellen, dass er in ein anderes Mädchen verliebt ist. Es ist April jetzt, und ich muss im September wieder zur Schule. Den anderen Mädchen haben sie erzählt, ich hätte Drüsenfieber, anscheinend Grund genug, um ein Jahr Schule zu verpassen. Das bedeutet, ich werde ein Jahr zurück sein, also erst mit neunzehn abschließen können.

Neunzehn! Das sind noch fünf Jahre! Ich werde vorher sterben, an gebrochenem Herzen sterben, das weiß ich. Ein paar von den Mädchen haben mir Genesungswünsche geschickt, das war nett von ihnen. Aber ich kann mir nicht vorstellen, jemals wieder zurückzukehren und so zu tun, als sei ich normal. Ich werde niemals wieder normal sein. Ich bin nicht mehr dasselbe Mädchen. Nicht die Eloise, die ich einmal war. Ich war im letzten Sommer nur ein Kind. Jetzt bin ich eine Frau. Ich habe geliebt, hatte Sex, habe ein Kind geboren. Und ich habe alles verloren – für immer. Mein Vater schämt sich richtig meinetwegen. Ich schäme mich auch. Ich habe etwas falsch gemacht, und jetzt habe ich mein Leben ruiniert.

Ich dachte, ich würde nie über das, was im Krankenhaus passiert ist, schreiben wollen, aber wenn ich es nicht tue, befürchte ich, werde ich es vergessen. Und ich will mein Baby nie vergessen. Meine Fruchtblase platzte in dem Zuhause, das Annie bei ihren Freunden in Plymouth für mich gefunden hatte. Das war so schräg. Ich stand nur auf und – zisch – war ich klitschnass. Voll über den Boden im Flur, und dann brachten sie mich ins Krankenhaus. Meine Mutter hatte ein Privatzimmer bezahlt, und das war auch gut so, weil ich die ganze Zeit, während ich da war, nicht aufhören konnte zu heulen. Sie riefen Mummy an, und sie kam sofort und blieb die ganze Zeit über. Sie war toll. Ich hatte solche Angst, besonders als die Wehen anfingen. Sie waren ein bisschen langsam anfangs, also gaben sie mir etwas, damit sie öfter kamen. Ich erinnere mich nicht an viel während der Wehen, es war ein Albtraum. Ich hatte noch nie zuvor solche Schmerzen. Absolute Höllenqualen. Sie gaben mir Gas und Sauerstoff, aber das half alles nicht besonders. Ich dachte, das würde nie aufhören, und konnte nur an meine Mutter denken. Ich hielt sie fest wie verrückt. Ich habe das nur wegen ihrer Liebe und Hilfe durchgestanden.

Aber als es vorbei war, als sie mir Isabella in die Arme legten, fühlte ich mich einen Moment lang wundervoll. Ich empfand solche Liebe für sie, vergleichbar mit nichts, was ich je gefühlt hatte. Und Mummy sagte mir, dass sie mich liebe und dass meine Tochter bezaubernd und wunderschön sei. Aber wir wussten beide, dass wir sie nicht behalten konnten. Und Mummy weinte fast so viel wie ich.

Sie holten sie am nächsten Tag ab, die neuen Eltern meines Babys. Ich hielt das nicht aus! Ich schrie und schrie und bettelte Mummy an, Isabella behalten zu dürfen. Sie hatte Tränen in den Augen, aber sie schüttelte den Kopf und nahm mir das Baby aus den Armen. Irgendwie schaffte ich es, mit Weinen aufzuhören, und stand auf.

»Wenn mein Baby wegmuss, dann will ich diejenige sein, die es ihren neuen Eltern übergibt«, sagte ich.

Die Krankenschwester, die reingekommen war, um uns die Ankunft von Jacks Eltern mitzuteilen, umarmte mich und sagte, sie würde einen Rollstuhl holen, mit dem sie mich in das Zimmer brächte, wo Isabellas neue Eltern warteten.

Als sie mich den Korridor entlangschob, hielt ich Isabella in meinen Armen und sagte ihr immer wieder, wie sehr ich sie liebte. Dass ich sie überhaupt nicht weggeben wolle. Und ich erzählte ihr, dass ihre neuen Eltern sie lieben würden, weil ich sie kenne und sie mochte und mir dessen sicher sei. Und dass ihr richtiger Daddy da sein und auf sie aufpassen würde …

Die Augen von Jacks Mutter waren voller Tränen, als sie Isabella nahm, und sein Vater sagte mir, wie glücklich und dankbar sie mir seien. Sie wollten, dass ich weiß, dass das Baby ihnen jetzt schon so viel bedeute wie Jack, der nicht mit ihnen gekommen war. Ich fühlte nichts; ich fühlte mich nur leer.

Am nächsten Morgen kehrte ich nach Hause zurück. Mein Dad war ernst und distanziert. Der Milchfluss hatte eingesetzt, und als ich an diesem Abend in der Badewanne saß, floss die Milch von den Brüsten ins Badewasser. Ich weinte und zitterte so sehr, dass Annie mich hörte und hereinkam. Sie sah gleich, was los war, und später, in meinem Schlafzimmer, bandagierte sie meine Brüste fest ein. Sie sagte, das stoppe den Milchfluss. Sie war super. Ich glaube wirklich, ohne sie und Mummy wäre ich vor Kummer gestorben.

Ich hatte das Tagebuch vorher bei Juliana gelesen, und in dieser Nacht träumte ich lebhaft, dass ich Eloise wäre, die ihr Baby in diesem einsamen, kleinen Krankenzimmer bekommt. Ich fühlte ihre Schmerzen, ihre Wehen, ihre Freude, als Isabella geboren wurde, ihre Verzweiflung, als sie erkannte, sie könnte sie nicht behalten.

Wie kann man mit einem Verlust wie diesem umgehen? Was fühlst du, innen wund, deine Brüste schmerzend nach dem kleinen neuen Leben, das aus deinem Körper aufgetaucht ist? Dein Eigen, vollkommen deins, Fleisch von deinem Fleisch? Und doch muss dieses Kind jemand anderem übergeben werden. Das ist Folter, da bin ich mir sicher. Jenseits dessen, was man erdulden kann.

Ich erwachte mit tränennassen Wangen.

Arme, arme Eloise.

15

Als ich aufstand, konnte ich ein gewisses Unheil verkündendes Gefühl nicht abschütteln. Ich musste raus aus dem Haus, also ging ich nach Polperro, um Brot, Milch und Zeitungen einzukaufen. Jetzt war ich auf dem Weg zurück. Den vertrauten Klippenweg entlangzulaufen, machte normalerweise meinen Kopf frei, aber ich konnte heute Julianas Enthüllungen einfach nicht in den Griff bekommen.

Warum war Arthur hier, in Cornwall? Juliana hatte nach Eloise' Tod Jack in Australien geschrieben, aber Arthur hatte meine Freundin nie getroffen. Offensichtlich wusste er jetzt, dass Juliana seine Urgroßmutter und ihre tote Tochter seine Großmutter war. Aber selbst dann, warum war er um die halbe Welt gereist, um das Grab einer Frau zu sehen, die er nie gekannt hatte? Und mit sechzehn, warum hatten ihn seine Eltern so weit allein reisen lassen? Hatte Eloise ihm etwas Geld vermacht? Hatte ihr Anwalt angedeutet, sie wollte, dass er nach Cornwall komme, um Juliana kennenzulernen? Überwältigt von all den Enthüllungen über die Teenager-Schwangerschaft von Eloise, war ich zu schockiert gewesen, um nach einigen der naheliegenderen Dinge zu fragen. Und dann war ja da auch noch Eloise oder ihr Geist, der mich immer noch jede Nacht anbettelte – *was* zu tun? Ihre Kinder zu beschützen. Aber welche Kinder? Ihre Zwillinge, natürlich. Aber was war mit dem kleinen Mädchen, das sie mit dreizehn geboren hatte? Der Frau, die mittlerweile einen eigenen Sohn im Teenager-Alter hatte? War auch Arthur bei denen mit dabei, die Ellie so verzweifelt in Sicherheit wissen wollte? Und sicher vor was – oder wem?

Und ich war so erschöpft und einsam. Ich konnte diese grauenvolle Angst in meinem Kopf nicht stoppen, und ich wusste, Chris hatte allmählich genug von mir. Ich verließ mich so sehr auf ihn, auf seinen zuverlässigen gesunden Menschenverstand. Ich akzeptierte, dass mein Geist anfällig war; ich brauchte seine Stärke und Unterstützung. Und ich liebte ihn. Aber so nah wir uns gestern Nacht körperlich gewesen waren, ich wusste, dass er sich von mir entfernte, verärgert, aber auch besorgt, mein geistiger Zustand würde sich wieder verschlechtern. Und das gab ihm Macht über mich, erkannte ich. Deshalb hatte er sich dazu berechtigt gefühlt, mich zu betäuben, während er ausging, um sich mit Ted zu treffen. Eine Welle von Wut überkam mich, als ich mich an seinen Verrat erinnerte – denn genau das war es, Verrat.

Polperro war geschäftig. Es ist so ein hübsches Dorf, so hinreißend wie eine Filmkulisse, und führt hinunter zu einem wunderbaren, immer noch lebendigen Hafen. Bezaubernd malerische, weiße Cottages scharen sich zusammen, eng stehend, einige von ihnen auf Pfählen über den Fluss gebaut, der durch das Zentrum fließt. Viele von ihnen sind mit sorgfältig ausgewählten Muscheln dekoriert und winken dir beim Vorbeigehen zu. Als Urlaubsort ist es idyllisch, doch seine stark beschattete Lage im Tal hat auch eine dunkle Seite. Vom späten Oktober bis Ende Februar sieht Polperro nahezu keine Sonne. Meine eigene dunkle Seite hallte wider von Winterschwermut, als ich die verlockende Hauptstraße des Dorfes hinauflief. Jetzt war sie hell und reizend, doch fast die Hälfte des Jahres dunkel und abweisend.

Ich schauderte. Ich war närrisch. Polperro ist hinreißend, und ich liebe es.

Ich kaufte ein paar Zeitungen und Schokolade für die Kinder und machte mich auf den Weg nach Hause. Auf dem Weg zurück den Klippenpfad entlang fing es an zu gießen, und ich fluchte, weil ich keine Jacke mithatte. Ich beeilte mich, so schnell wie möglich nach Hause zu kommen, als ich einen Mann vor mir sah, den Kopf gegen den peitschenden Regen gebeugt. Ich wusste sofort, dass es Ted war. Er erreichte das Kriegerdenkmal, wo er anhielt. Er hatte mich noch nicht gesehen, und ich stoppte auch, schaute herum, wo ich mich verstecken könnte. Es gab natürlich nichts. Auf der einen Seite war der enge Pfad von einer nackten Felswand begrenzt. Auf der anderen nur ein Schwindel erregender Abgrund ins Meer. Ich seufzte. Ich wollte nicht mit Ted reden, aber es sah so aus, als hätte ich keine andere Wahl. Entweder das, oder hier abwarten, durchnässt werden, bis er sich entschied, weiterzugehen.

Widerwillig ging ich weiter den Pfad entlang. Als ich dem Denkmal näher kam, merkte ich, dass er mit sich selbst redete. Sein blondes Haar klebte wegen des Regens, der sein Gesicht herunterströmte, an seinem Kopf. Zuerst dachte ich, er würde weinen, aber dann sah ich, dass er in Wirklichkeit schrie, wutentbrannt in den Sturm hinein, wie ein verrückter König Lear. Er sah wahnsinnig aus. Ich wusste, ich würde mich sehr vor ihm fürchten, würde ich ihn kaum erkennen. Verrückte auf einem einsamen Klippenpfad sind kein erfreulicher Anblick. Und es war sonst keine Menschenseele zu sehen.

Ted hatte Chris und mir eine Seite von sich offenbart, die ich nie erwartet hätte. Die Sprache, die er in Bezug auf Eloise verwendet hatte, war niederträchtig, gespickt mit unterdrückter Gewalttätigkeit.

Und als ich ihn jetzt beobachtete, sah ich plötzlich einen potenziell gewalttätigen Mann, voller Aggression und Hass.

Er hatte mich gesehen. Er stoppte seinen Wortschwall und starrte mich so voller Hass an, dass ich zurückwich.

»Hallo, Ted«, sagte ich so ruhig, wie ich konnte. »Das Wetter ist widerwärtig, nicht?«

Er lachte. »Glaubst du wirklich, ich schere mich einen Scheiß ums Wetter? Passt irgendwie zu meiner Laune. Ich habe dich gesucht. James aus dem Café sagte, du kämst hier hoch.«

»Warum? Was ist los?«

»Hat dein Seelenklempner von Ehemann dir nichts gesagt? Dass unsere Ehe eine Lüge war?«

»Doch, das hat er. Aber das ist jetzt vorüber. Komm schon, Ted. Denk an die Mädchen. Hör auf zu brüten und versuch voranzugehen. Sie brauchen dich.«

»Denkst du?«, höhnte er. »Nur schade, dass Eloise nicht auch so dachte.«

»Wovon redest du? Natürlich hat sie das.«

»Ah, richtig. Deshalb hat sie mir ja auch nur ein verdammtes Almosen hinterlassen. Der ganze Rest ist in einem Treuhandfonds für die Mädchen festgelegt. Ich bekomme nur das Haus – und das auch nur, bis die Zwillinge einundzwanzig sind. Danach fällt es ihnen zu. Oh, und netterweise hat sie mir ein monatliches Haushaltsgeld hinterlassen – ein Existenzminimum, um für sie zu sorgen. Ich bekomme nichts vom Vermögen. Ich bin nicht besser dran als vorher …« Er brach ab. »Aber das hast du ja alles verdammt noch mal schon gewusst, Cath. Du und Eloise, ihr habt ja immer unter einer Decke gesteckt.«

Ich war schockiert und entrüstet. »Ellie hat niemals über ihr Testament mit mir gesprochen! Natürlich nicht. Ich hatte keinen Schimmer.«

»Oh, sicher. Tu nicht so unschuldig. Ihr habt doch wie Pech und Schwefel zusammengehalten.«

»Schau, Ted, es reicht jetzt. Du wirst beleidigend. Ich dachte, du trauerst, aber du leidest nicht unter der Trauer. Das ist Wut und Verbitterung. Und das ist sehr hässlich. Ich gehe jetzt nach Hause.«

Ich marschierte weiter den Pfad hoch, zitternd vor Ärger. Aber er lief mir nach und griff grob nach meinem Arm. Ich drehte mein Gesicht zu ihm und empfand plötzlich große Angst. Er drängte sein Gesicht nah an meins. Er sah aus, als ob er mich töten wollte, und ich zuckte zurück, als er ausspie: »Hast du gewusst, was dieser verdammte Arthur bekommt? Der Bastard ihres Bastards? Hat sie's dir erzählt? Er bekommt ein verdammtes Vermögen. *Mein* verdammtes Vermögen. Sie hat alles ihm und den Mädchen vermacht.«

Er stieß mich jetzt, näher und näher an den Rand der Klippe. Ich rutschte auf den schlammigen Steinen aus. Dieser Teil des Pfads war erosionsgefährdet. Mindestens zweimal im Jahr war er für die Öffentlichkeit gesperrt, wenn die Kommune ihn herrichten ließ. Es schoss mir durch den Kopf, dass im letzten Jahr hier irgendwo jemand gestürzt und den abschüssigen felsigen Abhang hinuntergefallen war. Er hatte Glück gehabt, ein Felsvorsprung hielt seinen Fall auf, aber er musste mit dem Hubschrauber gerettet werden. Jetzt war der Pfad mit Schildern gepflastert, die Wanderer davor warnten, zu nah an die Kante der Klippe zu geraten.

Als Ted mich schubste, blickte ich zu meiner Rechten hinunter. Nur Zentimeter von meinem Platz, bröckelte der Pfad, brach ab zu einem steilen und rutschigen Abhang. Tief unten war das Meer und wogte grau im starken Regen. Beim Anblick der Wellenbewegung drehte sich mir der Magen um. Mir war schlecht und schwindlig. Was machte Ted da? War seine Wut so groß, dass er mich die Klippe hinunterstoßen würde? Würde er dann behaupten, dass ich einen tragischen Unfall gehabt hätte? Wäre das seine Rache an Eloise dafür, dass sie ihm nicht ihr Geld hinterlassen, und an mir, weil ich, wie er sich ausdrückte, mit ihr unter einer Decke gesteckt hatte?

Mein Kopf drehte sich vor Höhenangst, ich stieß ihn zurück, und er schien zu sich zu kommen. Er zog mich zurück in Sicherheit und ließ mich gehen, mir Obszönitäten hinterherrufend, während ich zum Strand hinunterlief, dann die steile Gasse zu unserem Cottage hoch. Ich zitterte, als ich nach Hause kam, durchnässt bis auf die Haut. Aber ich zitterte auch wegen des

Schocks, entsetzt von Teds Wutanfall. Zum ersten Mal hatte ich regelrecht körperlich Angst vor ihm. Sein Hass auf Eloise war so erbittert, und jetzt, wo sie tot war, schien er ihn auf mich zu übertragen.

Ich brauchte Chris, seinen Schutz, aber er hatte auf einem Zettel auf dem Küchentisch hinterlassen, dass er Tom und Evie zum Bahnhof in Liskeard mitgenommen hatte, um Sam abzuholen.

Ich lief nach oben und ins Badezimmer. Vom Fenster aus konnte ich den ganzen Weg unsere lange Einfahrt runter bis zum Holztor überblicken, das in die Gasse führte. Lange Zeit stand ich nur da, starrte hinaus in den strömenden Regen, voller Angst, Ted würde mir bis ins Haus folgen. Was würde ich tun, wenn er kam? Ich war allein. Der Wagen unseres Nachbarn stand nicht in seiner Einfahrt, und die Gasse war wegen des Wetters vollkommen verlassen. Ich hatte nicht eine Seele gesehen, als ich nach Hause rannte. Ted hatte sich in einen gewalttätigen Irren verwandelt, und ich war völlig schutzlos.

Irgendwann entspannte ich mich. Es gab kein Zeichen von Ted, und sicher würde Chris bald aus Liskeard zurück sein. Ich zog meine tropfenden Sachen aus und ließ mir ein heißes Bad ein.

Danach lag ich in ein Badetuch eingewickelt auf unserem Bett. Ich musste eingenickt sein, weil ich plötzlich aufschreckte, als ich unten Stimmen hörte. Ich hatte Angst, es könnte Ted sein, aber dann beruhigte zum Glück Evies Kichern mein laut pochendes Herz. Die Schlafzimmertür öffnete sich, und Chris steckte seinen Kopf herein.

»Hallo«, sagte er lächelnd. »Machst du ein Schläfchen?«

Ich versuchte, meine Gedanken zu ordnen. Ich wollte so sehr, dass er mich in den Arm nahm, mir sagte, dass er mich beschützen würde. Ich erzählte ihm, was Ted mir auf dem Klippenpfad gesagt hatte, von seinem Wutanfall und wie verängstigt ich gewesen war. Und dass ich nicht verstand, warum Eloise ihm so wenig in ihrem Testament hinterlassen hatte.

Chris seufzte. »Ich wage mal eine Vermutung. Du erinnerst dich, dass ich sagte, Ted sei kein netter Mann? Nun, er brüstet sich damit, eine Menge Affären gehabt zu haben.«

»Was? Du hast mir erzählt, er glaube, Ellie sei untreu gewesen, aber du hast es nicht für nötig erachtet zu erwähnen, dass *er* andere Frauen getroffen hat?«

»Ich hätte es dir irgendwann erzählt. Aber ehrlich gesagt, Cathy, ich dachte, das würde die Dinge zwischen uns noch schwieriger machen. Deine Besessenheit von Ellie ist zur Hauptsache in deinem Leben geworden, sie dominiert dich total. Du redest von nichts anderem mehr, und es ruiniert unsere Ehe. Ich fürchte jeden Tag, wenn wir darüber reden müssen. Also was, wenn Ted andere Frauen hatte? Das ist alles Vergangenheit. Eloise ist tot, und du bist die Einzige, die damit nicht umgehen kann. Ich ertrage es nicht, das mit anzusehen. Du akzeptierst einfach nicht, wie zerbrechlich du bist, und ich habe es satt.«

»Um Himmels willen, Chris. In einer Hinsicht hat Ted recht. Du *führst* dich wie ein viktorianischer Pfaffe auf, genau wie er gesagt hat, als du neulich deinen Vortrag über Trauer gehalten hast. Du bist so gottverdammt bevormundend. Gewiss bin ich nicht zerbrechlich, nicht jetzt, und ich muss nicht vor heiklen Fakten beschützt werden. Erst missbrauchst du deine Position als Arzt und versuchst mich zu betäuben, und jetzt erzählst du mir, ich ruiniere unsere Ehe. Es ist genau andersrum. Zum hundertsten Mal, ich bilde mir nichts ein. Ich bin nicht verrückt. Ich habe keine Depressionen, und ich bin kein Treibhauspflänzchen, das zu zart ist, um auf meinen eigenen Beinen zu stehen. Ach, und übrigens, ich glaube nicht, dass du das beim ersten Mal richtig gehört hast – Ted hat gerade versucht, mich von der Klippe zu stoßen.«

»Sei nicht so verdammt melodramatisch, Cath. Natürlich hat er das nicht. Er mag nicht der nette Kerl sein, für den ich ihn gehalten habe, aber er ist kein Möchtegern-Mörder.«

»Und woher willst du das wissen? Du warst nicht dabei.« Ich

klang kindisch und hasste mich selbst dafür, dass ich mich so aufregte.

Chris öffnete seinen Mund, überlegte es sich dann anders und stürmte aus dem Schlafzimmer nach unten. Ich erinnerte mich daran, dass die Kinder da waren, und hoffte inständig, dass sie uns nicht streiten gehört hatten. Ich atmete tief durch, zog ein Paar Jeans und ein Sweatshirt an und ging hinunter, um meinen Ältesten, Sam, zu begrüßen.

16

Ich hatte Sam seit Weihnachten nicht gesehen. Er hatte die Osterferien in den Vereinigten Staaten mit einem Kommilitonen verbracht, dessen Eltern in New York lebten, und ich hatte ihn sehr vermisst.

Groß und gut aussehend, war er das Ebenbild von Chris, und er wollte wie sein Vater Psychiater werden. Er war an der medizinischen Fakultät in Edinburgh, machte sich gut und genoss das Studentenleben. Aber seine Ähnlichkeit mit Chris war nur oberflächlich. Was den Charakter betraf, war er eher wie ich. Von allen Kindern hatte er am meisten von meiner Verletzlichkeit geerbt, und ich machte mir Sorgen um ihn. Ich befürchtete, er könnte meine Anlage zu Depressionen geerbt haben. Aber ich hatte nie irgendein eindeutiges Anzeichen dafür gesehen. Es war mehr ein Instinkt, der mich ihn beobachten ließ wie ein Falke. Aber jetzt lächelte er, sein Gesicht erfüllt von Freude, wieder mit seiner Familie zusammen zu sein. Er schlang seine Arme um mich.

»Mum. Wie schön, dich wiederzusehen. Du siehst großartig aus.«

Ich erwiderte seine Umarmung. »Du auch, mein Liebling. Wie ist die Uni?«

»Gut. Ich genieße es richtig. Allerdings harte Arbeit.«

»Oh, nun ja«, sagte Chris herzlich. »Ohne Fleiß kein Preis, nicht wahr.«

Sam kehrte seinem Vater den Rücken zu. Er rollte mit den Augen in meine Richtung. Chris und Sam waren in der Phase der

Vater-Sohn-Beziehung angelangt, in der sie sich permanent in die Haare kriegten. Sie liebten einander, aber jeder fand den anderen zeitweise unerträglich lästig.

Ich hatte keine derartigen Probleme mit Sam. Er war immer wunderbar liebevoll mir gegenüber, und ich muss zugeben, dass die Art, wie er mich manchmal bei familiären Auseinandersetzungen unterstützte, mir innerlich Behagen bereitete, schon weil ich wusste, dass es Chris ärgerte.

Wir gingen nach nebenan ins Talland Bay Hotel zum Abendessen. Eine große Familienfeier, das erste Mal seit Weihnachten, dass wir alle zusammen waren. Ich war überglücklich. Alle, die ich liebte, alle zusammen, der ganze Kreis meiner Zuneigung. Das erste Mal, seitdem Eloise' Tod mich in Cornwall gequält hatte, seit ich angefangen hatte, von ihr zu träumen, war ich sicher, einiges an Rückhalt zu haben. Dass meine Familie ganz und gesund war.

Aber wie bei Eloise waren meine Kinder meine Priorität. Das war eben eine Tatsache meines Lebens.

Eve redete über den bezaubernden Jungen, den sie am Strand gesehen hatte. Wie jede Sechzehnjährige konnte sie endlos über solchen Firlefanz plappern, der Älteren nichts sagte. Es fühlte sich seltsam an, dass ich ihm jetzt einen Namen zuordnen konnte. Sie sprach über Arthur, den Enkel meiner Freundin Eloise, wobei sie natürlich keine Ahnung hatte, wer er war. Tom kicherte und frotzelte, aber Sam hörte ihr mit voller Aufmerksamkeit zu.

»Evie, du denkst also, der Typ ist die Liebe deines Lebens?«

»Nein, Sam, sei kein Idiot. Ich habe nur versucht, dir von diesem bezaubernd aussehenden Jungen zu erzählen, der in Talland aufgetaucht ist. Er sieht richtig cool aus.«

»Okay, Schwesterchen, ich glaub dir. Kann ich ihn treffen?«

»Nein. Ich habe keine Ahnung, wo er wohnt.«

Chris und ich schauten uns an, und ich beschloss, offen zu sein.

»Evie, dein Dad und ich wissen, wo er ist. Er war eine Zeit lang hier im Hotel, aber jetzt wohnt er bei Juliana.«

»Was? Warum? Was hat er denn mit ihr zu tun?«

»Nun, es hat sich herausgestellt, dass sie miteinander verwandt sind.«

»Wie?«, fragte Evie voller Ärger und Enttäuschung.

Ich verlor die Nerven. Ich konnte ihr nicht von Eloise erzählen, ihrem Baby, und dass Arthur ihr Enkel war. »Oh, er ist nur ein entfernter Verwandter aus Australien. Wir werden ihn bald treffen. Juliana hat uns zum Lunch eingeladen.«

Evie war begeistert. »Wann, Mum? Ich muss mir überlegen, was ich anziehen soll.«

»Ich bin noch nicht sicher, Süße. Ich werde es morgen mit Juliana besprechen.«

Chris warf mir einen vernichtenden Blick zu. Allzu viel Harmonie zwischen uns war heute Abend nicht zu erwarten.

Viel später gingen Chris und ich in eisigem Schweigen zu Bett. Die Kinder waren geborgen und fröhlich schlafen gegangen, aber er und ich waren meilenweit voneinander entfernt. Ich hasste das. Ich wollte und brauchte ihn so sehr. Ich legte meine Arme um ihn, aber er reagierte nicht. Dieser Mann würde neben mir schlafen, aber getrennt von mir, ohne jegliche Liebe oder Wärme. Eher das Gegenteil war der Fall: vollkommene Feindseligkeit.

Wegen Eloise? Oder weil ich so eine Katastrophe war, ein hoffnungsloser Fall, mit dem er nicht länger umgehen konnte?

Am nächsten Tag machte ich einen Spaziergang. Nicht über die Klippe, aber die Gasse hoch und um die Kirche herum. Ich war früh aufgestanden und fühlte mich entsetzlich mitgenommen. Chris hasste mich. Er konnte es nicht abwarten, mich loszuwerden. Ich liebte ihn so sehr, aber wir waren so weit voneinander weggetrieben. Und das alles wegen Eloise. Ich wusste, ich riskierte mein Glück, meinen Ehemann und meine Familie, nur weil ich dieses Gespenst nicht loslassen konnte. Ich musste sie begraben.

Also ging ich wieder einmal ihr Grab anschauen. Um zu sehen, ob es mir irgendwelche Hinweise geben könnte, Einsichten zu ihrem Tod, und um zu verstehen, warum sie mich heimsuchte, mich verrückt machte. Ich stand da und bewunderte den wunderschönen, blühenden Erdhügel, diese reizende, geblümte Begräbnisstätte, und dachte über ihren Tod nach, ihre vollkommene Entfernung aus unseren Leben, dem Leben unserer Kinder, und brach in Tränen aus. Ich konnte keinerlei Sinn darin sehen.

»Was willst du von mir, Ellie? Ich weiß jetzt über Arthur Bescheid, ich weiß von deinem Testament. Was gibt es sonst für mich zu tun?«

Ich ging in die leere Kirche, setzte mich hin und versuchte zu beten. Ich betete für die Seele meiner Freundin. Ich bat für sie um die Gnade, endlich Frieden und Ruhe zu finden. Ich bat um Hilfe, um Heilung für meinen Geist und um das Wohlergehen meiner Familie. Ich bat um Chris' Liebe.

Aber hauptsächlich weinte ich.

Als ich eine Hand auf meiner Schulter fühlte, sprang ich auf. Ein großer Mann in einer schwarzen Soutane stand neben mir.

Father Pete, der Pastor, vor dem die Erneuerung unseres Ehegelübdes vor vielen Jahren stattgefunden hatte. Er war danach in eine andere Gemeinde gezogen, und ich hatte ihn seit Ewigkeiten nicht mehr gesehen, aber ich war froh, ihn jetzt zu sehen.

»Cathy! Was ist los, meine Liebe? Ich hoffe, kein Ärger zu Hause?«

Wenn er nur wüsste. Ich schüttelte den Kopf, trocknete meine Augen und fragte ihn, warum er hier sei.

»Sarah musste gestern wegen einer heiklen Operation ins Krankenhaus, so eine Frauengeschichte. Na, Ihnen kann ich's ja sagen, sie hat eine Operation an der Gebärmutter und wird drei Monate weg sein. Ich übernehme die Stelle, bis sie zurückkommt. Aber, Cathy, hören Sie mir zu. Irgendetwas stimmt ja offensichtlich nicht, wenn Sie sich so quälen. Wollen Sie darüber reden?«

Zu meiner Überraschung stellte ich fest, dass ich das tatsächlich wollte. Er war immer so menschlich, Father Pete. Weise auch. Und vielleicht konnte er mir mit Eloise helfen, schließlich waren Seelen ja sein täglich Brot.

Fünf Minuten später waren wir in der Pfarrwohnung. Er bot mir einen Platz an und machte Tee. Dann setzte er sich mir gegenüber und wartete.

»Sie wissen … Sie wissen, dass Eloise gestorben ist?«, platzte ich heraus.

Er nickte traurig. »Ja, ich habe es gehört. Das ohne Grabstein, das ist ihr Grab im Friedhof, nicht wahr?«

»Ja. Deshalb bin ich hier.«

»Sie standen sich immer sehr nahe, Sie zwei. Es wundert mich nicht, dass Sie so aufgebracht sind.«

»Das ist es nicht. Na ja, ja, natürlich bin ich aufgebracht. Aber … es sind jetzt vier Monate, dass sie gestorben ist, und Sie wissen, dass uns allen klar war, dass es keine Hoffnung für sie gab. Sie hat jetzt keine Schmerzen mehr – zumindest keine körperlichen.«

Father Pete runzelte die Stirn.

Ich war für eine Minute still. Ich schaute ihn an und sah nur die weise Miene eines einfühlsamen Mannes. »Father. Glauben Sie an unruhige Seelen?«

Er schaute mich behutsam an. »Wollen Sie mir nicht alles darüber erzählen?«, fragte er.

»Das werde ich, aber zuerst hätte ich gern, dass Sie meine Frage beantworten.«

Er seufzte. »Ja, das tue ich. Es ist Teil meiner Berufung, die Toten zu beerdigen und ihre Seelen Gott zu überantworten. Aber es gab Zeiten, wo ich mich gefragt habe …« Er machte eine Pause. »Sie sprechen von Eloise' Seele?«

»Ja.«

»Und deshalb sind Sie so aufgebracht?«

Ich nickte. »Sie … sie …« Ich wusste nicht, wie ich mich ausdrücken sollte, ohne ungeheuer töricht oder verblendet zu klingen. »Sie kommt zu mir, manchmal in meinen Träumen, manchmal am helllichten Tag. Sie ist todtraurig und hat Angst.«

»Warum?«

»Ich weiß es nicht, aber es hat etwas mit ihren Kindern zu tun. Sie sagt, sie will, dass ich sie beschütze.«

»Vor was?«

»Das weiß ich auch nicht. Sie möchte, dass ich etwas tue. Sie sucht mich fast jede Nacht heim.«

Father Pete beobachtete mich ruhig. »Haben Sie Chris davon erzählt?«

Ich nickte elend und weinte wieder. »Er glaubt mir nicht. Er denkt, ich habe wieder einen Nervenzusammenbruch.«

Pete wusste über meine Probleme Bescheid, weil wir in Kontakt geblieben waren. Sofort bereute ich, dass ich mit ihm geredet hatte. Natürlich würde er mit Chris einer Meinung sein. Er mochte ja ein Priester sein, der es gewohnt war, über Seelen, Mysterien, Gott und den Teufel zu sprechen, aber er war auch ein intelligenter, gebildeter Mann, und er erkannte sicher eine Frau mit psychischen Problemen, wenn er eine sah.

Father Pete war für einen Moment still. Dann sagte er: »Würde es Ihnen helfen, wenn Sie wüssten, dass ich Ihnen glaube?«

Ich schaute misstrauisch auf, wachen Auges für jeden Versuch, mich bei Laune zu halten. Aber seine Miene blieb ruhig.

»Sie glauben mir? Aber warum? Ich meine, es klingt alles so … vollkommen verrückt.«

Er schüttelte den Kopf. »Cathy, es überrascht mich überhaupt nicht, dass Sie heute hier sind. Seit ich hergekommen bin, habe ich das ungute Gefühl, dass irgendetwas nicht stimmt. Ich habe viele Jahre in dieser Kirche gearbeitet, und die Atmosphäre hat sich verändert. Ich habe es gefühlt, sobald ich zurückgekommen bin. Dieser Friedhof war immer so friedvoll. Jetzt ist er es nicht.«

»Haben Sie … haben Sie etwas gesehen?«

»Sie meinen, ob ich Eloise gesehen habe?«

Ich nickte.

»Nein, nein, hab ich nicht. Aber ich habe etwas gespürt.«

»Was?«

»Eine Ruhelosigkeit, eine Störung der Atmosphäre. Und in der Kirche auch. Eine Art beharrliches Raunen, eine Berührung, als ob mir jemand versucht, etwas zu sagen.«

Erleichterung überkam mich. Endlich glaubte mir jemand. Nicht nur Juliana und die arme, alte Winnie, sondern jemand, der vollkommen unbeteiligt war.

»Also, glauben Sie, dass es sein kann, dass jemand mit dem Wissen stirbt, etwas Schreckliches wird passieren? Etwas, was nur er in Ordnung bringen oder verhindern kann? Und das dieser jemand noch über den Tod hinaus, mit einer anderen, lebenden Person kommuniziert, um diese um Hilfe zu bitten?«

»Ich glaube, dass bestimmte Individuen besonders empfänglich für unruhige Seelen sind. Aber ich frage mich auch, ob die Seele Ihrer Freundin Sie nicht entführt hat. Ich frage mich, ob Eloise, ohne ihr Verschulden, nicht Besitz von Ihnen ergriffen hat.«

Ich war erstaunt. Was für ein Hokuspokus war das jetzt?

»Father Pete, vergeben Sie mir, aber das hört sich unsinnig an. Ich glaube nicht an Besessenheit. Das klingt so mittelalterlich. Eloise braucht meine Hilfe. Das ist alles, was ich weiß. Ich will nicht, weiß Gott, aber sie hat sehr klargemacht, dass ich keine andere Wahl habe.«

»Doch, ich denke, die haben Sie«, erwiderte der Priester.

»Was sagen Sie da?«

»Schauen Sie, Cathy, ich denke, ich kann Ihnen helfen.«

»Wie?«

»Ich kann einen Gottesdienst abhalten, der Sie von Eloise' Forderungen befreit. Der Sie von ihr befreit.«

Ich brachte ein unsicheres Lachen zustande. »Sie klingen, als ob Sie von Exorzismus reden. Wie lächerlich ist das denn?«

»Wir nennen es nicht so in der Church of England. Aber wir haben einen Befreiungsgottesdienst. Es gibt einen Geistlichen in jeder Diözese, der böse Geister vertreiben kann.«

Ich war verblüfft.

»Wollen Sie mir sagen, dass hier in Cornwall Sie derjenige sind?«

Er schenkte mir ein kleines Lächeln. »Nun, zumindest im Bistum Truro. Ich habe das schon einmal gemacht, wissen Sie. Es ist verbreiteter, als Sie denken. Und es ist sehr wirkungsvoll. Es wird Ihnen Seelenfrieden schenken, Cathy. Und es wird Eloise helfen, ihren für sie bestimmten Platz zu finden, um zur Ruhe zu kommen.«

Mein ganzer Körper zitterte. Ich hatte so viel durchgemacht wegen Eloise' Heimsuchungen, Julianas Trauer, Teds Zorn und Chris' schierer Feindseligkeit. War es möglich, dass das Angebot dieses Priesters mir erlauben könnte, dem zu entkommen? Dass er Eloise und ihre unmöglichen Forderungen an mich vertreiben könnte? Dass ich mein Leben mit meiner Familie wiederaufnehmen könnte, dass ich zumindest auf Chris, und auf jeden anderen, zurechnungsfähig wirken würde? Normal und glücklich?

Dann holte die Realität mich wieder ein. »Schauen Sie, Father Pete, vergeben Sie mir, aber das ist Wahnsinn. Ich bin nicht besessen von Eloise. Selbst wenn es so etwas gäbe, all diese Horrorfilme sagen doch, dass die Menschen vom Teufel besessen sind. Eloise ist nicht der Teufel. Und überhaupt, obwohl ich in die Kirche gehe und an Gott glaube, ich denke, dieses ganze Zeug über den Teufel und Dämonen und zur Hölle fahren ist Blödsinn, offen gesagt. Es fordert den Glauben heraus. Ich bin nur eine gewöhnliche Frau, eine normale Mutter, die eine schwierige Zeit durchmacht, weil …« Ich schluckte. Ich konnte den Satz nicht zu Ende bringen. Was versuchte ich zu sagen? Ich bin eine ganz normale Mutter, die von einem rächenden Geist heimgesucht wird?

Father Pete schaute mich ruhig an. »Woher wissen Sie das, Cathy? Denken Sie nicht, es könnte Satan sein, der ihr erlaubt, Sie auf diese Weise zu quälen? Das Böse nimmt viele Formen an. Eloise ist vielleicht nicht die Freundin, die Sie kennen und lieben. Wenn Sie sich Ihnen offenbart, könnte sie etwas vollkommen anderes sein. Ein Wesen, das Ihre Ängstlichkeit und Trauer über Eloise' Tod benutzt, um Sie – nun …«

Verrückt zu machen. Er sprach es nicht aus, aber genau das meinte er.

»Aber Ellie und ich waren Freundinnen. Wir waren uns so nah. Warum sollte sie mir das antun?«

»Weil sie es nicht ist, Cathy. Es ist ein Betrüger. Es nutzt sie aus. Satan ist ein Opportunist, meine Liebe. Er nimmt, was er kriegen kann. Und er spürt Verletzlichkeit. Er weiß, er kann Anspruch auf Sie erheben.«

Wofür, dachte ich. Irrsinn? Und ich wurde verrückt, oder? Chris wusste das. Und es war Eloise, die mich in den Irrsinn trieb. Vielleicht war ich von ihr besessen. Und es war das Böse in ihr, das mich so quälte, um meine Ehe zu zerstören, meine geliebte Familie.

Vielleicht konnte dieser Priester mich tatsächlich vom Bösen befreien. Und von Eloise.

17

Bist du von Sinnen?«, rief Chris, als ich nach Hause kam und ihm alles erzählte. »Was um Himmels willen denkst du dir dabei, diesen Vollidioten einzuladen, um hier in unserem Zuhause einen Exorzismus durchzuführen?«

Ich versuchte ruhig zu bleiben. »Er ist kein Idiot, Chris. Er ist Father Pete, der Mann, der unsere Ehegelübde gesegnet hat und den du wirklich magst und respektierst.«

»Ja, nun – das war, bevor ich wusste, dass er an Teufelsanbetung und diesen ganzen Scheiß glaubt. Es ist vollkommen lächerlich, Cathy. Ich werde nicht erlauben, dass er ins Haus kommt.«

Ich nahm ein leichtes, schlurfendes Geräusch an der Seite des Cottage' neben dem Holzlager wahr.

Ich schaute alarmiert hoch. Ich hatte gedacht, die Kinder wären am Strand, aber plötzlich öffnete Sam die Küchentür und betrat den Raum.

Ich war verlegen. Wie viel hatte er gehört?

Ziemlich viel, dem nach zu urteilen, was geschah. Er stand unbeholfen vor uns, straffte seinen Schultern und schaute Chris fest an.

»Dad, ich denke nicht, dass du so mit Mum reden solltest.«

Ich konnte sehen, dass Chris wütend war. Ich griff schnell ein.

»Es ist in Ordnung, Sam. Dad und ich haben nur … unterschiedliche Auffassungen. Das kriegen wir schon hin. Ist nur so ein Ehe-Ding.«

Ich lächelte Sam an, aber er kaufte es mir nicht ab. »Nein,

Mum. Ich habe Dad sagen gehört, er würde Father Pete nicht in unserem Haus dulden. Aber Father Pete hat uns alle vor vielen Jahren in der Kirche von Talland getauft. Er ist klasse. Tom, Eve und ich haben ihn wirklich gern. Ich dachte, du auch, Dad«, sagte er. Und starrte seinen Vater anklagend an.

Chris war brüskiert. »Sam, du weißt nicht, wovon du redest. Das hat nichts mit dir zu tun. Das geht nur mich und deine Mutter an.«

Sam wendete sich mir zu. »Stimmt das, Mum? Hat das nichts mit mir zu tun? Oder brauchst du Hilfe?«

Chris schnaubte vor Wut. »Sam, mach bitte, dass du hier rauskommst. Du hast keine Ahnung, in was du dich hier einmischst. Deine Mutter ist sehr labil. Lass ihr nicht ihren Willen. Lass uns alleine mit dieser neuesten Krise ihres gestörten Verstands fertig werden.«

Und er setzte wütend dazu: »Weißt du, dass sie denkt, sie wird von Eloise' Geist heimgesucht? Und dass sie den Priester hier jetzt einen Exorzismus durchführen lassen will, in diesem Haus? Deine Mutter gehört allmählich in eine Anstalt. Wir werden morgen fahren, und dann bekommt sie eine Behandlung, um ihren Verstand wiederherzustellen. Wenn es nicht schon zu spät ist.«

Ich wusste nicht, was ich sagen sollte. Ich fühlte mich geschlagen, zutiefst gedemütigt, dass Chris mit meinem Sohn derart über mich redete. Als ob ich tatsächlich verrückt wäre, als ob ich weggesperrt gehörte.

Dann griff Sam wie ein rächender Tiger ein. Er stellte sich seinem Vater entgegen, und seine ein Meter dreiundneunzig aufrichtend, war er Chris leicht ebenbürtig.

»Red nicht so mit Mum. Wir wissen, dass es ihr nicht gut geht, das wissen wir schon lange. Aber sie ist großartig gewesen mit ihrer entschlossenen Art, gesund werden zu wollen. Und sie ist gesund. Diese Sache mit Eloise, ich sage nicht, dass ich das verstehe, aber Mum ist kein Trottel. Und du solltest sie nicht wie einen

Trottel behandeln. Was auch immer hier vorgeht, du solltest Mum mit Respekt behandeln.«

Wow! Ich hatte einen Verteidiger. Ich war zutiefst dankbar, aber auch voller mütterlicher Schuldgefühle.

»Sam, Liebling. Das hat nur mit deinem Vater und mir zu tun. Ich möchte nicht, dass du darin verwickelt wirst. Ehrlich, ich glaube, du solltest uns besser allein lassen. Nimm vielleicht meinen Wagen, um Tom und Eve zu treffen, ja?«

»Mach ich, aber nur, wenn Dad mir sagt, dass er dich nicht wieder schikaniert.« Sam kam auf mich zu und nahm mich in den Arm. »Mum, ich hab dich schon so traurig und unglücklich gesehen, und jedes Mal wollte ich dich im Arm halten und trösten. Diese Sache mit Eloise – ich denke, ich kann helfen. Wenn Dad sagt, er wird nicht hierbleiben, wenn Father Pete ins Haus kommt, dann mache ich das, Mum. Ich verspreche dir, ich werde hier sein.«

Chris stürmte wütend auf die Veranda. Sam folgte ihm, hoch aufgerichtet und unbeugsam.

Ich konnte ihre Stimmen deutlich hören, sah, wie sie sich gegenüberstanden.

»Warum lässt du deiner Mutter derart ihren Willen?«, fragte Chris verärgert nach. »Du musst doch wissen, dass sie krank ist!«

»Dad, du hast sie behandelt, als ob sie seit Jahren verrückt wäre. Aber das ist sie nicht, und du *weißt* das. Sie ist äußerst feinfühlig und spürt Dinge, die die meisten von uns nicht mitbekommen, aber das bedeutet nicht, dass sie plemplem ist.«

»Ach, wirklich? Zu welcher Schule der Psychiatrie gehörst du denn dann? Einer Art New-Age-Zweig, der Frauen, die meinen, sie würden von Geistern heimgesucht, erlaubt zu glauben, sie verhielten sich vollkommen normal?«

»Dad, ich denke lediglich, dass du Mum gegenüber zu hart bist. Sie mag eine andere Lebensauffassung haben als du, aber das bedeutet nicht, dass sie übergeschnappt ist.«

Ich konnte regelrecht hören, wie Chris mit den Zähnen

knirschte. »Okay, Sam. Du denkst, deine Mutter sei lediglich ›feinfühlig‹. In Ordnung. *Du* kümmerst dich von jetzt an darum. Ich fahre zurück nach London und behandle Patienten, die respektieren, was ich sage.«

Sam schnaubte. »Ach, geht's darum, Dad? Um dein eigenes Ego? Wie sehr deine Patienten dich verehren? Ist es das, was dich an dich selbst glauben lässt?«

Chris schob Sam mit dem Ellbogen zur Seite und eilte zurück ins Cottage. Er ignorierte mich und lief nach oben. Minuten später war er wieder unten, seine gepackte Tasche in der Hand. Er stand in der Küche und funkelte mich wütend an.

»Ich gehe, Cathy. Ich kann das ganz einfach nicht mehr ertragen. Ich werde zu Hause in London sein. Du musst wirklich darüber nachdenken, was du hier tust. Unsere Ehe hängt an einem seidenen Faden. Wenn du sie retten willst, musst du dich ändern. Mir ist das ernst. Du musst dir das überlegen. Ich kann so nicht mehr leben.«

Und damit ging die Liebe meines Lebens durch die Tür hinaus. Und all mein Glück ging mit ihm.

Ich konnte es nicht ertragen. Ich schluckte meinen Stolz herunter und lief ihm nach. Er war bereits am Wagen.

»Fahr nicht, Chris. Ich brauche dich«, flehte ich herzergreifend.

»Nein«, sagte er müde. »Das ist zu viel. Du bist zu weit gegangen. Dieser Exorzismus ist der Gipfel des Irrsinns. Meine Catherine, meine alte Catherine, würde das wissen. Ich kann wirklich nichts mehr dazu sagen.«

Er fuhr weg. Weil auch ich ihm nichts mehr zu sagen hatte, nicht jetzt. Eloise vergiftete mein Leben, und ich musste sie loswerden.

In dieser Nacht schlief ich schlecht. Aber obwohl kein Chris neben mir im Bett lag, war zumindest auch keine Eloise da, die mich in meinen Träumen quälte.

Warum? Wohin war sie gegangen?

Ich wachte in den frühen Morgenstunden auf, wütend darüber, dass sie meine Ehe zerstört hatte. Aber meine Wut auf Chris war genauso groß. Was für eine Sorte Ehemann war das, der seine Frau sitzen lässt, wenn sie dringend Hilfe braucht?

Ich erlaubte mir, immer zorniger zu werden. Wie konnte er es wagen, nach London abzuhauen und mich hier mit den Kindern alleinzulassen? Wo war sein Verantwortungsgefühl geblieben?

Tom und Evie waren vom Strand zurückgekommen, nachdem ihr Vater gefahren war. Chris erzählte ihnen in einem Telefongespräch, er sei zu einem Notfall gerufen worden, und sie glaubten es. Sie waren daran gewöhnt, dass ihr Vater kurzfristig verschwand. Sie gingen davon aus, dass er bald zurück sein würde.

Als ich aufwachte, waren die beiden Jüngeren noch im Bett, aber Sam war auf. Er umarmte mich in der Küche.

»Mum? Es ist in Ordnung. Ich werde dir bei dieser Geschichte mit Eloise helfen.« Er brachte es nicht über sich, das Wort »Exorzismus« auszusprechen.

»Sam, du solltest das nicht tun müssen. Es tut mir so leid. Ich möchte, dass du, Tom und Evie heute nach Hause fahrt und mich hier mit diesem … Chaos fertig werden lasst. Ich werde das ein für alle Mal in Ordnung bringen.«

»Mum, ich denke, du brauchst mich. Da Dad glaubt, nicht hier sein zu können, werde ich hier sein. Aber ich stimme mit dir wegen Tom und Evie überein. Sie müssen nach Hause fahren.«

Ich fühlte mich krank vor Kummer. Warum vertraute ich, eine erwachsene Frau, auf meinen Sohn, mir durch die schlimmste Krise meines Lebens zu helfen?

Es war ganz klar falsch. Ich musste sie alle aus dem Haus haben, zu Hause in London.

Und sollte ich nicht auch nach Hause fahren? Diesen ganzen Spuk in Cornwall zurücklassen? Denn in London hatte sie mich tatsächlich nie belästigt. Ihr Geist, ihre Geschichte, unsere Verbindung war hier. Ich wusste nicht, warum oder wie, aber es war offensichtlich.

Ja, ich könnte mit den Kindern zurück nach London fahren. Versuchen, die Dinge mit Chris in Ordnung zu bringen. Und vielleicht, vielleicht würde der Geist von Eloise mich in Ruhe lassen. Vielleicht würde ihre Angst in Cornwall begraben bleiben. Und vielleicht würde ich nie wieder etwas von ihr hören müssen.

Ich musste nachdenken. Aber ich war wie vor den Kopf gestoßen. Ich hatte keine Ahnung, was ich ohne Chris machen sollte. Wie falsch war es, auf Sam zu bauen? Denn wenn ich den Exorzismus ohne Chris vorantrieb, würde der Mann, die Stütze, auf die ich mich verließ, mein ältester Sohn sein. War das richtig? Nein, offensichtlich nicht.

Aber was war die Alternative? Ich musste Eloise loswerden. Ich hatte keine andere Wahl. Und Chris dachte eindeutig, ich wäre verrückt, es zu probieren.

Ich beschloss, Tom und Evie mit dem Zug am nächsten Tag zurück nach London zu schicken. Egoistischerweise würde ich Sam bei mir behalten, während Father Pete den Geist von Eloise austrieb.

Aber natürlich hatte ich nicht mit Juliana gerechnet.

18

Sie rief gleich morgens an und lud uns alle ein, mit ihr und Arthur zu Mittag zu essen.

Evie war begeistert. Als sie die paar Brocken zusammen hatte, die sie von meinem Telefonat mitbekam, begann sie einen kleinen Tanz.

»Ach bitte, Mum, bitte, Mum, bitte sag Ja«, formte sie unhörbar mit ihren Lippen.

Und natürlich sagte ich zu.

Sam fuhr den Käfer, und wir kamen kurz nach Mittag in Roseland an. Juliana und Arthur erwarteten uns im Vorzimmer. Sie stürmte vor, um mich zu umarmen, und begrüßte dann charmant die Kinder. Arthur stand schüchtern hinter ihr, verlegen grinsend, als seine Urgroßmutter ihm meine drei Sprösslinge vorstellte.

»Arthur, du hast ja Cathy schon getroffen, und hier sind ihre drei Kinder, Sam, Tom und Evie. Ich dachte, es wäre schön für dich, wenn du jemanden in deinem Alter hättest, mit dem du reden könntest, während du hier bist. Arthur ist ein Verwandter aus Australien. Er ist für eine Weile rübergekommen, um etwas über seine Wurzeln zu erfahren.«

Juliana war taktvoll und verschonte meine drei Kinder mit einer langatmigen Erörterung der Vergangenheit. Wir würden es ihnen noch früh genug erzählen, dachte ich, und obwohl es so kompliziert war, ich kannte meine Kinder. Sie waren intelligent und gütig. Eloise' traumatische frühe Mutterschaft würde sie faszinieren, aber sie würden sie nicht verurteilen.

Ich schaute Arthur behutsam an. Ja, ich konnte Eloise in seinen Augen erkennen. Allerdings, sie war wunderschön gewesen, und auch er war es. Herzzerreißend schön, alle beide.

Das Mittagessen verlief gut. Arthur redete über Byron Bay, wo er in Australien lebte. Die Kinder waren fasziniert. Evie war schüchtern, natürlich, aber die Jungs schienen gut miteinander klarzukommen. Das Speisezimmer sah wie immer exquisit aus, der Tisch und der Kaminsims mit Vasen voller Rosen geschmückt.

Und das Essen war köstlich. Spargel mit Sauce Hollandaise, gefolgt von Seezunge auf Spinat mit neuen Kartoffeln. Und danach Erdbeeren mit Rahm. Alles in der Küche wunderbar zubereitet von Julianas loyalen Mädchen aus Fowley und elegant, wenn auch leicht schlurfend, serviert von Annie und Eric.

Nach dem Kaffee gingen Juliana und ich hinaus in den Garten. Die Kinder waren bereits mit einem Fußballmatch auf dem Rasen voll beschäftigt.

Juliana fragte mich, wie es mir gehe und wohin Chris so plötzlich verschwunden sei. Ich wollte es ihr wirklich nicht erzählen; die Art, wie er fuhr, was er gesagt hatte, erschienen so endgültig, als ob es kein Zurück gäbe. Stattdessen redete ich über meine Begegnung mit Father Pete in der Kirche von Talland.

»Wie geht es ihm?«, fragte sie. »Ist er immer noch der gleiche liebenswerte Mann, der er immer war? Er war so verständnisvoll, so fürsorglich und intelligent. Ich fände es schön, ihn wiederzusehen. Soll ich ihn zum Abendessen einladen?«

Ich schluckte. Ich musste ihr von Father Petes Vorschlag erzählen, Eloise' Geist zu vertreiben. Voller Beklommenheit tat ich es. Aber als ich versuchte zu erklären, warum der Priester und ich meinten, dieses außergewöhnliche Experiment durchführen zu müssen, starrte sie mich entsetzt an. »Was erzählst du da, Cathy? Du willst meine Tochter loswerden?«

»Nein, natürlich nicht. Ich habe sie geliebt, das weißt du. Und ich vermisse sie entsetzlich.«

»Warum willst du dann diesen vollkommenen Blödsinn dazu benutzen, um … was? Ich weiß nicht einmal, wie ich es ausdrücken soll. Sie auszutreiben, als ob sie böse wäre?«

Ich wollte am liebsten weinen.

»Nein, ich *weiß*, sie ist nicht böse. Aber sie verfolgt mich, Juliana. Sie verwüstet mein ganzes Leben. Chris hat mich ihretwegen verlassen.«

»Dich verlassen? Das hast du mir nicht erzählt. Er hat dich verlassen? Warum? Und wieso wegen Eloise? Meine Tochter ist tot, um Himmels willen. Du kannst sie ja wohl nicht für deine Eheprobleme verantwortlich machen.«

»Er hat mich verlassen, weil er denkt, ich verliere den Verstand. Und der Grund dafür ist … Eloise verfolgt mich, Juliana. Ich leide Qualen. Ich weiß nicht, was los ist. Ich weiß nur, dass Ellie seit ihrem Tod versucht, mich zu etwas zu veranlassen. Ich habe keinen Schimmer, zu was, aber irgendwie hat sie mein Leben übernommen. Sie hat keinen Platz für Chris oder irgendetwas anderes gelassen. Und nun denkt er, ich wäre verrückt, durchaus mit Grund, wenn man meine Krankengeschichte bedenkt. So ist das. Ich muss einen Weg finden, meinen Verstand wieder in Ordnung zu bringen. Und wenn Father Pete sagt, er könne helfen, dann reicht mir das.«

Juliana stand auf, aufgewühlt, aber majestätisch gefasst.

»Du musst tun, was du tun musst. Ich bin sehr bestürzt, natürlich bin ich das. Ich weiß, ich bin nur eine dumme alte Frau, aber ich dachte wirklich, ihr wart miteinander verbunden. Ich meine *richtig*, nicht wie dieser ganze überspannte Blödsinn in meinem Kopf. Aber wie du schon sagst, es ist dein Leben, und ich mag Chris sehr. Ich hasse es, daran zu denken, dass meine Tochter deiner Ehe derartige Probleme bereitet. Obwohl«, und sie schaute mich an, »ich bin mir nicht sicher, dass es wirklich Ellie ist, die zwischen euch steht. Du hattest so viele psychische Probleme, Cathy. Vielleicht ist das alles ein bisschen zu viel geworden für dich. Hast du daran gedacht, dass Chris vielleicht recht haben könnte, dass du eine Behandlung brauchst?«

Ich schaute sie an, voller Fassungslosigkeit und Verzweiflung. »Ich kann nicht glauben, dass du das sagst, Juliana. Ich dachte, du wärst meine Freundin, meine Verbündete. Und davon abgesehen, du hast Eloise doch auch gespürt, nicht wahr? Was ist mit *Sturmhöhe?* Du hast mir erzählt, sie habe es an deinem Bett gelassen, und dann habe ich es gelesen und sie auch gehört. Du hast gesagt, du fühlst, sie versucht, dich zu erreichen, dir etwas mitzuteilen.«

»Ja, das habe ich gefühlt. Ich habe dir zugetraut, meine Gefühle zu verstehen, zu erkennen, dass ich um meine Tochter trauere.«

»Aber ich habe dich verstanden, Juliana. Ich habe deine Unruhe über ihren Tod geteilt. Und jetzt versuchst du mir zu erzählen, dass ich verrückt bin, weil ich Eloise sehen kann, und sie mich braucht? Herrgott, was für eine Art Mutter bist du?«

Sie schluckte, gewann dann aber ihre stählerne Selbstbeherrschung wieder zurück.

»Ich werde dir sagen, was für eine Art Mutter ich bin. Eine, die so viel Schmerz durchlitten hat, wie du dir nicht in deinen schlimmsten Träumen vorstellen könntest. O ja, es ist großartig, dass du meine Tochter sehen kannst. Es hat mich so glücklich gemacht, als du mir das erzählt hast, aber was soll das nützen, wenn du dir das alles nur einbildest? Wenn du ernsthaft psychisch instabil bist, was Chris ja offensichtlich glaubt? Und ich hatte immer den höchsten Respekt für ihn. Er ist ein sehr angesehener Psychiater, und er weiß, wovon er redet.«

Juliana stand auf und marschierte ins Haus. Ich war schockiert. Ich fühlte, dass sich meine fragile Verbindung zur Realität wieder einmal gelockert hatte. Juliana war ein Prüfstein für mich. Jemand, an dem ich mitten in der Nacht festhalten konnte, wenn Eloise mich zu weiß Gott was bringen wollte. Juliana glaubte an mich, oder? Doch offensichtlich tat sie das jetzt nicht mehr.

Waren mir noch Freunde geblieben?

Sam rannte auf mich zu. »Bist du in Ordnung, Mum?«, fragte er. Als er sah, dass ich alles andere als das war, brachte er mich zu unserem kleinen Auto und setzte mich hinein.

»Ich hole Evie und Tom und verabschiede mich von Juliana.« Er gab mir ein Küsschen auf die Wange und lief los, um seine Geschwister einzusammeln.

Was für ein erstaunlich freundliches Kind er doch war. Es war ein Segen, ihn zu haben.

Als wir nach Talland zurückkamen, war eine nüchterne Ansage von Chris auf dem Anrufbeantworter. Er sagte mir, er erwarte, dass »die Kinder« morgen zu Hause seien. Er werde auf keinen Fall ihre Anwesenheit bei dem »haarsträubenden Ritual« dulden, das ich plante.

Ich war vollkommen isoliert. Ich hatte niemanden auf meiner Seite. Ich sah meine Zukunft als geschiedene Frau, psychisch labil, von ihrer Familie verlassen und ebenso von Eloise. Ted war ein rachsüchtiger Mann voller Hass, Juliana war wütend auf mich, weil ich Hoffnung auf eine Erklärung für den unerwartet plötzlichen und vorzeitigen Tod gemacht hatte, eine hoffnungslose Erwartung, der ich nicht gerecht werden konnte.

Ich war wirklich allein. Und jetzt? Ich hatte meine Kinder. Und vielleicht war das der einzige Weg nach vorn. Nicht nur meine Kinder, auch die von Eloise. Waren sie nicht der Grund für das alles?

Ich fühlte einen winzigen Schimmer von Optimismus aufscheinen. Ich kniete vor unserem Kaminfeuer, das brannte, weil der Abend trotz der Jahreszeit ungewöhnlich kühl geworden war, schloss meine Augen und flehte sie an: »Ellie, sag mir doch, was ich tun muss.«

Und als ich so in die tanzenden, fröhlichen Flammen schaute, öffnete sich zwischen den Holzscheiten ein tiefer, schwarzer Abgrund voller Leere und Verzweiflung. Und ich hörte eine Stimme, so weit entfernt, so traurig, so tränenerfüllt.

»Cathy, o Cathy. Es ist nicht viel Zeit. So viel, dass du wissen musst. Ich muss meine Babys retten.«

Mir kam plötzlich ein Gedanke und ich lehnte mich nach vorn.

»Morgen dann, Ellie. Wir treffen uns morgen, du, ich und Father Pete.«

Ein langer Seufzer, und sie war verschwunden.

Glücklicherweise hatten die Kinder die eisige Nachricht ihres Vaters über das »haarsträubende Ritual« nicht gehört. Sobald wir nach Hause gekommen waren, hatten sie sich mit ihren Freunden von nebenan auf den Weg gemacht, um auf einem Fischerboot aus Looe mitzufahren. Zwei nette Jungs, vollkommen betört von Cornwall und seinen Vergnügungen. Man konnte Makrelen fangen, und wer weiß, was noch? Sam war auch mitgefahren, und ich war froh darüber. Er hatte zu viel Verantwortung zu tragen. Was auch immer ich durchstehen musste, wie auch immer dies Chris und unsere Ehe beeinflusste, ich hatte die absolute Pflicht, die Kinder davon fernzuhalten. Hatte mich eine Art wilde Hysterie im Griff? Nein! Ich musste an dem Gedanken festhalten, dass Eloise mich wirklich brauchte. Das war hier kein romantischer kornischer Mythos – dies war real, eine Herausforderung, vor die sie mich stellte, um ihre Kinder zu retten. Ich konnte die Gefahr nun fühlen. Sie war nah und drängend. Gewiss, sollte ich wirklich meinen Verstand für den Rest meines Lebens verloren haben, war ich dem Untergang geweiht. Herrgott, was für eine Zukunft erwartete mich? Ich würde in einer Art Pflegeheim untergebracht werden müssen, unter Drogen gesetzt, nicht in der Lage, mit meinen Kindern oder meinem Ehemann zu sprechen. Denn sosehr ich ihn auch dafür hasste, dass er versucht hatte, mir Schlafmittel zu verabreichen; sosehr ich ihm übel nahm, dass er mich verlassen hatte, als ich seine Unterstützung mehr als zu jeder anderen Zeit in meinem Leben gebraucht hätte, ich liebte ihn immer noch. Das würde immer gelten.

Als die Kinder später von ihrem Angelausflug zurückkamen,

erzählte ich Tom und Evie, dass ihr Vater sie am nächsten Tag zurück in London haben wollte. Tom war es egal – er hatte Freunde dort, die er treffen konnte –, aber Evie war rebellisch.

»Warum?«, wollte sie wissen.

Ich war diplomatisch.

»Ich denke, Dad möchte sicher sein, dass ich so wenig wie möglich zu tun habe – er meint, ich brauche mehr Zeit zum Ausruhen und Erholen.«

»Aber warum kann ich nicht hierbleiben und dir dabei helfen?« Es war plötzlich still. Da meldete sich Tom vergnügt zu Wort: »Du weißt, warum, kleine Schwester. Das ist, weil Dad Mum nicht zutraut, taff genug zu sein, um alles für uns zu erledigen.« Er strahlte mich an und ich lächelte zurück. Lieber sollte er das denken, als die Wahrheit – dass seine Mutter kurz davor stand, ein Geister bannendes Ritual durchzuführen oder ihren Verstand zu verlieren.

Nach dem Abendessen, das aus der Makrele bestand, die sie an diesem Tag gefangen hatten, ausgenommen und gegrillt von Sam, schauten sie sich einen Film an, und ich stahl mich zum Telefon.

Father Pete nahm sofort ab. Ich legte ihm dar, dass die Kinder am nächsten Tag nach Hause fahren würden und dass es am Besten sei, wenn möglich, wenn wir den – äh – Gottesdienst morgen Nacht durchführten.

Ich hatte angenommen, wir würden das am Grab von Eloise tun oder in der Kirche, aber er sagte Nein. Das sei zu öffentlich, erklärte er. Sein Bischof würde das nie erlauben. Die Church of England bewege sich auf schwankendem Boden, was Exorzismus betraf. Sie biete »Befreiungs«-Gottesdienste an, aber sie ginge nicht gern mit dieser Tatsache hausieren, damit die Leute nicht meinten, die Kirche sei … Father Pete machte eine Pause.

»Ein bisschen meschugge?«, bot ich an.

Er lachte etwas gezwungen. »Nun, wissen Sie, wir müssen vorsichtig sein, dass die Öffentlichkeit uns nicht als zu abergläubisch ansieht.«

Ich verstand das, aber ich hielt es gleichzeitig für lächerlich. Immerhin war es Father Pete, der mir den Exorzismus vorgeschlagen hatte. Warum sich für etwas schämen, was er und seine Kirche für das Richtige hielten?

Aber ich war nicht in der Position, herumzustreiten. Ich wollte die Sache nur hinter mich bringen.

Pete räusperte sich. »Also, Cathy, ich denke, es ist sicherer, wenn wir es in Ihrem eigenen Zuhause machen.«

»Sicherer?«, fragte ich. »Wie meinen Sie das?«

»Nun ja, wir wissen, dass diese Rituale manchmal etwas unberechenbar sein können.«

»Was meinen Sie mit unberechenbar?«

»Es ist so, dass manche Menschen etwas … nicht unbedingt schlecht darauf reagieren, aber manche Individuen empfinden die Erfahrung als ziemlich extrem. Ich sage nicht, dass Ihnen das passieren wird, aber es ist am besten, Sie fühlen sich sicher in Ihrem eigenen Heim, umgeben von gewohnten Dingen.«

Ich war ruhig. Ich hörte eine warnende Stimme in meinem Kopf. »Er denkt, es könnte gefährlich sein, Cathy. Er denkt, du könntest ausrasten.«

Es war Eloise. Da war ich mir sicher. Ich verscheuchte den Gedanken. Ich hatte mich dazu verpflichtet. Es gab keinen anderen Weg, mich von dem inakzeptablen Einfluss zu befreien, den Eloise auf mein Gemüt ausübte.

Father Pete sagte, er komme morgen Abend ins Cottage und dass ich mir keine Sorgen machen solle. Es sei alles recht unkompliziert. Ich dachte, es wäre seltsam, in Anbetracht der Umstände so etwas zu sagen.

Dann erzählte ich ihm von Juliana und wie bestürzt sie gewesen sei, als ich ihr von meinem Plan berichtete.

»Ich werde sie sofort anrufen«, sagte Pete. »Ich bin sicher, ich kann sie davon überzeugen, dass wir Eloise, mit dem, was wir tun, nicht schaden werden. Es wird ihr helfen, Ruhe zu finden.« Und damit beendete er das Gespräch.

Zehn Minuten später rief Juliana an. Ihre Stimme war kalt. »Ich kann es nicht fassen, dass du diese Albernheit weiter vorantreibst. Ich habe Father Pete sehr deutlich gesagt, was ich davon halte – und von ihm. Aber wie auch immer, wenn du etwas derartig … Schreckliches tun solltest, was meiner lieben Tochter schaden kann, dann bestehe ich darauf, dabei zu sein. Pete sagt, er verstehe das und finde es gut, wenn ich teilnehme an etwas, was er sagt, ›Eloise' Seele befreien wird‹.« Ihr Tonfall war ätzend. »Ich kann nicht glauben, dass ich diesen Mann jemals ernst genommen habe. Noch, dass ich jemals geglaubt habe, du wärst Ellies Freundin. Aber ich werde da sein.« Und sie legte auf.

Das waren unwillkommene Neuigkeiten, obwohl ich einsah, dass Juliana natürlich ein Recht dazu hatte, dabei zu sein. Für einen Moment sehnte ich mich nach Chris, nach seiner Umarmung. Ich sehnte mich nach Trost und Zuneigung. Aber ich war vollkommen allein in diesem Meer der Feindseligkeit.

Ich hatte eine sehr schlimme Nacht. Eloise kam nicht zu mir durch, aber ich hatte fürchterliche Träume: Meine Mutter, die mir sagte, wie boshaft ich sei, auch nur daran zu denken, Eloise von den Toten zurückzubringen. Ich versuchte ihr zu sagen, ich sei es nicht, ich würde nur versuchen, uns beide zu befreien von etwas, das sie offensichtlich quälte und mich terrorisierte, aber sie wollte nichts davon hören.

»Du bist ein gemeines, selbstsüchtiges Mädchen, Catherine. Bist es immer gewesen. Und immer ein bisschen weich in der Birne, immer mit solch dämlichen Ideen wie dieser. Schau dir nur die ganzen lächerlichen Träume an, die du beim Tod deines Vaters gehabt hast. Deine Vorstellungen von Geistern und dergleichen beweisen, du bist nicht ganz richtig im Kopf. Das hat die ganze

Familie immer schon gedacht. Ich weiß nicht, warum Christopher dich geheiratet hat. Er verdient was Besseres als dich. Es wird böse mit dir enden, weißt du. Ich habe das immer gesagt.«

Ich wachte auf, Tränen strömten über meine Wangen. Ich fühlte mich mutterseelenallein. Alles war meine eigene Schuld. Meine Mutter hatte recht. Sie hatte mir immer gesagt, ich sei sonderbar. »Du suchst dir die schlimmsten Gedanken in deinem Kopf aus, heftest sie an die Wand und beobachtest, wie sie sich winden wie die Würmer«, sagte sie mir eines Tages im Haus meiner Familie in Manchester. Sie war stolz gewesen, als sich herausgestellt hatte, dass ich klug war und auf die Universität ging – schließlich ließ das auch sie in einem guten Licht erscheinen –, aber wir waren nie gut miteinander ausgekommen. Die Liebe, die sie für mich aufbrachte, stellte Bedingungen. Ich hatte gut abzuschneiden, hart zu arbeiten und mir ihre Anerkennung zu verdienen. Wenn ich das nicht tat, hielt sie sie zurück. Als Ergebnis war ich sehr nachgiebig mit meinen eigenen Kindern gewesen. Ich sagte ihnen, dass ich sie bedingungslos liebte, für immer und ewig, egal was sie täten. Chris war der Zuchtmeister in unserer Familie. Er rüffelte mich manchmal für meine Laxheit, aber er wusste auch, woher sie kam. Er kannte meine Mutter. Manchmal, wenn wir über sie nach ihrem Tod redeten, nahm er mich in den Arm und lachte. »Allmächtiger Gott, kein Wunder, dass du eine Verrückte bist.« Und er küsste mich und half mir, mich selbst gut zu finden.

An Chris zu denken ließ mich nur noch mehr weinen. Sollte ich ihn anrufen? Ich sehnte mich danach, seine Stimme zu hören, aber nicht die kalte, die er bei mir in letzter Zeit verwendet hatte. Wenn ich ihm erzählen würde, ich käme heute nach Hause, würde mit den Kindern den Zug nach Paddington nehmen, wäre er dann wieder lieb zu mir? Könnten wir über all das hinwegkommen, würde er mich wieder lieben?

Aber ich wusste natürlich, wie seine Bedingungen aussehen würden. Kein Unsinn mehr über Eloise. Und das konnte nur bedeuten: kein Cornwall mehr. Weil ich ihr hier nicht entfliehen konnte. Und das würde bedeuten, das Cottage zu verkaufen, das ich so viele Jahre lang geliebt hatte. Das hieße, mein Cornwall, meine klaren grünen Morgenstunden, meine wunderschöne, blaue, krachende Meeresbrandung wären mir für immer verwehrt.

Ein kleiner Preis, um meine Ehe zu retten? Vielleicht. Aber ich würde ihm das immer übel nehmen. Talland Bay bedeutete mir mittlerweile alles. Ein kleines Stück vom Paradies, wo ich glücklicher war als irgendwo sonst – zumindest bis zu den unliebsamen Besuchen von Eloise.

Ich fühlte eine Woge von Trotz hochsteigen, sogar Zuversicht. Ich konnte beides haben, dachte ich. Ich konnte Chris haben und Cornwall behalten, wenn ich nur von Eloise' Geist befreit werden könnte. Und das war, was Father Pete mir versprochen hatte. Ich musste nur den Mut aufbringen, nur noch einen Tag. Und dann würde alles in Ordnung sein. Da war ich mir sicher.

19

Am nächsten Morgen verabschiedete ich mich mit Küssen von Tom und Evie. Sam fuhr sie zum Bahnhof in Liskeard und dann, versprach er mir, würde er mich zum Mittagessen ausführen. Evie war wütend. »Warum könnt ihr beide zum Essen ausgehen, und Tom und ich müssen nach Hause fahren?«, fauchte sie.

Natürlich wusste ich, warum sie so sauer war. Es war, weil sie Arthur hier zurückließ, den Jungen, von dem sie sicher war, er sei die Liebe ihres Lebens.

Ich drückte sie, erzählte ihr, ein paar Tage Ruhe würden mir wirklich guttun und dass sie am nächsten Wochenende zurückkommen könne. Ich flüsterte ihr zu, sodass ihre Brüder es nicht hören würden, dass Arthur ziemlich lange bei Juliana bleiben würde. Also würde sie ihn auf jeden Fall wiedersehen.

Wieder besänftigt, küsste sie mich und stieg mit Tom und Sam in den Wagen. Nach langem, übertriebenem Winken waren sie weg.

Ich wusste nichts mit mir anzufangen. Ich fühlte mich wie der junge Student in dem Film *American Werewolf,* während er, nicht ahnend, dass er von einem Werwolf gebissen wurde und dabei ist, sich in einen zu verwandeln, ruhelos um Jenny Agutters Wohnung herumstreicht, während der Neumond seine Verwandlung ankündigt. Ich hoffte, ich würde mich in nichts anderes verwandeln als in eine Frau, die von der Last eines Geistes befreit wurde, aber ich fühlte mich seltsam, nervös und beklommen. Etwas wirklich sehr Absonderliches würde heute Abend geschehen, so viel war klar.

Selbst wenn sich das ganze Procedere als ein lächerlicher Fehlschlag entpuppen sollte, ich hatte mich einer Vorgehensweise anvertraut, die fremdartig war, nicht nur bezüglich meiner Ansichten, sondern der gesamten Philosophie des 21. Jahrhunderts entgegengesetzt, so wie ich sie verstand. Und wie Chris sie verstand. Und Juliana.

Was in Gottes Namen tat ich da?

Sam kam zurück, und wir gingen in das Hotel nebenan zum Mittagessen. Unnötig zu sagen, dass er mich nicht »ausführte«. Mum zahlte wie immer die Rechnung. Aber ich war ihm dankbar für seine Gesellschaft, seine Freundlichkeit und seiner Weigerung, anzuerkennen, dass heute Abend etwas Furchterregendes passieren würde.

Nach dem Mittagessen ging er zurück ins Cottage, während ich zum Strand hinunterspazierte und mich auf eine Tasse Tee in das nette kleine Café setzte, nachdem ich um die Felsen herumgewandert war. Als ich so auf unsere wunderschöne Bucht starrte, merkte ich, wie ich mich entspannte. Das Meer war ruhig, die Sonne strahlte, und das wärmende Wohlwollen der Natur war, wie so oft in unserem kleinen, magischen Umfeld, fast greifbar. Es war unmöglich, sich hier an unserem Strand eine Bedrohung vorzustellen, zu denken, dass das Böse einen Platz in unserem friedvollen Dörfchen hatte.

»Juhuu, Cathy!«, hallte eine Stimme vom Klippenpfad. Ich schaute hoch. Es waren Winnie und ihr Mann Wilf, begleitet von ihrem betagten Labrador Jasper. Ich stand auf und winkte, und sie kamen auf meinen Tisch zu. Ich bat Neil, uns mehr Tee zu bringen, und sie setzten sich mit dem zufriedenen Leuchten eines älteren Ehepaares hin, das einen flotten Fußmarsch hinter sich hat und den positiven Effekt spürt.

Ich hatte Winnie seit dem Sonntag nicht mehr gesehen, als sie mir erzählt hatte, dass sie Eloise auf dem Friedhof gesehen hatte. Das war äußerst beunruhigend gewesen. Aber ausgerechnet heute, dem Tag, an dem ich in einem makabren Ritual meiner toten

Freundin entgegentreten sollte, das dazu gedacht war, sie aus meinem Leben zu entfernen, fühlte ich, wie sich auf meinem Nacken die Haare aufstellten.

Winnie machte Eloise sofort zum Thema. »Ich habe wirklich gehofft, dass ich Ihnen bald wieder über den Weg laufe, meine Liebe«, sagte sie, während sie mit Jaspers Leine herumfummelte. »Weil Wilf und ich heute Morgen wieder Eloise gesehen haben, nicht war, Wilf?«

Wilf, schon immer ein Mann weniger Worte, nickte.

»Und das Witzige daran ist«, fuhr seine Frau fort, »wir sahen sie an genau dem gleichen Platz wie letztes Mal. Auf dem Friedhof. Aber diesmal«, und sie funkelte mich eindringlich an, »war Wilf mit dabei, und er hat sie auch gesehen, nicht wahr, Wilf?«

Er nickte wieder.

Ich erinnerte mich daran, wie böse sie mir gewesen war, als ich ihr sagte, dass sie Eloise unmöglich gesehen haben könne. Sie dachte, ich würde ihr unterstellen, Probleme mit ihrem Gedächtnis zu haben, und ältere Menschen hassen das. Mit gutem Grund, dachte ich. Chris hatte mir erzählt, meine Psyche sei nicht verlässlich, als ich davon redete, Ellies Geist gesehen zu haben. Es ist schrecklich, als vollkommen verrückt abgetan zu werden, oder in Winnies Fall als senil. Ich fühlte mit ihr, aber ich wusste immer noch nicht, was ich sagen sollte.

»Allerdings ist es schon komisch«, erzählte die alte Dame weiter. »Ich habe genau wie letztes Mal versucht, mit ihr zu reden, aber sie schien uns nicht wahrzunehmen. Und dann ging sie einfach, aber ich habe nicht gesehen, wohin. Die eine Minute war sie noch da, und in der nächsten verschwand sie. Es erschien mir etwas unhöflich, und ich dachte niemals, Eloise wäre unhöflich. Sie ist so gut erzogen, und sie hat immer so gute Manieren gehabt. Immer gerne bereit zu einem Schwätzchen, wenn wir uns beim Einkaufen in einem der Geschäfte in Polperro über den Weg liefen. Wie auch immer, ich war etwas verstimmt, nicht wahr, Wilf?«

Mit wachsamer Miene nickte Wilf erneut.

»Also dachte ich, ich versuche sie zu finden und lasse sie an meinen Gedanken teilhaben. Sie konnte ja nicht allzu weit gekommen sein, nicht auf einem derart hügeligen und steilen Friedhof. Ich dachte, sie wäre vielleicht in die Kirche gegangen, also marschierte ich ihr hinterher. Sie war zwar nicht drin, aber dafür diese herrische alte Soundso aus dem Eisladen in Looe. Wie war noch mal ihr Name, Wilf?«

Wilf, immer noch auf der Hut, sah jetzt auch ein bisschen gehetzt aus.

»Clara Boot«, antwortete er mürrisch.

»Boot … genau, ein richtiger Stinkstiefel, unangenehm diese Frau, wenn Sie mich fragen«, erwiderte seine Frau aufgebracht. »Jedenfalls, sie arrangierte die Blumen um, obwohl ich keine Ahnung habe, wieso sie meint, sie habe das Recht dazu. Sie lebt noch nicht einmal in der Gemeinde. Ich fragte sie also, ob sie Eloise gesehen habe, weil sie gerade auf dem Friedhof gewesen und dann plötzlich verschwunden sei, ohne Hallo zu sagen. Ich sagte zu Clara Boot, dass es mir so vorkomme, dass die guten Manieren in diesem Teil Cornwalls dahinschwinden. Zu viele Zugezogene, wenn Sie mich fragen, und ich wollte mit ihr darüber reden.«

Sie machte dramatisch eine Pause, lehnte sich zu mir hinüber und senkte ihre Stimme.

»Und wissen Sie, was die alte Boot mir antwortete? Ich habe nie in meinem Leben etwas Boshafteres gehört. Sie sagte: ›Aber Mrs Wharton, was meinen Sie denn? Sie können Eloise Trelawney nicht gesehen haben. Das arme Mädchen ist tot, wussten Sie das nicht?‹ Nun, ich war so schockiert, dass ich mich erst einmal hinsetzen musste. Clara Boot fragte, ob ich in Ordnung sei. Natürlich war ich das, aber was für ein Spiel spielte sie da, mir so einen bösartigen Unsinn zu erzählen? Ich brauchte etwas frische Luft, also ging ich nach draußen, und sie folgte mir. ›Schauen Sie da drüben, Mrs Wharton‹, sagte sie und deutete in Richtung des

Platzes, wo wir Eloise gesehen hatten. ›Das da drüben ist das Grab des armen Mädchens. Sie wurde erst im Januar begraben, deshalb hat es noch keinen Grabstein. Man muss erst warten, bis der Boden sich gesetzt hat.‹ Also, das wusste ich natürlich. Wollte sie mich für dumm verkaufen? ›Sie ist an Krebs gestorben, wissen Sie‹, sagte diese dumme Person. ›So eine Tragödie, so jung, und ihre prächtigen kleinen Mädchen hat sie ohne Mutter zurückgelassen. Ihr Mann war außer sich vor Trauer.‹ Nun, ich hatte die Nase voll. Warum erzählte sie mir derart gemeine Lügen? Ich habe hier mein ganzes Leben lang gelebt. Glaubt sie, ich würde nicht wissen, wenn ein Mädchen von hier gestorben wäre? Und dann sagte sie: ›Aber natürlich, es ging Ihnen ja nicht gut, Mrs Wharton. Sie waren im Krankenhaus, und seit Sie wieder draußen sind, sind Sie noch nicht so viel rumgekommen. Wahrscheinlich wussten Sie deshalb nicht, dass sie gestorben ist.‹ Also wirklich, wie kann sie es wagen, mich derart herablassend zu behandeln? Ich habe eine Menge Freunde hier. Natürlich hätte ich erfahren, wenn etwas Derartiges passiert wäre, und das habe ich ihr auch gesagt. Dann sagte sie, mit diesem falschen verständnisvollen Blick, den sie an sich hat: ›Tja, meine Liebe, das ist, weil es Ihnen so schlecht ging. Sie wollten Sie wahrscheinlich nicht beunruhigen.‹ Nun, ich habe mich zu ihr umgedreht und ihr gesagt, was ich von ihr halte. Ich hab ihr gesagt, sie solle sich was schämen, solch bösartige, gemeine Lügen zu verbreiten. Und noch dazu dort, auf geweihtem Boden. Das sei Gotteslästerung, habe ich gesagt. Nicht wahr, Wilf?«

»Ja, mein Liebes«, antwortete der elend aussehende Wilf.

Winnie schwieg eine Minute lang. Dann schaute sie mich mit Tränen in den Augen an. »Wir haben sie gesehen, wissen Sie. Wir beide. Sie kann nicht tot sein, oder? Natürlich nicht.«

Ich wusste nicht, was ich sagen sollte. Sie flehte mich an, ihr zu bestätigen, dass in ihrer Welt alles in Ordnung sei, dass Ellie immer noch lebte, aber ich konnte nicht. Ich konnte sie aber auch nicht noch mehr aufregen oder erschrecken, indem ich ihr sagte, dass Mrs Boot recht hatte. Sie sah aus, als ob eine weitere Enthüllung sie umbringen könnte. Ich weiß, es war feige von mir, aber ich würde Father Pete bitten, bei ihr vorbeizuschauen und alles aufzuklären. Irgendwie würde er alles geradebiegen. Also lächelte ich nur, nahm ihre Hand und drückte sie beschwichtigend.

»Alles ist in Ordnung, Winnie. Alles ist in Ordnung. Gehen Sie nach Hause und legen Sie die Beine hoch. Sie hatten einen anstrengenden Tag. Hey, wir werden bald diesen Sherry miteinander trinken, okay?«

Ich schaute Wilf an. Er starrte mich vielsagend an, nur einen Moment lang. Wilf wusste, was los war, dachte ich. Er kannte die Wahrheit, aber er wollte seine Frau beschützen. Sie erhoben sich beide. Die arme Winnie hatte ihren Tee kaum angerührt. Wackelig griff sie nach dem Arm ihres Mannes. Ich küsste ihre Wange.

»Kümmern Sie sich um sie, Wilf.«

Er nickte, und als sie so mit ihrem braven Jasper vorneweg davongingen, drehte Wilf sich noch einmal kurz um und formte lautlos ein »Danke« mit seinen Lippen.

Nachdem sie gegangen waren, schaute ich vom Strand hoch zur Kirche, die so friedvoll auf der Klippe schwebte und unser kleines Dorf beschützte, mit ihrem gleichmütigen Blick aufs Meer hinaus. Sie sah so beruhigend, so stark aus, als ob nichts ihre jahrhundertealte Ruhe stören könnte, mit der sie über uns wachte, unsere Sicherheit bewahrte. Ich marschierte den Hügel hinauf und durch das überdachte Friedhofstor. Da, zu meiner Rechten, war das Grab von Eloise. Still war es jetzt. Immer noch bedeckt mit frischen Blumen. Wer hat sie wohl dahingelegt?, wunderte ich mich. Ich konnte mir Ted nicht vorstellen, wie er das Grab besuchte und die wunderschönen weißen und pinkfarbenen Rosen aussuchte, die Eloise so geliebt hatte. Nicht mit so viel Hass in seinem Herzen. Es muss Juliana gewesen sein. Und plötzlich war ich von Schuldgefühlen erfüllt. Ich hätte anbieten sollen, mich um Ellies Grab zu kümmern. Ich wohnte nur die Gasse hoch, viel näher als Juliana, die es mit fünfundsiebzig sehr ermüdend finden musste, so oft von Roseland herzukommen. Andererseits fand sie wahrscheinlich Trost darin, sich um ihre Tochter zu kümmern, selbst im Tod.

Ich seufzte, starrte das Grab an, wollte, dass Eloise mir erschien genau wie Winnie Wharton. Aber die Luft war unbewegt, der Friedhof verlassen und voller Beschaulichkeit, der Duft der Rosen unwiderstehlich für die Sinne. Ohne zu wissen, wie es geschah, fühlte ich mich sehr ruhig.

20

Es war sieben Uhr. Sam und ich waren im Wohnzimmer im Cottage und taten so, als würde nichts Ungewöhnliches passieren. Er hatte ein Feuer im Kamin angezündet, und ich machte die Lampen an, obwohl es draußen noch hell war. Wärme und Helligkeit erschienen unerlässlich. Wir waren dabei, etwas Fremdartiges zu veranstalten, etwas, was wir mit Kälte und schwarzem Grauen verbanden. Irgendwie war ich entschlossen, dass das, was in meinem Haus stattfinden sollte, meinen Regeln zu folgen hatte. Es würde nicht Furcht erregend sein; wir würden Eloise' Freiheit und meine Befeiung von der Angst feiern.

Father Pete trat an der Küchentür ein. Unbekümmert, als Zeichen guter Vorstadtmanieren, bot ich ihm einen Drink an. Zu meiner Erleichterung nahm er einen Whisky an. Genau genommen sah er so aus, als ob er ganz dankbar für einen Schuss Alkohol wäre. Er war bleich, verlegen und unbehaglich – genau, was man braucht, wenn man bei sich zu Hause einen Priester hat, der zuständig für eine obskure religiöse Zeremonie ist, die einen Geist und Satan mit einbezieht. Wenn *er* nicht zuversichtlich war, dass es funktionieren würde, dann helfe Gott Sam und mir.

Tatsächlich machte ich mir über Sam die meisten Sorgen. Er benahm sich wie der junge Gastgeber einer elterlichen Party, bemüht, hilfreich zu sein, und herzzerreißend vergnügt.

Nach zwanzig Minuten Small Talk hatte ich genug.

»Ich denke wirklich, wir sollten jetzt anfangen. Könnten wir durchsprechen, was passieren wird und was ich tun muss?«

»Wir sollten auf Juliana warten, Cathy. Sie wollte mit dabei sein. Und ich denke, es wäre besser, wenn wir die Lampen ausschalten.«

Warum?, wunderte ich mich. Weil das Okkulte zwangsläufig dunkel war? Aber warum erlaubte ich dem Okkulten, in mein prächtiges, heimeliges, kleines kornisches Nest einzudringen?

Die Ruhe, die ich heute unten am Strand gefühlt hatte, und der Friede, der am Grab von Eloise zu mir durchgeschimmert hatte, begannen zu schwinden. Ich konnte nicht länger auf Juliana warten. Hier ging es um Eloise und mich. Nicht um ihre Mutter.

Auf mein Zeichen hin schaltete Sam die Lampen aus, wiewohl die Holzscheite weiterbrannten, unpassend heiter in der plötzlichen Dunkelheit.

Father Pete hatte eine schwarze Reisetasche mitgebracht. Aus ihr nahm er eine violette Stola, Kerzen und ein Fläschchen Öl. Ich fühlte mich plötzlich ganz elend. Worauf um Himmels willen hatte ich mich da eingelassen?

Ich trank einen Schluck Wein. Der Priester sprach mit sich selbst, über seine heiligen Utensilien hinmurmelnd. Er fing an, die Kerzen anzuzünden und sie im Zimmer zu verteilen, wobei er dem Kaminsims und dem Kamin besondere Aufmerksamkeit schenkte. Ich fragte ihn nervös, warum.

»Die Feuerstelle ist das Heim des Familienlebens, Cathy. Wenn wir die reinigen, reinigen wir auch Sie und Ihre Lieben vom Bösen.«

Hysterie brodelte in meiner Brust hoch. Das war lächerlich. Vollkommen unmöglich, dass ich an diesem absurden Ritual teilnehmen könnte. Ich blickte zu Sam. Er versuchte offensichtlich, ein Lachen zu unterdrücken.

Okay, das war's, dachte ich. Ich näherte mich Father Pete, kurz davor, ihm zu sagen, dass die ganze Sache ein dummer Fehler sei, und mich dafür zu entschuldigen, dass ich seine Zeit verschwendet hatte.

Und dann krachte es gewaltig. Die Küchentür flog auf und schlug sofort wieder zu. Erschrocken klammerte ich mich an Sam. Da, in meiner Küche, vor meinem Herd, stand Juliana.

Und neben ihr, grausam und grollend, stand Ted.

Seine Augen funkelten voll Hass, er starrte mich an. »Was zum Teufel geht hier vor?«, sagte er. Ich schaute Juliana an.

»Warum ist *er* hier, Juliana?«, fragte ich.

»Ich dachte, er hätte ein Recht zu wissen, dass du etwas Obszönes planst, das Andenken an seine verstorbene Frau entweihst. Dass du behauptest, sie suche dich heim, dass sie böse sei, dass sie ausgetrieben werden muss. Das ist ziemlich schrecklich, weißt du, Cathy. Und Ted ist meiner Meinung.«

Ich lachte, erinnerte mich, wie Ted seine »verstorbene Frau« beleidigt hatte, als ich ihn oben auf der Klippe getroffen hatte. Jetzt war ich wirklich wütend.

»Juliana, er hat Eloise *gehasst.* Hat sie dafür gehasst, dass sie ihm nicht ihr ganzes Geld hinterlassen hat. Das hat er mir gesagt. Und er hat mich bedroht.«

Doch Juliana war unversöhnlich. »Ich denke, was du da tust, ist Ekel erregend, Cathy. Und ich wusste, du würdest nicht auf mich hören. Also habe ich Ted gebeten, mich zu begleiten.«

»Ah, ich verstehe. Du denkst, er könnte mich abschrecken, mich einschüchtern. Nun, da hast du dich geirrt. Das hier ist eine Sache zwischen Eloise und mir. Das hat nichts mit ihm zu tun.«

Eine leichte Brise hatte die Zweige der Trauerweide draußen bewegt. Als ich diese Worte sagte, verstärkte sich der Wind, und die kaskadenförmigen Zweige fingen an, hin und her zu schlagen, als wären sie erregt. Meine Stimmung hatte vollkommen gewechselt. So unentschlossen und unbehaglich ich vorher gewesen war, jetzt hatte Teds Anwesenheit meinen Zorn erregt. Ich war entschlossen, mit Father Petes Prozedur weiterzumachen. Ich war der Drohungen müde, der Angst und gestörten Nächte. Ich wandte mich an den Priester.

»Machen Sie weiter, Pete. Lassen Sie uns weitermachen.«

Ted kam auf mich zu, sein Gesicht von Wut entstellt. Innerhalb einer Sekunde stand Sam zwischen uns. Er war größer als Ted, was ihm einen Vorteil verschaffte, aber er war auch viel schmaler. Ted war stämmig, seine Muskeln gestählt vom Surfen.

»Ich denke nicht, dass du meine Mutter bedrohen solltest«, sagte Sam ruhig.

Ted starrte ihn einen Moment an. »Und ich denke nicht, dass sie das Andenken an meine Frau entweihen sollte«, antwortete er.

»Was auch immer du von dem hältst, was meine Mutter tut, es steht ihr vollkommen frei, einen Priester in ihrem eigenen Zuhause um Hilfe zu bitten. Du gehörst nicht hierher. Geh jetzt, oder ich rufe die Polizei.«

»Lass ihn«, sagte Father Pete unerwartet. »Er wird sehen, dass wir es nicht böse meinen.« Er drehte sich zu Ted um. »Ich verstehe Ihre Bedenken, Ted. Aber ich will lediglich ein Gebet für die Ruhe der Seele von Eloise darbringen. Dagegen können Sie sicher nichts haben. Und Sie, Juliana. Natürlich weiß ich, wie tief Ihre Trauer ist. Aber bleiben Sie da und schließen Sie sich unseren Gebeten an, in diesem Haus, das Ihre Tochter kannte und liebte, und mit der Freundin, die sie liebte und ihr nichts als Frieden wünscht.«

Es war still. Juliana hatte Tränen in den Augen. Sie durchquerte den Raum und umarmte mich. Nun war ich selbst in Tränen aufgelöst. Ted blieb, wo er war. Er sah mürrisch aus, aber die extreme Wut war gewichen.

Das Licht draußen nahm ab. Father Pete begann zu beten. Wir neigten unsere Köpfe.

Er betete zu Gott, Eloise ewige Ruhe zu schenken. Dann zündete er die Kerzen um den Kamin herum und auf dem Kaminsims an. Er legte die Stola um den Hals und bedeutete mir, mit zu ihm zum Feuer zu treten. Gehorsam stand ich neben ihm, und er schlang das andere Ende der Stola um meine Schultern.

Die anderen, im Schatten hinter uns gruppiert, waren angespannt und stumm.

Ich fühlte mich augenblicklich ungeheuer selbstbewusst, und dann unterwarf ich mich mehr und mehr dem eindringlichen Willen des Priesters.

»Herr, unser Gott, bitte segne Deine Dienerin, Catherine. Bitte befreie sie von der Qual und lasse ihren Geist Ruhe finden. Bei Deiner Gnade, bring ihr Frieden.«

Er öffnete das Fläschchen mit dem heiligen Öl und murmelte einen Segensspruch. Dann befeuchtete er seinen Finger mit der Flüssigkeit und wandte sich mir zu.

»Catherine, ich segne dich im Namen des Herrn.« Und er zeichnete ein Kreuz auf meine Stirn.

Er hielt ein kleines zeremonielles Kreuz vor die Kerze im Zentrum des Kaminsimses, beugte seinen Kopf und begann wieder zu beten. Ich lauschte andachtsvoll und scheu seinen Worten.

»Herr, bitte lass Deine Dienerin Eloise in Frieden ruhen. Nimm sie an Deine Seite und befreie sie aus der gottlosen Welt, die sie jetzt bewohnt.« Ich hörte einen geraunten Protest hinter mir. Juliana gefiel das nicht, aber die Stimme des Priesters wurde lauter, während er sein Gebet fortführte. »Wir bitten Dich, Herr, in Deiner unendlichen Weisheit, erlaube Deiner Dienerin Eloise, ihre geliebte Freundin Catherine unbehelligt von bösen Geistern ihrer Wege gehen zu lassen. Wir bitten Dich, die Dämonen zu verbannen, die versuchen, Catherines Seelenfrieden und den ihrer Familie zu zerstören. Vor allem verbanne den Dämon, der sich als ihre Freundin Eloise maskiert, der ihr so viel Kummer bereitet. Denn durch Deine Gnade wissen wir, dass solche Heimsuchungen eine Manifestation Satans sind und besiegt werden müssen.« Seine Stimme wurde lauter, eindringlich und voll Zuversicht. »In Deinem Namen, Herr, lege ich diesem bösen Geist, dieser Wesenheit, die sich Eloise nennt, die Verbannung aus diesem Haus und aus Talland Bay auf, und gebiete ihr, Deine Dienerin Catherine nicht mehr zu belästigen. Denn diese Kreatur ist nicht Eloise, sondern ein Werkzeug des Satans. Im Namen des Vaters, des Sohnes und des Heiligen Geistes, lass ihn ziehen, um sich seinem teuflischen Meister anzuschließen. Wir danken Dir, Gott. Amen.«

Dann herrschte vollkommene Stille. Ich nahm nichts außer den flackernden Kerzen in der mich umgebenden Dunkelheit wahr. Ich fühlte mich etwas unwohl. Ich schwankte und dachte, ich könnte ohnmächtig werden. Ich drehte mich um, um die anderen anzuschauen. Sam, von Ehrfurcht ergriffen durch die unerwartete Kraft von Father Petes Worten. Ted, verblüfft und ungläubig. Und Juliana, kreidebleich und in Schrecken versetzt.

Und plötzlich brach die Hölle los. Der Wind, der die Zweige der Trauerweide hin und her peitschte, begann zu brüllen. Äste krachten und fielen von Bäumen auf das Dach und um das Haus herum auf den Boden. Der Krach war ohrenbetäubend.

Sogar das Meer stimmte ein. Unsere freundliche Bucht wurde zum rasenden Monster. Ungläubig sah ich, wie sich Wellen gegen die Fenster unseres Cottage' schleuderten, das sich etwas weniger als einen Kilometer vom Strand entfernt in einen kleinen Talkessel schmiegte. Es war, als ob das Meer selbst sich erheben würde, um den Geist von Eloise zu rächen, und die Gasse hochmarschiert kam, um uns zu ersäufen.

Ich glaubte, Juliana schreien zu hören. Ich selbst schrie auch. Aber es sollte noch schlimmer kommen. Als das Meer gegen unser Haus krachte und brüllte, hörte ich eine Stimme durch den gewaltigen Lärm gellen. Sie durchbohrte meine Ohren und mein Herz. Eloise.

»Cathy, nein! Wie kannst du das tun? Wie kannst du mich verbannen? Es ist nicht, was du denkst. Ich bin nicht böse. *Er* ist es. Ich dachte, du weißt das, ich dachte, du hast verstanden. Wenn du mich jetzt verlässt, werden meine Kinder sterben. Bitte, Cathy, bitte. Ich flehe dich an. Hilf mir.«

Schließlich wurde ich ohnmächtig.

Als ich wieder zu mir kam, schwebte ein Trio von besorgten Gesichtern über mir – Sam, Juliana und Father Pete. Ich kämpfte mich zum Sitzen hoch, und sie halfen mir aufs Sofa, auf dem ich zusammenbrach. Meine Beine zitterten, und mein Geist war erschüttert vom Schock.

Sam brachte mir ein Glas Wasser, aber Father Pete meinte, ich könnte etwas Stärkeres gebrauchen, und gab mir ein Glas Whisky. Ich schüttete ihn runter, und das mulmige Gefühl im Magen ließ etwas nach. Ich schaute Juliana an.

»Hast du sie gehört?«, fragte ich. Sie sah verwirrt aus.

»Nein, meine Liebe. Wen gehört?«

Jetzt war ich zornig. Alle drei sahen besorgt aus, hatten aber offensichtlich keine Ahnung, wovon ich sprach. Wen gehört? Ja, was glaubten sie wohl, wen ich meine? Warum waren sie alle hier?

»Eloise natürlich. Habt ihr ihre Stimme nicht gehört?«

Sie schüttelten die Köpfe und schauten sich dann gegenseitig an. Ich kannte diesen Blick. Sie glaubten, ich wäre wieder durchgedreht.

»Sie hat zu mir gesprochen. Vielmehr mich angeschrien. Sie sagte, ich hätte alles falsch verstanden. Sie sagte, sie sei nicht böse. Sie sagte, *er* sei es.« Ich schaute mich fieberhaft im Raum um. »Wo ist er?«, rief ich.

»Ted?«, fragte Father Pete.

»Ja. Ted. Er ist das Problem. Ist es immer gewesen.«

Juliana schaute ängstlich. »Er ist gerade gegangen. Er war … nun, er war wütend. Er sagte nur, er habe genug von diesem …« Vornehm wie immer, schaute Juliana ängstlich Sam und Father Pete an, aber dann beschloss sie, es rauszulassen. »Er sagte, er habe genug von diesem ›verdammten Blödsinn‹, und ist dann gegangen.«

»Aber wie konnte er gehen? Was ist mit dem Meer?«

»Dem Meer, Mum? Was meinst du?« Sams hübsches Gesicht sah verdutzt und besorgt aus.

»Es ist rings ums Haus. Bis aufs Dach hinauf. Kannst du es nicht sehen?« Sogar ich wusste, dass ich hysterisch klang. Denn als ich aus den Fenstern schaute, gab es nichts anderes zu sehen als die schwarze kornische Nacht.

»Aber habt ihr es denn nicht gehört? Die Wellen. Sie krachten gegen die Fenster. Es war schrecklich. Ich dachte, wir würden alle ertrinken.«

Es herrschte eine unangenehme Stille. Dann begann Father Pete ruhig zu sprechen.

»Ich gebe mir selbst die Schuld dafür. Es war eine erbärmliche Idee, Sie einer solch schwierigen Erfahrung auszusetzen, obwohl Sie so aufgeregt und zerbrechlich sind.«

Da ist es wieder, dachte ich. Die alte Psychisch-gestört-Leier. Aber ich wollte nichts davon hören. Ich fuhr sie an. »Schaut, ich weiß, was ich gesehen habe. Und was ich gehört habe.« Ich blitzte Eloise' Mutter an. »Und du vor allen anderen solltest auf mich hören, Juliana. Deine Tochter hat mir gerade gesagt, dass Ted böse ist. Und sie sagte, dass deine Enkelinnen in großer Gefahr seien, wenn ich ihr nicht helfe.«

Sie wich zurück. »Cathy, bitte, das muss aufhören. Du machst mir Angst.« Sie drehte sich zu Sam. »Ich denke, du rufst besser deinen Vater an. Sie braucht Hilfe. Ich denke auch, dass Chris sie aus Cornwall wegbringen sollte. Sie sollte in einer betreuten Umgebung in der Nähe eures Hauses in London sein. Und dann wird sie mich vielleicht in Ruhe um meine Tochter trauern lassen.«

»Juliana, ich bitte dich! Du weißt selbst, dass bei Ellies Tod irgendetwas nicht mit rechten Dingen zugegangen ist. Du hast mir erzählt, du glaubtest nicht, sie könne so plötzlich sterben, da es ihr vorher so ausgesprochen gut ging. Ich bin auf deiner Seite; ich bin auf *Ellies* Seite. Sie fürchtet um ihre Kinder. Du musst mir glauben.«

Julianas Gesicht war eine Maske. Sie sah aus, als müsste sie sich beherrschen, ruhig zu bleiben. »Ja, du hast recht mit dem, was ich über ihren Tod dachte. Aber das ist Monate her, und ich habe seitdem darüber nachgedacht. Ich glaube, Eloise hätte gewollt, dass ich mithelfe, für ihre Töchter zu sorgen, und um das zu können, muss ich mit Ted zusammenarbeiten. Ein Monster aus ihm zu machen hilft keinem weiter, zuallerletzt Rose und Violet. Und Cathy, du hast dich verändert. Du scheinst ziemlich aus dem Gleichgewicht zu sein. Ich ertrage es nicht, dich so zu sehen. Du bist besessen von Eloise – von diesem, diesem – Geist, den du da angeblich andauernd siehst. Sie ist kein Geist. Sie war meine geliebte Tochter. Meine wunderschönen Erinnerungen an sie sind alles, was mir geblieben ist. Und du machst sie kaputt, Cathy. Du vergiftest meine Gedanken. Ich werde mir diesen Unsinn nicht mehr länger anhören.«

Sie rauschte nach draußen. Father Pete schaute entschuldigend, gab mir einen ermutigenden Klaps auf die Schulter und ging mit Sam zur Tür. Ich konnte ihre besorgten Stimmen auf der Veranda murmeln hören.

So stand ich da. Wieder allein.

21

Ich ging sofort ins Bett. Ich wusste, Sam würde Chris anrufen. Natürlich würde er das. Trotz seiner heldenhaften Anstrengungen, mir zu helfen, war er nur ein Junge, krank vor Sorge um seine psychisch kranke Mutter

Ich nahm eine der Schlaftabletten, die Chris im Badezimmerschränkchen gelassen hatte, und schlief innerhalb weniger Minuten ein, von Furcht erfüllt, ich würde Eloise begegnen.

Ich traf sie nicht. Aber ich traf einen Mann. Jemanden, den ich glaubte zu kennen, obwohl ich ihn nie zuvor gesehen hatte.

Dieser Mann war zu Pferd, und er ritt übers Bodmin Moor. Er war ungefähr in meinem Alter, groß und blond. Er konnte mich nicht sehen, aber in meinem Traum folgte ich ihm, die gespenstischen Wege entlang, durch die Nacht, wo vom Wind verdrehte karge Äste in wabernde Nebelschleier gehüllt waren.

Er ritt zielbewusst, als ob er einen besonderen Bestimmungsort im Kopf hätte. Als er schließlich das Pferd zügelte und abstieg, wusste ich sofort, dass wir am Ziel waren.

Der Stone Quoit von Trevetheyan. Die fünfeinhalbtausend Jahre alte Grabkammer der kornischen Könige und Prinzen, das uralte, heimgesuchte Mahnmal, zu dem Jack vor vielen Jahren die verängstigte, dreizehn Jahre alte Eloise gebracht hatte.

Als ich erwachte, wusste ich genau, wer der Mann in meinem Traum gewesen war. Und sicher hatte Eloise ihn als Botschafter zu mir geschickt, als Zeichen, als Wegweiser. Ich musste Jack finden. Er musste der Schlüssel zu meiner Aufgabe sein, Ellies Kinder zu retten.

Aber ich hatte keine Ahnung, wo ich beginnen sollte. War er immer noch in Australien? Arthur konnte mir das sicher sagen. Und natürlich Juliana, die Jack geschrieben hatte, nachdem Eloise gestorben war. Obwohl ich nicht gerade begeistert war, nach der gestrigen Nacht wieder mit ihr zu reden, ich schuldete es Ellie, mich mit dieser unangenehmen Aussicht zu konfrontieren.

Plötzlich wurde mir klar, dass sich meine Gefühle meiner Freundin gegenüber um 180 Grad gedreht hatten. Bis gestern Nacht hatte ich sie dafür gehasst, dass sie mir derartiges Leid bereitete und meine Beziehung zu Chris zerstörte. Deshalb hatte ich gewollt, dass der Priester sie exorzierte. Aber am Ende von Father Petes Gebeten drang sie zu mir durch, ich zweifelte nicht mehr an ihr. Ich glaubte ihr. Sie brauchte mich. Wenn ich ihr nicht half, würden ihre Kinder sterben. Ich war mir dessen absolut sicher; es war ein Moment vollkommener Klarheit und Überzeugung.

Ich fühlte mich anders, energiegeladen. Es war, als ob der wabernde Nebel in meinem Traum wie weggeblasen war, aus dem Innern meines Kopfs entfernt. Zum ersten Mal seit Wochen dachte ich, ich würde klar sehen. Ellies Geist war real. Sie existierte in einer erschreckenden Vorhölle, gemartert von ihren Ängsten um ihre Kinder. Es war meine Pflicht und Verantwortung, darauf zu reagieren, und ich würde sie nicht noch einmal in Frage stellen.

Mit einem fast von Freude erfüllten Herzen ging ich nach unten, wo ich Sam, Frosties essend, vorfand. Er schaute hoch, als ich mich zu ihm an den Tisch setzte, offensichtlich skeptisch.

»Morgen, Mum«, sagte er zaghaft. »Wie fühlst du dich?«

Ich strahlte ihn an. »Besser, als ich mich eine ganze Weile gefühlt habe, danke, mein Schatz.«

Er sah überrascht aus. »Ich dachte, dass du nach letzter Nacht total durcheinander sein würdest.«

»Nein, wirklich, mir geht's ausgezeichnet. Es tut mir leid, wenn ich dich letzte Nacht in Verlegenheit gebracht haben sollte, mein Lieber. Ich vermute, es war alles ziemlich lächerlich, aber glaub es oder auch nicht, es hat mir außerordentlich gutgetan. Ich fühle mich wie ausgewechselt heute Morgen.«

»Hervorragend. Also hast du beschlossen, die ganze Sache mit Eloise zu vergessen?«

Selbstverständlich hatte ich nichts Derartiges beschlossen, aber ich wollte meinen Sohn nicht weiter beunruhigen.

»Ja, mein Schatz, mir geht's wieder gut. Ich möchte nur dieses wunderbare Wetter genießen.«

Die Sonne lachte durch die Fenster herein. Das Gras und die Blumen im Garten erschienen unglaublich heiter. Ich konnte es nicht erwarten, hinauszukommen.

Der Anblick von Sams erleichterter Miene wäre erheiternd gewesen, wenn ich mich nicht so schuldig gefühlt hätte, ihn zu beschwindeln. Meine Entschlossenheit, Eloise zu helfen, war uneingeschränkt, aber von jetzt an würde ich das für mich behalten.

»Äh, Mum …« Sam blickte durchtrieben. »Die Sache ist die, ich habe Dad gestern Abend angerufen.«

»Natürlich hast du das, Schatz. Ich hätte nichts anderes erwartet.«

»Das macht dir nichts aus?«

»Nein, überhaupt nicht. Was hast du ihm erzählt?«

»Nun, natürlich hab ich ihm erzählt, dass du in Ohnmacht gefallen und dann sehr … äh, aufgeregt und verwirrt gewesen bist.«

»Ah, ja? Und was hat er gesagt?«

»Tja …« Sam wirkte unbehaglich. »Er sagte, er will runterkommen und nach dir sehen.«

»Ach, wirklich? Wann?«

»Heute.«

Ich ließ mir von meinem Sohn nichts anmerken, aber innerlich graute mir. Ich wusste, Chris würde sehr böse mit mir sein, und ich hatte auf etwas mehr Zeit gehofft, bevor ich ihn wiedersehen würde. Es würde einen Riesenstreit geben, eine Auseinandersetzung, die mir sehr nahegehen würde.

»Okay«, sagte ich und versuchte, gut gelaunt zu klingen. »Hat er gesagt, wann er eintreffen würde?«

»Nein. Er hat nur gesagt, er verlässt das Krankenhaus, sobald er kann.«

»Vielleicht könntest du ihn anrufen und ihn wissen lassen, dass wir ihn jetzt nicht brauchen. Sag ihm, mir ginge es hervorragend.«

Sam sah beunruhigt aus. »Ich glaube nicht, dass er jetzt auf mich hören würde. Er ist ziemlich sauer. Auf mich, meine ich«, setzte er hastig dazu.

»Das bezweifle ich, Sam. Wenn er auf irgendjemand sauer ist, dann auf mich.«

»Er gibt mir die Schuld, dich ... ermutigt zu haben, Father Pete letzte Nacht sein Ding machen zu lassen. Hat gesagt, ich sei vollkommen verantwortungslos.«

Ich seufzte. »Schau, Sam, du bist nichts anderes als ein wunderbarer Sohn gewesen, der mich ungemein unterstützt hat. Und es tut mir leid, wenn ich dir Ärger mit deinem Dad eingebrockt habe. Das ist wirklich nicht dein Kampf. Wenn Chris heute hierherkommt, werde ich ihm erklären, dass ich letzte Nacht fehlgeleitet war, aber jetzt wieder bei Sinnen bin. Und dass du eine große Hilfe warst.«

Ich stand auf, ging um den Tisch herum und küsste ihn auf den Scheitel.

»Eine Sache noch, Sam. Würde es dir etwas ausmachen, mich heute nach Roseland zu fahren?«

»Mum, ist das wirklich eine gute Idee? Ich meine, Juliana hat sich gestern Nacht ziemlich über dich geärgert.«

»Ich weiß«, sagte ich weich. »Deshalb möchte ich sie sehen, sobald ich kann. Um mich dafür zu entschuldigen, dass ich sie so aufgeregt habe, und ihr zu sagen, dass diese Saga beendet ist.«

»Das ist wahrscheinlich eine gute Idee. Wann soll ich dich hinbringen?«

»Was du heute kannst besorgen ...«

Innerhalb weniger Minuten waren wir unterwegs.

Es war ein herrlicher Tag. Die Hecken strahlten mit ihren Rosen und Heckenkirschen, und als wir hinüber nach Roseland fuhren, blinzelte uns das Meer froh und golden vom Horizont zu. Es lief alles wie gewohnt in Kernow. Cornwall war wieder im Urlaubs-Modus. Das Paradies hatte ein weiteres wunderbares Mal seine prächtige grüne, blaue und goldene Landschaft offenbart.

Ich war in ausgesprochen guter Stimmung. Selbst der Gedanke an die Rückkehr eines strengen, anklagenden Chris konnte mir meine plötzliche sonnige Laune nicht verderben. Und nicht einmal die Erinnerung an Julianas wütendes Gesicht, als sie das Cottage letzte Nacht verließ, konnte meine übermütigen Gedanken dämpfen.

Ich platzte fast vor Freude, als wir nach Bodinnick hinunterrollten, Fowey kreuzten und an Daphne du Mauriers bezauberndem Haus seitlich der Anlegestelle der Fähre vorbeikamen. Ich fühlte mich, als ob Cornwall mir wieder sein Herz geöffnet hätte, mir gezeigt hatte, warum ich hierher gehörte und was ich zu tun hatte. Ich war vollkommen eins mit mir; eins mit dem, was ich nun als wichtigste Aufgabe meines Lebens ansah: Eloise' Kinder und die Seele meiner Freundin zu retten.

Als wir jedoch Roseland erreichten, fing ich augenblicklich an, vor Angst zu zittern. Die Vordertür war fest verschlossen, etwas, was ich selten vorher erlebt hatte. Es war, als ob Juliana mich ermahnen wollte, draußen zu bleiben. Ich fragte mich, ob ich stattdessen anrufen sollte. Aber nein, sie hätte niemals am Telefon mit mir geredet; sie hätte sofort aufgelegt. Zumindest würde sie mir so von Angesicht zu Angesicht entgegentreten müssen.

Sam war mehr als glücklich, im Wagen zu warten. Ich denke,

er fürchtete sich davor, Eloise' Mutter zu treffen. Ich ging den Kiesweg hoch, drückte die Schultern durch und klopfte. Eine ganze Zeit lang passierte nichts. Konnte sie unterwegs sein? Aber ich hatte ihren Wagen in der Einfahrt stehen sehen. Wahrscheinlicher war, dass sie uns hatte kommen sehen und sich weigerte, die Tür zu öffnen.

»Juliana? Juliana, bitte lass mich rein. Ich möchte dir sagen, wie leid es mir tut, wie dumm ich gewesen bin wegen Eloise. Ich bin sehr zerknirscht, dass ich dir so viel Kummer bereitet habe. Bitte lass mich mit dir reden.«

Erst herrschte Stille, doch dann schwang die massive Holztür auf. Juliana stand emotionslos auf den Steinfliesen im Eingang. Sie sah ungemein wütend aus. Ich ging zu ihr und umarmte sie. Ich küsste sie sanft auf die Wange. Für einen Moment erstarrte sie. Dann entspannte sie sich in meinen Armen und legte leise weinend ihren Kopf auf meine Schulter. Langsam führte ich sie durch die Vorhalle ins Wohnzimmer. Ich setzte sie auf das Sofa und ließ mich neben ihr nieder, während ich ihr schönes silbernes Haar streichelte.

Annie stand in der Ecke, ihr Gesicht eine Mischung aus Wut und Schmerz. Sie näherte sich ihrer Herrin, aber Juliana winkte sie zurück. Sie atmete tief ein, nahm sich ein Taschentuch aus der Schachtel auf dem Tisch und putzte sich die Nase. Dann sagte sie ziemlich ruhig: »Ich bin in Ordnung, Annie. Bitte würdest du uns etwas Tee machen?«

Annie warf mir einen giftigen Blick zu und stolzierte hinaus. Juliana schaute mir direkt ins Gesicht.

»Cathy, ich sollte dir sagen, dass ich sehr böse war gestern Abend. Und immer noch bin. Es war so schockierend, dass jemand, der Ellie so sehr geliebt hat, sie so verraten konnte, wie du das getan hast.«

»Du hast recht, Juliana. Ich habe sie verraten. Ich kann nur sagen, wie unendlich leid es mir tut. Ich weiß nicht, was über mich gekommen ist.« Ich wählte meine Worte sehr sorgfältig. Wenngleich ich aufrichtig Reue empfand, sie derartig aufgebracht zu haben, ich brauchte sie trotzdem, um Jack zu finden. Und das bedeutete, ich musste ihr versichern, dass ihre Tochter in Frieden ruhte, dass ich unrecht gehabt hatte mit meiner Verzweiflung. Ich musste die Wahrheit für mich behalten.

Juliana schaute mich an. »Du weißt – obwohl ich mir wünsche, ich wäre gestern Abend nicht so unhöflich gewesen –, ich glaube immer noch, du brauchst Hilfe. Du hast mir selbst erzählt, wie krank du gewesen bist. Sicherlich solltest du Chris nach dir schauen lassen.«

Ich knirschte mit den Zähnen. Es war Zeit, so zu tun, als wäre ich mit ihr einer Meinung. »Er kommt heute zurück. Ich bin sicher, wir können die Sache in Ordnung bringen.«

»Gut.« Sie sah erleichtert aus. »Die Sache ist die, Cathy, Ellie hat dich so gemocht. Sie hat immer gesagt, sie könnte dir ihre dunkelsten Geheimnisse anvertrauen.«

Warum hatte sie es dann nicht getan?, schrie ich innerlich. Warum musstest du warten, bis du tot bist, Ellie? Warum musst du mich derart in Angst versetzen, wenn nichts, was ich tue, dich wieder zum Leben erwecken kann? Aber ich hielt mich zurück. Es hatte keinen Sinn, das alles noch einmal durchzukauen, nicht einmal alleine. *Ganz besonders* nicht alleine.

Annie brachte den Tee, obwohl sie immer noch sauer auf mich war. Juliana lächelte sie an. »Es ist in Ordnung, Annie. Cathy hat mir alles erklärt.«

»Und hat sie sich bei Ihnen entschuldigt, Madam?«

»Ja, sehr sogar. Es war alles ein schreckliches Missverständnis, dass unser beider Trauer über Eloise über uns gebracht hat. Und natürlich ist Cathy auch noch krank gewesen. Das ist jetzt Schnee von gestern. Nicht wahr, meine Liebe?«

Ich nickte. »Das hoffe ich. Danke, dass du mir vergibst, Juliana. Ich bin mir nicht sicher, ob ich es verdiene, aber ich verspreche dir, ich werde es wiedergutmachen.« Ich schaute Annie an. »Und ich möchte mich auch bei Ihnen entschuldigen, Annie. Sie waren so nett zu mir, und ich weiß, wie sehr es Sie schmerzt, wenn Ihre Herrin sich aufregt.«

Annie schien besänftigt zu sein. »Nun, danke schön, Miss. Das war eine schöne Entschuldigung.«

»Aber verzeihen Sie mir auch?«

»Ja, natürlich, Miss. Jetzt muss ich mit dem Mittagessen weitermachen. Entschuldigen Sie mich, Madam.«

Und weg war sie. Ich fühlte mich etwas unwohl. Ich wusste, ich hatte mit dem Exorzismus einen großen Fehler begangen. Ich hatte Eloise verraten, weil ich glaubte, ich wäre von ihr besessen, weil ich versucht hatte, sie auszutreiben. Aber das war alles, was ich bereute. Es gab da draußen immer noch ein großes und gefährliches Problem, eine direkte Bedrohung für Ellies Töchter. Aber ich musste zuckersüß zu Juliana sein. Ich musste wissen, wie ich mit Jack in Verbindung treten konnte, Ellies Jugendliebe.

Ich brachte die Sprache auf Arthur. Ich erwähnte, wie bezaubernd er sei. Juliana gefiel das, und sie kicherte. »Ja, das ist er, nicht wahr? Aber ich verrate dir, wer ihn wirklich bezaubert hat. Ich glaube, er hat sich ein bisschen in deine Tochter verguckt.«

»Ich glaube, das beruht auf Gegenseitigkeit. Wie lang bleibt er hier?«

»Eine ganze Weile, denke ich. Er überlegt, ob er sich hier im College anmelden soll und vielleicht sogar hier an der Universität studiert. Eloise hat ihm ein ganz nettes Sümmchen hinterlassen, er kann also tun, worauf er Lust hat.«

»Also weiß er, dass sie seine Großmutter ist?«

»Ja, aber er hat Probleme, sich daran zu gewöhnen. Isabella, seine Mutter, hat es sehr schlecht aufgenommen, als sie herausfand, dass Eloise ihre biologische Mutter war. Sie hatte keine Ahnung, dass sie adoptiert worden war, und stand der Frau, die sie aufgezogen hat, sehr nahe: Jacks Mutter, die vor einem Jahr gestorben ist. Also war der Brief vom Rechtsanwalt, in dem stand, dass Arthur erben sollte, offensichtlich ein Schock. Isabella fragte ihren Vater danach, und der erzählte ihr, sie sei nach ihrer Geburt in Cornwall adoptiert und dann nach Australien gebracht worden. Offenbar war Isabella sehr aufgebracht, als ihr Vater von Eloise erzählte. Sie sagte, sie fühle sich betrogen, und dass sie eine Lüge gelebt habe.«

»Wenn du sagst, Isabella habe ihren Vater wegen Eloise gefragt, meinst du dann Jack?«

»Oh, um Himmels willen, nein! Sie hat den Mann gefragt, den sie für ihren richtigen Vater hält, den Mann ihrer Mutter, den Mann, der sie aufgezogen hat.«

»Hat er ihr denn erzählt, dass Jack ihr Vater ist?«

»Zuerst nicht. Er dachte, der Schock, zu wissen, dass ihre biologische Mutter eine vollkommen Fremde ist, wäre schon groß genug. Er brachte es nicht über sich, ihr zu erzählen, dass ihr großer Bruder, mit dem sie aufgewachsen ist, in Wirklichkeit ihr Vater ist. Aber dann sprach er mit Jack, und Jack beschloss, Isabella die ganze Geschichte zu erzählen. Er dachte, sie würde sich besser fühlen, wenn sie wüsste, dass ihre Adoptiveltern tatsächlich ihre Großeltern, sie also blutsverwandt sind. Und natürlich, dass Jack ihr Vater ist, sie also im Grunde genommen gar keine Waise ist.«

»Und wie nahm sie es auf?«

»Anfangs war sie entsetzt. Stell dir vor, du findest heraus, dass dein großer Bruder in Wirklichkeit dein Vater ist. Aber Jack war sehr behutsam, und sie hatten immer eine sehr enge Beziehung. Sie hat ihn regelrecht wie einen Helden verehrt. Also hat sie allmählich alles akzeptiert. Und Jack hat recht behalten. Sie war sehr erleichtert, dass das Ehepaar, das sie aufgezogen hatte, keine vollkommen Fremden waren, sondern ihre eigenen Großeltern. So war sie immer von ihren eigenen Blutsverwandten umgeben gewesen.«

»Weiß Arthur, dass Jack sein Großvater ist?«

»Nein. Er denkt immer noch, Jack sei sein geliebter Onkel.« Juliana seufzte. »›Oh, welch ein verwickelt Netz wir weben, wenn wir erst üben zu betrügen‹, nicht? Aber ich denke, es ist das Beste. Isabella hat einen Riesenschock bekommen, und im Moment will sie nicht, dass Arthur die ganze Wahrheit erfährt. Sie denkt, sie beschützt ihn, ein natürlicher Instinkt einer Mutter, aber Jack denkt, sie wird mit der Zeit einlenken.«

»Und was ist mit Isabella? Hat sie etwas geerbt?«

»O ja, natürlich. Ziemlich viel. Aber momentan ist sie sehr verwirrt. Sie weiß nicht, ob sie das Geld will oder nicht.«

»Aber hat sie sich für Arthur gefreut, dass er ganz auf sich gestellt nach Cornwall gefahren ist?«

»Nein, sie war nicht glücklich darüber. Aber Jack hat ihr gesagt, sie könne Arthur nicht im Wege stehen, und so hat sie ihn schweren Herzens gehen lassen. Sie telefonieren sehr viel miteinander.«

»Hast du mit ihr gesprochen?«

»Nein, noch nicht.« Juliana seufzte. »Ich würde es gern tun, aber sie will im Moment nicht mit mir reden. Vielleicht irgendwann bald einmal …«

Ich sah in ihr trauriges Gesicht und fragte mich, wie es sich anfühlen musste, von der Enkelin abgewiesen zu werden, der Tochter der eigenen geliebten Tochter, die nun tot in ihrem kalten Grab lag. Aber dann hellte sich ihre Miene auf.

»Aber die wunderbare Sache für mich ist, dass zumindest Arthur weiß, dass ich seine Urgroßmutter bin, und wir verstehen uns wirklich gut. Er will sogar seine Ausbildung hier abschließen, wie schon gesagt, wenn Isabella ihn lässt. Aber Jack sagt, er denke, sie wird. Arthur liebt Cornwall; er sagt, er fühlt, dass er hierher gehört. Und für mich, gerade als ich dachte, ich hätte alles verloren … ich finde es großartig.« Sie strahlte mich an.

Ich freute mich so für sie. Das waren die bestmöglichen Neuigkeiten. Jugend im Haus um sich zu haben würde ihre Zukunft verwandeln. Und sie war gesund und voller Energie, und sie hatte viele Helfer, auch wenn einige davon ein wenig tatterig waren. Ich war froher als je zuvor, dass ich mich mit ihr versöhnt hatte. Aber ich war auch neugierig.

»Woher weißt du das alles, Juliana, wenn Isabella nicht mit dir reden will und Arthur nicht die ganze Wahrheit kennt?«

»Oh, von Jack. Wir telefonieren jede Woche, seit ich ihm geschrieben habe, dass Eloise … gestorben ist.«

Tränen schossen ihr in die Augen. Ich fühlte mich gemein, ihr so viele Fragen zu stellen, obwohl ihre Trauer noch so frisch war, aber ich hatte eine Mission. »Ist er noch in Australien?«

»Ja, er lebt dort. Aber tatsächlich kommt er hier rüber.«

Ich horchte auf. »Nach England?«

»Nach Cornwall. Er war sehr bestürzt, die Sache über Eloise zu erfahren, und jetzt, da Arthur hier ist, möchte er ihn ein bisschen im Auge behalten, besonders da Isabella im Moment nichts mit ihrem Erbe in Cornwall zu tun haben will und nicht allzu begeistert von Arthurs Aufenthalt hier ist. Ich hab dir ja erzählt, sie wird ihm nicht im Weg stehen, aber sie ist nicht bereit, selbst hierher zu kommen. Also kommt Jack, um Arthur ein wenig familiären Beistand zu leisten.« Juliana seufzte. »Es ist so schade, dass Isabella mich nicht kennenlernen will. Kannst du dir vorstellen, wie wunderbar es wäre, wenn Ellies Tochter hier wäre? Aber ich darf nicht undankbar sein. Arthur ist ein Segen, von dem ich nicht zu träumen gewagt hätte. Jack trifft diese Woche ein. Ich werde dich anrufen, wenn er ankommt. Du musst ihn wirklich kennenlernen. Eloise hätte das gewollt.«

Ich war beschwingt. Welch unfassbare Neuigkeiten! Jack kam nach Cornwall. Der Traum, den Eloise mir gestern Nacht geschickt hatte, war sicher eine Prophezeiung. Ich musste ihn treffen, sobald ich konnte. Er war das fehlende Bindeglied, der Schlüssel zu Eloise' Ängsten. Meine gute Laune heute Morgen war nicht unangebracht gewesen.

Aber da war trotzdem eine Sache, die ich noch ansprechen musste: Ted. Ich musste taktvoll sein nach der gestrigen Nacht. Ich dachte über den besten Weg nach, meine Befürchtungen anzusprechen. »Ich freue mich so wahnsinnig für dich, dass Arthur hier leben wird. Was für gute Nachrichten. Aber weißt du, Juliana, du hast wirklich nicht alles verloren, sogar ohne Arthur. Du hast zwei bezaubernde Enkelinnen. Das ist dir sicher immer ein Trost.«

Sie machte ein langes Gesicht. »Cathy, ich weiß, dass du es gut meinst. Aber ich habe dir schon gesagt, dass Ted nicht zulassen wird, dass ich eine Rolle in Rose' und Violets Leben spiele. Er hasst mich. Und jetzt, da er weiß, dass Eloise ihm kaum etwas in ihrem Testament hinterlassen hat, wird er sie aus reiner Gehässigkeit von mir fernhalten.«

Warum, wollte ich schreien, hast du ihn dann gestern Abend in mein Haus mitgebracht? Warum hast du ihn dann als Verstärkung gegen mich angeworben? Aber ich kannte die Antwort: Juliana war verängstigt gewesen. Sie hatte gedacht, ich plante etwas Schreckliches gegen das Andenken ihrer Tochter. Sie brauchte alle Freunde, die sie kriegen konnte. Und ich hatte sie durch mein Handeln entfremdet und in die Arme ihres Schwiegersohns getrieben, den sie eigentlich nicht mochte und dem sie misstraute.

»Ich werde natürlich mein Möglichstes tun, um die Verbindung zu halten. Ich muss, wenn ich überhaupt Kontakt mit den Mädchen haben will. Eloise wäre am Boden zerstört, wenn sie wüsste, dass er sie von mir fernhält.«

Aber Eloise wusste genau, was passieren würde, dachte ich. Sie hatte versucht, Maßnahmen zu ergreifen, um zu verhindern, dass er die Zwillinge isolierte, wenn sie starb. Aber sie hatte nicht die Zeit, die sie gebraucht hätte, um alles in die Wege zu leiten. Und deshalb war sie zu mir gekommen.

22

Ich fand Sam vor Julianas Haus, wie er ziellos mit einem Fußball herumkickte. Er brachte mich zurück nach Talland, und mir pochte das Herz bis zum Hals, als wir die Straße entlangfuhren, weil ich befürchtete, Chris könnte zurückgekommen sein. Aber sein schwarzer Jaguar war nirgends zu sehen, also hatte ich noch etwas Zeit für mich.

Ich wusste, sobald Chris ankäme, würde ich mein gesamtes Stehvermögen brauchen. Ich war nun absolut sicher, dass Eloise' verzweifelte Forderungen real waren und dass ihre eindringlichen Bitten, ihren Kindern zu helfen, ihre Berechtigung hatten. Ich hörte auf, mir Sorgen darüber zu machen, ob die Welt mich für verrückt halten würde. Oder sogar, ob mein eigener Mann nicht ein Wort von dem glaubte, was ich sagte. Ich war in meinem Abenteuer auf mich selbst gestellt und sehr entschlossen, das schreckliche Geheimnis, das mir mein Geist und ihr Eindringen in meine Träume nach Eloise' Tod auferlegt hatten, zu lösen.

Nun endlich fühlte ich mich verantwortlich für mein eigenes Schicksal. Aber ich hatte viel von meiner Naivität verloren. Ich würde heucheln, wenn ich müsste. Ich würde Chris belügen. Ich würde meinem Herzen folgen, und vielleicht konnte ich mich selbst retten, wenn ich Ellies Kinder rettete.

Drei Stunden, nachdem Sam und ich von Juliana zurückgekommen waren und während Sam, Gott sei Dank, unten am Strand war, hielt Chris' Wagen neben dem Rasen im Vorgarten.

Ich stand auf und atmete einige Mal tief durch. Ich musste ruhig, selbstsicher und herzlich sein. Ich war auf eine massive Auseinandersetzung vorbereitet, aber ich musste auch versuchen, ihm zu zeigen, dass ich mich verändert hatte, dass meine Gefühle bezüglich Eloise nicht länger von Unheil geprägt waren. Mit anderen Worten, dass ich meine Fehlschlüsse eingesehen hatte. Und ich musste ihn überzeugen.

Chris öffnete die Tür mit einem männlichen Seufzer. Dieses Geräusch soll uns nutzlosen Frauen, die den ganzen Tag zu Hause gewesen waren, signalisieren, dass ihr Mann viele Stunden auf der Straße verbracht hatte, jagend und sammelnd, und nun für seine mannhaften Anstrengungen nun auch entsprechend gelobt und verwöhnt werden muss. Ich kannte dieses Geräusch. Ich wusste auch, wenn ich mir erlaubte, darauf entsprechend zu reagieren, wäre der größtmögliche Streit da. Und ich konnte mich jetzt damit wirklich nicht abgeben. Also lächelte ich, ging auf ihn zu und hielt ihm mein Gesicht für einen Kuss entgegen.

Aber ich bekam keinen. Er blitzte mich mit steinerner Miene von hoch oben herab an.

»Wo ist Sam?«, fragte er, vollkommen gleichgültig mir gegenüber.

»Am Strand«, antwortete ich.

»Ich werde gehen und ihn holen.«

»Warum? Er ist kein Kind mehr. Er wird zurückkommen, wenn er will.«

»Ich muss mit ihm reden«, sagte Chris kurz angebunden.

»Meinst du nicht, du solltest mit mir reden?« Er starrte mich nur an und drehte sich dann wieder zur Küchentür um. »Ach Chris, können wir uns nicht einfach hinsetzen und die Dinge bereden, bevor Sam zurückkommt? Bitte, Schatz. Ich weiß, dass ich mich sehr dumm aufgeführt habe. Ich bin sicher, Sam hat dir erzählt, dass letzte Nacht ein Desaster war. Du hattest recht. Ich hätte mich nie auf Father Pete einlassen sollen.«

Ich konnte sehen, wie er mit seinem Stolz rang. Er war befriedigt, dass ich zugab, er hätte recht gehabt, aber ich konnte sehen, dass er meine Entschuldigung für nicht ausreichend hielt. Ich schluckte. Obwohl ich wirklich vorgehabt hatte, ihn zu besänftigen, konnte ich meinen hochsteigenden Zorn spüren. Immerhin hatte er mich unter Drogen gesetzt, als ich höchst verletzlich gewesen war, und ich erinnerte mich nicht, dass er sich dafür entschuldigt hätte. O Gott, wenn ich das jetzt brachte, würde er wieder fahren, keine fünf Minuten, nachdem er angekommen war. Ich atmete tief durch. Ich würde mich erniedrigen müssen, egal wie wütend ich war. Ich brauchte seine Hilfe ebenso wie die Julianas. Wenn ich mich selbst demütigen musste, um sie zu bekommen, dann war das eben so.

»Chris, Liebster, setz dich bitte. Du musst erschöpft sein nach der Fahrerei. Ich hole dir was zu trinken.«

Langsam und widerwillig setzte er sich in einen Armsessel. Normalerweise saßen wir zusammen auf dem Sofa, also wollte er mir vermutlich zeigen, dass er erst einmal allein sein wollte. Ich goss ihm ein Glas Wein ein. Er nahm es auf eine schroffe Art entgegen, und ich setzte mich auf meinen üblichen Platz auf dem Sofa.

»Was hat dir Sam über letzte Nacht erzählt?«, fragte ich.

Er war still. Er würde erst mal schmollen. Ich hatte das Bedürfnis, ihn zu treten. Aber ich musste ihn auf meiner Seite haben. Schließlich starrte er in die Ferne, Augenkontakt vermeidend, und sagte mit einer kalten und fernen Stimme: »Er hat mir gesagt, du seist in Ohnmacht gefallen und dann mit einem Ammenmärchen gekommen über das Meer, das sich über das Haus erhoben habe. Ach, und dann hat er erzählt, du hättest gesagt, Eloise habe zu dir gesprochen und dir gesagt, ihre Kinder seien in Gefahr. Er hat auch noch gesagt, alle seien wegen deines Verhaltens außerordentlich peinlich berührt gewesen, selbst Father Pete.« Nun schaute er mich an. »Ich kann einfach nicht glauben, dass du deinen Sohn in so eine Lage bringst. Er musste sich für seine eigene Mutter in der Öffentlichkeit schämen. Du bist eine Schande, Cathy, wirklich.«

Ich schluckte. Meine Augen füllten sich mit Tränen, ohne dass ich sagen konnte, ob aus Scham oder Wut. Ruhig sagte ich: »Ich bin sicher, Sam hat nicht gesagt, dass er sich für mich geschämt habe.«

»Das hat er todsicher gemacht, und ich auch!« Dann brach die Wut richtig heraus. »Ich kann gar nicht sagen, wie peinlich, was für eine Last du für die Kinder und mich geworden bist. Dein Zusammenbruch war schon schlimm genug, als die Kinder dich den ganzen Tag bewusstlos im Bett liegend ansehen mussten. Und ich kann dir gar nicht beschreiben, wie sehr meine Kollegen mich bedauert haben.«

Ah, ja natürlich. Chris war es peinlich gewesen, nicht verhindert zu haben, dass seine Frau neurotisch geworden war. Er dachte, seine Kollegen Psychiater, nach vorne hin mitfühlend, wären hinter seinem Rücken weitaus kritischer ihm gegenüber eingestellt. Und das beeinflusste natürlich sein Selbstwertgefühl, und Männer vertragen so etwas schlecht. Erbärmlich!

»Und dann«, wetterte er weiter, »gerade als ich dachte, unsere Ehe hätte eine Chance, wieder normal zu laufen, fängst du an, verdammte Geister zu sehen. Es ist unfassbar, und mir reicht's. Ich habe gestern einen Termin mit dem Anwalt ausgemacht. Ich treffe mich nächste Woche mit ihm.«

Das war entsetzlich. Schlimmer, als ich gedacht hatte. Und jetzt konnte ich meine Tränen nicht mehr zurückhalten. »Chris, bitte gib mir noch eine Chance. Ich weiß, ich bin dir eine Last gewesen. Ich weiß, du hast Opfer gebracht, mit deiner Forschung, deinem Buch. Aber ich werde es wiedergutmachen, ich verspreche es. Ich weiß, ich habe Wahnvorstellungen gehabt, aber letzte Nacht hat mich schrecklich erschüttert. Ich habe eingesehen, wie nah ich dem Wahnsinn gekommen bin. Ich will mich wirklich bessern, ich schwöre es. Ich werde nicht wieder von Eloise reden. Bitte, bitte, hilf mir.«

Ich log, dass sich die Balken bogen, aber ich war wirklich verzweifelt. Ich konnte den Gedanken nicht ertragen, Chris zu verlieren. Ich dachte an seine Sanftmut, seine Zuneigung, seine große Kraft in besseren Zeiten und wie sehr ich ihn brauchte.

Ich hatte gedacht, ich könnte unsere Beziehung manipulieren, indem ich das zerknirschte, kleine Frauchen spielte. Dass ich ihn wieder auf meine Seite ziehen könnte, indem ich vorgab, dass das, was mir passiert war, nicht real war. Wenn ich über Eloise log, sie verleugnete, würde er wieder zu mir zurückkommen und wir wären uns wieder so nah und so glücklich wie früher, bevor meine Psyche anfing verrückt zu spielen. Aber nach wie vor, trotz meiner Liebe zu Chris, galt meine Priorität Eloise. Sie brauchte mich. Sie hatte mir gesagt, ich sei ihre letzte Hoffnung bei dem verzweifelten Wettrennen um das Wohl ihrer Kinder. Und selbst der drohende Verlust meines Ehemanns konnte mich nicht davon abbringen, das zu tun, was richtig war.

In diesem Moment wurde mir das klar. Seit ich am Morgen aufgewacht war, hatte ich gewusst, was ich tun würde. Ich hatte es geschafft, Juliana zu besänftigen, und das hatte mir die optimistische Hoffnung gegeben, ich könnte das Gleiche bei Chris erreichen. Aber während ich ihn beobachtete, wurde mir klar, dass dem nicht so war.

Es war ungewöhnlich für ein Ehepaar mit so viel Liebe füreinander, mit solch einem starken Familienzusammenhalt, wegen einer übernatürlichen Erfahrung zu scheitern. Aber was, wenn mein Nervenzusammenbruch, meine psychische Instabilität, irgendwie vom Schicksal vorherbestimmt war? Was, wenn ich schon immer dazu bestimmt gewesen war, diese Krise in meinem Leben zu durchleiden? Was, wenn mein »Irrsinn« Eloise erlaubt hatte, ein Fenster in meinem Gehirn zu öffnen, durch das sie mein Herz erreichen konnte und mich dazu brachte, ihren Tod zu rächen und ihre Kinder zu retten? Vor dem Exorzismus hatte ich Ellie das Eindringen in mein Leben verübelt, den Ärger, den sie mir mit meinem Mann eingebrockt hatte. Aber jetzt war ich ziemlich sicher, dass ich in etwas sehr Gefährliches verwickelt war. Ich hatte zu viel Zeit auf den Versuch verwendet, sie zu ignorieren – aber damit war jetzt Schluss. Dieses Mal gehörte ich nicht Chris, sondern Ellie.

Sam kam zurück. »Hallo, Dad«, sagte er verlegen. »Hattest du eine gute Fahrt?«

Chris, das muss man ihm zugutehalten, versuchte, die offensichtliche Spannung im Raum zu entschärfen. In einem ungemein fröhlichen Tonfall malte er seine Reise von London in fantastischen Farben aus. »Großartig, Sam. Hab es in unter vier Stunden geschafft. Bisher meine beste Zeit in diesem Jahr. Möchtest du gern etwas zu Abend essen?« Er drehte sich zu mir um und schloss mich mit angestrengtem Gesichtsausdruck um Sams willen in die Einladung mit ein.

Aber ich zögerte. Mir war zu elend und ich war viel zu aufgebracht, um an Essen denken zu können. Außerdem war ich mir sicher, dass Chris mit Sam über mich reden wollte. Ich sagte, ich hätte keine Lebensmittel im Haus, und schlug vor, dass die beiden ausgehen könnten, und so fuhren mein Mann und mein Sohn nach Polperro, um sich eine Pizza zu holen.

Ich hatte bereits beschlossen, dass Chris nicht in unserem Schlafzimmer würde schlafen wollen, also machte ich ein Bett in meiner kleinen Schreibhütte oben im Garten fertig. Es war in Wahrheit nur ein besserer Schuppen, ein Rückzugsort für mich, wohin ich flüchten konnte, wenn ich meine Zeitschriftenartikel schrieb, und den ich jetzt schon viele Monate nicht mehr benutzt hatte. Aber er verfügte über ein Einzelbett, Elektrizität, fließend Wasser und sogar ein kleines Badezimmer. Und einen kleinen Fernseher.

Als Chris und Sam aus dem Dorf zurückkamen, sagte ich

Chris, er könne in der Hütte schlafen. Da er die Welle der Wut in seinem Dad hochkommen spürte, verschwand Sam in seinem Schlafzimmer im Parterre.

»Ich werde nicht in deiner Scheißhütte schlafen, Cathy«, sagte Chris brutal. »Was meinst du denn, wer ich bin? Ein in Ungnade gefallener Ehemann, der aus dem gemeinsamen Bett verbannt wird? *Du* kannst in dieser Scheißhütte schlafen. Ich werde in meinem eigenen Bett schlafen. Und der einzige Grund, warum ich bleibe, ist, dass ich vollkommen fertig bin von der Fahrt hierher. Ich habe für den Rest der Woche meinen Patienten abgesagt, und Tom und Evie nehmen den Zug am Freitag hier runter. Also ergreife ich Besitz von meinem eigenen Zuhause, Cath. Von dem Cottage, das *ich* bezahlt habe, erinnerst du dich? Während du mit deinen pseudokünstlerischen Artikelchen rumgemacht hast, die null eingebracht haben. Ach, und das Haus in London habe ich auch bezahlt. Also glaube ich kaum, dass du irgendein Recht hast, mir vorzuschreiben, wo ich schlafe. Tatsächlich würde ich sagen, dass du einen Anwalt brauchst, und zwar *pronto.*«

Und damit stürmte er ins Schlafzimmer.

23

Ich lag wach in dem schmalen Bett meines kleinen Schreibhäuschens. Der Vollmond schien, und ich hatte die Vorhänge offen gelassen, damit ich ihn anschauen konnte. Das weiche silberne Licht war so wunderschön und erleuchtete meinen kleinen Schreibtisch am Fenster, der mich leise daran erinnerte, wie ich einmal davon geträumt hatte, Romane zu schreiben, und an die Stunden, die ich mit Eloise zugebracht hatte, um über Daphne du Maurier zu reden. Es war wieder Wind aufgekommen, aber er klang nicht bedrohlich wie gestern Abend. Er sang ein Wiegenlied, dem ich allmählich erlag.

»Aah, du erinnerst dich an diese Zeiten, nicht wahr, Cathy? Wenn wir hier gesessen haben, nur wir beide, Wein trinkend, über unsere Lieblingsbücher redend, und wir beide uns danach sehnten, einen Roman zu schreiben? Nun, du wirst es tun, Cathy. Wenn das hier vorüber ist, wirst du es tun.« Ich lächelte im Schlaf. Liebe, sanfte Eloise. Wie hatte ich jemals daran denken können, sie zu bedrohen? »Und du bist jetzt auf meiner Seite, Cathy. Du hast deine Angst verloren. Das gibt mir Kraft. Wenn du Jack triffst, wird alles klar werden. Und nachdem du mir geholfen hast, kann ich ruhen. Und du kannst dich auch ausruhen. Mach dir keine Sorgen wegen Chris. Er liebt dich, liebt dich wirklich. Du kannst dich glücklich schätzen. Alles wird in Ordnung kommen, meine liebe, liebe Freundin. Wir werden beide glücklich sein. Glaub mir, Cath.«

Ich wachte auf, immer noch etwas verträumt. Ich konnte Chris jetzt noch nicht gegenübertreten, also beschloss ich, im Strandcafé zu frühstücken, und lief die Gasse hinunter zum Strand. Obwohl es früh war, waren schon Familien auf den Sandflächen. Ich setzte mich an einen der Holztische und bestellte Tee und ein Bacon-Sandwich. Ich schaute den Kleinen belustigt und gerührt zu, verloren in verschwommenen Erinnerungen an frühe Mutterschaft. Ich wünschte, das wären meine Babys, die da in der ruhigen Brandung planschten, und dass Chris und ich eine Beziehung hätten, die nicht komplizierter wäre als die liebender Eltern, die versuchten, das Beste für ihre wunderbaren Kinder zu tun.

Ein Schatten trat zwischen mich und die Sonne. Ich schaute hoch; eine große, schlanke Gestalt, schwarz gekleidet, schon setzte sie sich an meinen Tisch. Father Pete. Ich war ungemein verlegen.

Er lächelte mich an. »Hallo, Cathy. Wie geht es Ihnen?«

Ich lachte bitter. »Ach, wissen Sie, Father. Übergeschnappt.«

Nun runzelte er die Stirn. »Sagen Sie das nicht. Das ist nicht wahr. Sie sollten aufhören, sich kleinzumachen.«

Ich seufzte. »Nun, wenn ich nicht übergeschnappt bin, was um alles in der Welt erklärt mein Verhalten vorgestern Nacht? Hysterie?«

»Sie waren offensichtlich überlastet, aber die Schuld lag bei mir, ich habe die Situation falsch eingeschätzt.«

»Meinen Sie damit, Ihnen war nicht bewusst, wie plemplem ich war, als Sie den Exorzismus vorgeschlagen haben?«

»Nein, das meine ich auf keinen Fall. Was ich denke, ist, dass ich Ihre ursprünglichen Bedenken wegen Eloise zu schnell abgetan habe. Ich bin Priester, Cathy, und manchmal missverstehen wir etwas. Ich habe schon früher Befreiungsgottesdienste abgehalten, und sie können ungemein wirkungsvoll sein. Aber das liegt daran, dass die Person, der ich zu helfen versuche, glaubt, sie sei vom Bösen besessen. *Ihre* Motive, Eloise zu helfen, waren vollkommen christlich. Sie wollten in eine Situation eingreifen, wie unwahrscheinlich auch immer sie sein mag, von der Sie selbst glaubten, sie bedeute eine wirkliche Bedrohung für Eloise' Kinder. Nun, weil Eloise verstorben ist, glaubt Ihnen niemand. Besonders wegen Ihrer jüngsten Krankheitsgeschichte. Aber ich sehe eine starke Empfindsamkeit in Ihnen. Eine seltene Intuition. Und ich glaube keinesfalls, dass Sie verrückt sind. Aber weil Sie Dinge so viel tiefer als die meisten von uns empfinden, ist das oft mehr, als ein Bewusstsein ertragen kann.«

Er nahm meine Hand und schaute mir in die Augen. »Ich denke, Sie sind ein ganz besonderer Mensch. Jemand mit einem einzigartigen Ausmaß an Einfühlungsvermögen, das Ihnen manchmal Leid bereitet. Und Sie brauchen Unterstützung, nicht Verurteilung, und ganz bestimmt nicht Verdammung.«

»Danke, Pete. Aber wissen Sie, so willkommen mir Ihre Unterstützung ist und so sehr ich es hasse, respektlos zu sein: die Tatsache, dass mein Mann stocksauer auf mich ist, dass er von Scheidung spricht, bedeutet, dass mein Leben wegen dieser Angelegenheit in Scherben liegt. Und deshalb hatte ich in den Exorzismus eingewilligt. Ich dachte, ich würde diese Erscheinungen los und mein Glück mit Chris wiedererlangen.«

»Möchten Sie, dass ich mit ihm rede?«

Um Himmels willen, nein, dachte ich. Wenn der Priester mit Chris redete, würde es ein Blutbad geben, da war ich mir sicher.

»Pete, Sie sind sehr freundlich. Aber ich befürchte, wir sind schon darüber hinaus. Chris denkt, ich sei verrückt und eine Schande für ihn und unsere Kinder. Selbst mit den allerbesten guten Absichten dieser Welt würden Sie ihn mit dem Argument, ich verfüge über christliche Werte, kaum davon überzeugen können, dass ich gesund bin.«

Er lächelte reumütig. »Nein, natürlich, das sehe ich ein. Nun, ich werde Chris nicht darauf ansprechen. Aber ich möchte, dass Sie wissen, ich bin auf Ihrer Seite. Ich habe an diesem Abend einen Fehler gemacht, und vielleicht können Sie meine Hilfe brauchen. Bitte rufen Sie an, wenn es so weit kommt.«

Er stand auf und ging den Hügel hinauf zur Kirche. Ich war dankbar, obwohl ich skeptisch war, ob Pete irgendetwas tun könnte, was mir bei meinem enormen Vorhaben nützen würde. Weil ich allmählich eine Ahnung vom wahren Ausmaß hatte. Und das war unglaublich beängstigend.

Nun musste ich entscheiden, was ich als Nächstes tun sollte. Ich sehnte mich nach Chris, meinem alten Chris, dem Chris, der mich in den Arm nehmen würde, mich mit ins Bett nähme, mir versichern würde, ich sei großartig, schön und begehrenswert. Ich hatte mich seit einer Ewigkeit nicht so gefühlt. Wenn man unter Depressionen leidet, verliert man als Erstes sein Selbstwertgefühl. Egal, es war offensichtlich, dass ich von Chris keinen Trost zu erwarten hatte, also beschloss ich, mir ein Taxi zu bestellen, das mich raus ins Bodmin Moor brachte.

Sobald ich zurück ins Cottage kam, wurde mir bewusst, wie sinnlos das war. Warum sollte ich ins Moor fahren? Wollte ich den Fahrer bitten, einen Touristenausflug mit mir zu unternehmen? Lächerlich. Ich öffnete die Küchentür und fürchtete, Chris zu sehen.

Er war da, faulenzte auf unserem kleinen gelben Sofa und las Zeitung. Ich schreckte zurück, den unvermeidbaren verbalen Angriff erwartend. Aber zu meiner Überraschung schaute er vom *Telegraph* hoch und lächelte. Das erste Mal seit einer Ewigkeit lächelte mein Mann mich an.

»Hallo«, sagte er fast schüchtern. »Hast du Lust, zum Mittagessen auszugehen?«

»Warum?«, fragte ich dummerweise.

»Weil es fast Mittagszeit ist und du hungrig sein musst. Du hast gestern Abend nichts gegessen.«

»Ich habe vorhin am Strand ein Bacon-Sandwich gegessen.«

»Trotzdem. Lass uns ausgehen. Nur wir beide. Wir müssen reden.«

»Das klang gestern Abend ganz anders.«

»Ich weiß, aber ich war müde und wütend. Ich bereue sehr, was ich gesagt habe.«

Keine Entschuldigung, dachte ich bitter. Dann fing ich mich wieder. Er war in versöhnlicher Stimmung. Mach das nicht kaputt, du dumme Frau, sagte ich zu mir selbst. Nimm es einfach kritiklos hin. Für den Moment.

Wir fuhren zu unserem hiesigen Pub, dem Jubilee Inn in Pelynt. Gott sei Dank war es eine kurze Fahrt, nicht viel mehr als fünf Minuten von unserem Cottage. Trotzdem war es eine unbehagliche Fahrt, wir waren beide darauf bedacht, das Thema Eloise zu vermeiden. Stattdessen redeten wir zusammenhanglos über die Kinder, über Tom und wie gut er sich in der Universität eingelebt hatte, über die guten Ergebnisse, die wir bei Evies GCSE-Prüfungen erwarteten. Aber die Spannung im Wagen war greifbar, erdrückend, es war eine trübselige Fahrt. Wir waren beide unglücklich, nicht sicher, woran wir waren. Unser Gespräch war spröde, wie sollte es anders sein. Wir waren momentan wie Fremde, die sich kaum kennen. Er machte sich über seine Karriere Sorgen, über das Buch, mit dem er so weit im Verzug war, und vor allem über seine Ehe. Er fragte sich wahrscheinlich, ob er seine Frau noch liebte. Ich wusste, dass ich meinen Mann noch liebte, ich ihn aber voraussichtlich wegen meines mich auffressenden Interesses an einem Gespenst verlieren würde. Und ich war immer noch wütend auf ihn, weil er versucht hatte, mich unter Drogen zu setzen, und weil er über Scheidung sprach.

Als wir beim Pub angekommen waren, setzten wir uns draußen in den Garten. Chris bestellte ein Krabben-Sandwich, aber ich entschied mich für Futter für die Seele: Scampi und Chips. Nachdem wir bestellt hatten, brachte die Bedienung uns Wein. Als sie gegangen war, prostete Chris mir zu.

»Auf uns«, sagte er mit einem weiteren Lächeln.

Ich war erstaunt. Wo kam all die Gutmütigkeit auf einmal her? Ich prostete unbeholfen zurück und sagte dann: »Chris, es tut mir leid, aber ich verstehe wirklich nicht, warum du heute so nett zu mir bist. Ich meine, letzte Nacht warst du …« Ich verstummte.

»Schrecklich?«, schlug er vor. Ich nickte nur.

»Ich weiß, Cathy. Es tut mir leid. Wie schon gesagt, ich war sehr wütend, aber ich hätte nicht so mit dir reden sollen. Sam ist mir deswegen beim Abendessen in Polperro ziemlich aufs Dach gestiegen. Zuerst bin ich auch ziemlich sauer auf ihn gewesen, aber nachdem wir zurückgekommen waren und du in der Hütte ins Bett gegangen warst, habe ich angefangen, über das nachzudenken, was er gesagt hatte.«

Eine gewaltige Welle der Erleichterung überkam mich. Sam hatte Chris also eindeutig nicht gesagt, er schäme sich für mich.

Chris fuhr fort: »Als ich im Bett war, habe ich an all das gedacht, was du durchgemacht hast. Und dass ich, gerade ich, ein praktizierender Psychiater, darüber Bescheid wissen sollte. Ich habe andauernd mit Leuten wie dir zu tun. Und ihnen gegenüber bin ich mitfühlend und unvoreingenommen. Wie beängstigend, dass ich für dich, meine Frau, so viel weniger ein Fels in der Brandung bin als für sie.« Er machte eine Pause. »Tatsächlich war es Sam, der mir das gesagt hat. Und ich schäme mich wirklich dafür. Es tut mir leid, Cath.« Ich hielt die Luft an. Ich versuchte, mir etwas Nettes einfallen zu lassen, was ich ihm sagen könnte, aber ich war vollkommen verwirrt – und ja, besorgt. Ich wusste nicht, was als Nächstes kommen würde.

»Und nun erzählst du mir, dass du nicht länger denkst, dass dich Eloise heimsucht, und dass dir klar ist, wie verblendet du die ganzen Monate gewesen bist, und da denke ich, ich denke wirklich, es besteht eine gute Chance, dass ich dir bei deiner Genesung helfen kann. Natürlich wird es Zeit kosten, aber wenn du erst einmal von hier weg und wieder in London bist, können wir eine ganz exzellente Therapie für dich finden. Nur so lange, bis du wirklich weißt, dass es so etwas wie Geister nicht gibt. Damit kann ich mich nicht noch mal abgeben.«

Meine Gedanken rasten. Natürlich hatte ich ihn angelogen, dass ich frei von Eloise war, aber in seinen Worten war etwas viel Bedrohlicheres verborgen.

»Danke, dass du das gesagt hast, Chris. Ich weiß, dass es schwer für dich gewesen ist. Und du hast recht«, ich zwang mich dazu, zu kichern. »Ich werde keine Geister mehr sehen. Aber ich hoffe, du meinst nicht, dass wir sofort nach London zurück müssen?«

»Nicht sofort. Tom und Evie kommen morgen her, und ich weiß, dass sie sich auf ein langes Wochenende freuen. Aber danach sehe ich keinen Grund, warum wir nicht alle zusammen zurückfahren sollten. Wir werden das Cottage für diesen Sommer abschließen, und ich denke, wir sollten es auf dem Immobilienmarkt anbieten.«

Unser kleines Haus verkaufen? Mich für immer von Talland Bay verabschieden? Nein, das würde ich nie zulassen. Chris schaute mich an.

»Cathy, ich weiß, du willst Cornwall nicht verlassen. Aber ehrlich, es gibt keine andere Wahl. Dieser Ort tut dir nicht gut. Ich bin immer der Meinung gewesen, deine Faszination für Mystizismus macht dich verletzbar, und während wir beide so viel Zeit hier unten verbracht haben, ist es zur Besessenheit geworden. Ich muss dich zurück ins Land der Lebenden bekommen, zum praktischen Alltagszeug, wie einen Haushalt zu führen, sich um die Kinder zu kümmern und wieder einen Job zu finden. Das kann ich nicht, wenn du so viel Zeit hier unten verbringst, also muss ich darauf bestehen, dass wir diesen Ort, so schön er sein mag, hinter uns lassen.«

Da war es. Das Ultimatum, von dem ich gewusst hatte, es würde kommen. Es war allerdings absurd. Ich wusste, ich würde Cornwall nie verlassen. Aber ich musste gerissen sein. Ich musste Zeit schinden, um mit Jack zu reden und die Sicherheit von Eloise' Kindern zu gewährleisten.

Ich gab vor, tief in Gedanken versunken zu sein. Dann sagte

ich: »Also gut, Chris. Ich bin sicher, du hast recht. Wir fahren irgendwann nächste Woche nach London zurück.«

Ich kreuzte meine Finger hinter meinem Rücken. Kindisch und falsch, ich weiß, aber um nichts in der Welt würde ich Cornwall aufgeben, um nichts in der Welt würde ich Eloise im Stich lassen.

In dieser Nacht schliefen wir wieder im gleichen Bett. Aber das war es auch schon. Er legte seine Arme um mich, nachdem wir zu Bett gegangen waren, aber ich ertrug es nicht. Wir waren so weit voneinander entfernt, es war, wie einen Fremden zu umarmen. Ich murmelte, ich wäre zu müde, die uralte Entschuldigung, und mit einem genervten Stöhnen akzeptierte er es, drehte sich um und schlief ein.

Ich versuchte, mich zu entspannen, aber ich wusste, alles würde sich zuspitzen. Ich konnte es fühlen. Ich war froh, dass meine Familie hier war, aber ich hatte weniger als eine Woche, um alles zu regeln. In ein paar Tagen würde Eloise' Schlacht geschlagen werden.

24

Am Samstag rief Juliana an. »Jack ist hier«, sagte sie glücklich. »Er möchte unbedingt die Freunde von Eloise kennenlernen. Also, wie sieht es irgendwann bald mit Mittagessen aus?«

»Morgen hier, Sonntagsessen. Du hast in letzter Zeit viel zu oft für uns gekocht.«

»Mein Liebes«, lachte sie. »Du weißt genau, ich kann nicht kochen. Nicht ich mache die Sklavenarbeit in der Küche.«

»Ich weiß, aber kommt bitte hierher. Ich kann euch keinen Paul Bocuse versprechen, aber ich werde mein Bestes tun, einen anständigen Braten hinzukriegen.«

»Ist es in Ordnung, wenn ich außer Jack auch noch Arthur mitbringe? Er will unbedingt Evie wiedersehen.«

»Juliana, wenn du Arthur nicht mitbringst, fängt Evie an zu hyperventilieren. Sagen wir, es würde morgen an unserem Tisch keine Freude aufkommen, wenn er nicht dabei wäre.«

»Großartig. Wir sehen euch dann gegen eins morgen.«

Chris war nicht allzu erfreut über mein geplantes Sonntagsessen. Er mochte Juliana, aber er war der Meinung, die Anwesenheit von Arthur und Jack wären eine unwillkommene Erinnerung an Eloise. Ich sagte ihm, es sei nur höflich, sie einzuladen, und abgesehen davon wisse er, dass Evie in Arthur verknallt sei. Das kam nicht gut an, um es gelinde auszudrücken. Wie jeder andere Vater stand Chris Jungen, die seine sechzehnjährige Tochter mochten, zutiefst misstrauisch gegenüber, und die Tatsache, dass Arthur Eloise' Enkel war, machte ihn noch unbehaglicher. Er brummte ein bisschen herum, und ich lachte ihn aus, und eine Weile schien alles wieder normal zu sein. Ich neckte ihn, er tat so, als wäre er mürrisch, die Kinder waren froh, uns froh zu sehen. Wir hatten tatsächlich einen schönen Samstag, und ich erlaubte mir zu hoffen, dass Chris das Cottage vielleicht doch nicht verkaufen würde. Wir gingen für das Essen am nächsten Tag einkaufen, und später beobachtete ich ihn, wie er mit Tom und Sam auf dem Rasen im Vorgarten mit einem Ball herumkickte. Ich konnte nicht glauben, dass er sich von diesem Ort und den wunderbaren Erinnerungen an die Kindheit unserer drei Sprösslinge trennen würde. Wir hatten immer gesagt, wir würden niemals verkaufen; wir wollten unsere Enkel hier aufwachsen sehen und das Haus unseren drei Kindern vermachen, wenn wir letztendlich selbst an der Reihe waren.

Evie und ich saßen vorn im Garten. Von hier aus konnte man das Meer und die Kirche sehen. Es war perfekt, ein herrlicher Platz.

Eve schien meine Gedanken zu lesen. »Ach, Mum. Ich liebe es hier. Wir werden hier nie weggehen, nicht?«

»Nicht, wenn ich ein Wörtchen mitzureden habe«, murmelte ich.

Sie sah verdutzt aus. »Was meinst du? Dad liebt es doch auch, oder?«

Ich verwünschte mich selbst, sie beunruhigt zu haben. Vielleicht wäre es verantwortungsvoller gewesen, wenn ich Evie wenigstens einen Teil der Wahrheit erzählt hätte. Aber was konnte ich sagen? Sie wusste nichts von Ellies herumwanderndem Geist, und es würde mir nicht im Traum einfallen, sie da mit reinzuziehen. Es war schon schlimm genug, dass Sam über die psychischen Probleme seiner Mutter Bescheid wusste.

»Ja, natürlich liebt er es, Schätzchen. Ich glaube nur nicht, dass er es so sehr liebt wie ich, das ist alles.«

Sie schaute wissend.

»Männer!«, sagte sie bei dem Versuch, besonders erwachsen zu klingen. »Sie verstehen wirklich die meiste Zeit über gar nichts, nicht wahr?«

Ich musste lachen. »Nein, Liebes. Ich befürchte, du hast recht. Es gibt dennoch Verwendungsmöglichkeiten für sie.«

Sie wiegte ihren Kopf in ihren Händen. »Mum?«, sagte sie sacht. »Meinst du, Arthur mag mich?«

»Ich weiß es sogar, Baby. Juliana hat gesagt, er ist ziemlich begeistert.«

Sie wurde rot und kicherte. »Was soll ich morgen anziehen?«

»Irgendwas Sportliches. Du wirst nicht wollen, dass er glaubt, du hast dich zu sehr angestrengt. Jeans, denke ich, und ein hübsches Oberteil.«

Sie nickte nachdenklich. »Wie lange, denkst du, wird er in Cornwall bleiben?«

Ich überlegte sorgfältig, was ich ihr sagen sollte. Ich wollte sie nicht zu sehr in ihren Hoffnungen bestärken. Andererseits könnte Evie eine mächtige Waffe in meiner Kampagne sein, Chris davon zu überzeugen, das Cottage zu behalten. Also erzählte ich ihr die Wahrheit.

»Genau genommen, mein Schatz, hat er vor, eine ganze Weile zu bleiben. Juliana hat mir erzählt, er habe vor, im nächsten Schuljahr die Oberstufe in Truro zu besuchen. Und wenn er das macht, wird er bei ihr wohnen.«

Evie umarmte sich selbst. »Das ist ja voll gut! Also kann ich ihn mehr oder weniger sehen, wann ich will? Vielleicht sogar jedes Wochenende?«

Hoppla, dachte ich. Das könnte schnell ausufern, wenn ich nicht etwas bremsen würde. »Das weiß ich nicht, Liebchen. Da ist noch so eine kleine Angelegenheit wie die sechste Klasse für dich in London.« Sie sah geknickt aus, und ich gab etwas nach. »Schau, ich bin sicher, ihr könnt in Kontakt bleiben. Ich meine, du schreibst schließlich gern, und dann gibt es ja immer noch Facebook.«

»Ich weiß, aber das ist nicht das Gleiche, wie mit ihm abzuhängen. Du wirst ab und zu an den Wochenenden mit mir herkommen, nicht wahr, Mum?«

»Na klar werd ich das«, sagte ich herzlich. »Also, was sollen wir zu Abend essen? Fish und Chips aus Looe, okay?«

Evie hätte nichts gleichgültiger sein können. »Meinetwegen«, sagte sie verträumt, und wir gingen los, um uns den Jungs anzuschließen.

In dieser Nacht, nach einem friedvollen Abend, an dem wir eine DVD anschauten, gingen Chris und ich ins Bett. Anders als in der gestrigen Nacht gab es diesmal keine Unbehaglichkeit. Wir redeten glücklicherweise über die Kinder, amüsiert über Evies Schwärmerei für Arthur, und lasen umgänglich Seite an Seite. Irgendwann machten wir das Licht aus.

Ich konnte nicht anders, als mich angespannt zu fühlen. Ich gab mir große Mühe, zu gähnen und darauf hinzuweisen, dass ich sofort schlafen wollte. Aber Chris war hartnäckig. Er machte das Licht wieder an und sagte sehr sanft: »Cathy, wir müssen wieder zur Normalität zurückkehren. Komm in meinen Arm.«

»Aber du denkst, ich sei verrückt. Warum solltest du mit einer Frau Liebe machen wollen, vor der du so wenig Respekt hast?«

»Ich hege den *allertiefsten* Respekt vor dir, Cathy. Du bist außerordentlich clever und scharfsinnig. Es ist nur, wir haben eine schwere Zeit durchgemacht, und mir ist sehr wohl bewusst, dass einiges davon mein Fehler war. Ich liebe dich und ich möchte, dass es wieder wird wie früher.«

Irgendwie schafften wir es.

Ich schlief beruhigt und glücklich ein. Und ich schaffte es, mich davon zu überzeugen, das alles gut werden würde. Ein Abend zusammen mit meiner Familie hatte meinen Glauben an unsere Zukunft wiederhergestellt. An uns. Nur wir fünf, so stark miteinander verbunden, wie wir es immer gewesen waren.

Eloise' Stimme schwappte in meinen Schlaf.

»Cathy, morgen wirst du Jack begegnen. Das ist es, Cath. Er wird dir zeigen, was getan werden muss. Und er ist so wundervoll. Er hat mir immer alles bedeutet.«

Alles? Was war mit ihren Babys, Rose und Violet? Isabella und Arthur? Was war mit Ted, um Himmels willen? Aber das waren geringfügige Haarspaltereien. Heute Nacht fühlte ich mich sanft, sicher und geliebt. In Chris' Armen fühlte ich mich nicht mehr bedroht von den beharrlichen Forderungen meiner Freundin.

25

Am nächsten Morgen herrschte Chaos. Ich musste ein Mittagessen für acht Personen kochen, und ich war mittlerweile eine lausige Köchin. Aber ich war in der guten alten Zeit einmal richtig gut gewesen, und ich war entschlossen, dass das Essen, das ich heute produzierte, zumindest erinnerungswürdig sein würde. Ich vermute, ich hatte eine Menge zu beweisen.

Ich hatte in Fowey sorgfältig alle Zutaten besorgt, und der Rinderbraten von Kittows Metzgerei war immer erstklassig. Aber ich war nervös, was mich mürrisch machte. Die Jungen zogen mich damit auf, was meine Laune noch mehr verschlechterte, aber Chris war nach unserer zärtlichen Nacht hilfreich und aufmerksam, und Evie war ein Schatz. Sie schälte und kochte die Kartoffeln. Mittlerweile knetete ich den Teig für den Yorkshire Pudding und legte ihn zum Ruhen in den Kühlschrank. Ich bat Tom und Sam, den Tisch zu decken, was sie unter viel Gezänk auch taten. Ich fühlte mich verpflichtet, zu versuchen, Julianas legendäre Gastlichkeit zu kopieren, also mussten auf jeder freien Fläche Vasen mit wunderschönen Blumen stehen. Und natürlich würden drei perfekte Gänge zum Essen serviert werden, sowie Port oder Liköre danach. Aber es ist ein schwieriges Unterfangen, in einer offenen Küche ein fehlerfreies, anspruchsvolles Menü aufzutischen, wo alle Töpfe, Pfannen und alle sonstigen Überbleibsel vom Kochen für alle zu sehen sind. Evie sagte, ich sollte aufhören, so einen Wirbel zu machen.

»Was ist los mit dir, Mum?«, fauchte sie, als ich mir wegen des

Blumenarrangements die Haare raufte. »Juliana kennt dich seit Jahren. Ihr wird die Tischdekoration völlig egal sein. Sie weiß, dass du keine Bediensteten hast. Und um Himmels willen, Ted und Eloise haben wie die Hippies gelebt. Ich kann mich an kein Essen mit ihnen erinnern, das nicht wie ein gehetztes Picknick ablief.«

Sie hatte natürlich recht. Ich war überpenibel, nicht wegen Juliana, sondern weil ich nervös war wegen der Begegnung mit Jack. Eloise hatte ihn ja auch in den schillerndsten Farben geschildert.

Schließlich sah das Haus präsentabel, sogar hübsch aus. Chris hatte den Kamin angemacht, wenn auch unter Nörgeln.

»Aber das ist viel zu warm heute für ein Kaminfeuer, Cathy. Du musst übergeschnappt sein.«

Ich übersah diese Beleidigung bewusst. Und um fair zu bleiben, nachdem er es gesagt hatte, schaute er mich schuldbewusst an und schichtete gehorsam die Holzscheite auf den Kaminrost.

Und plötzlich waren sie da. Strömten in unser Wohnzimmer: Juliana, Arthur und Jack. Chris und ich waren erst einmal damit beschäftigt, Getränke zu servieren. Evie war damit beschäftigt, so nah wie möglich an Arthur zu kleben.

Schließlich setzten sich alle hin und ordneten ihre Gedanken. Es war, als ob eine herrische himmlische Stimme gerufen hätte: »UND JETZT ENTSPANNEN.«

Es herrschte kurz Stille. Dann schaute ich Jack in Ruhe an. Und ich wusste sofort, warum Eloise ihn geliebt hatte. Ich verliebte mich nach diesem langen Blick fast selbst in ihn.

Er war hinreißend. Blond und sonnengebräunt, wie man es von einem kornischen Jungen erwarten würde, der ein australischer Surf-Adonis geworden war. Mit wunderschönen blauen Augen und einem breiten, großzügigen Lächeln. Es war offensichtlich, warum Eloise Ted geheiratet hatte. Sie stand ganz klar auf einen bestimmten Typ, und Ted hatte ihre Leidenschaft für Jack wiedererweckt, als sie ihm begegnet war. Aber während wir uns unterhielten, wurde klar, dass Jack kein Strandhippie war. Er arbeitete als Arzt in Byron Bay und hatte sich auf die Behandlung von Krebspatienten spezialisiert. Wie ironisch, dachte ich, ich wünschte, er hätte Eloise behandeln können.

Wir saßen um unseren großen Eichentisch herum, und Eve und ich servierten die Vorspeisen: geräucherten Lachs und Garnelen. Nicht der gewagteste Einstieg, aber wir hatten in Fowey einen exzellenten Fischhändler, also konnte ich mich darauf verlassen, dass die Qualität stimmte. Chris schenkte den gekühlten Weißwein aus.

Selbstverständlich hatte ich den Kindern nichts über Jacks und Arthurs Beziehung zu Eloise erzählt. Soweit es meine drei betraf, waren die beiden Männer an unserem Tisch lediglich entfernte Verwandte der Trelawney-Familie. Juliana schien sich pudelwohl zu fühlen. Sie leuchtete auf eine Art, die ich seit Eloise' Tod nicht mehr an ihr gesehen hatte.

Chris schnitt den Braten auf, der hervorragend aussah, rosa und saftig. Alles in allem war der ganze Gang ein Triumph. Der Yorkshire Pudding war knusprig und deliziös, die gerösteten Kartoffeln, die Pastinaken und der Rosenkohl jenseits meiner wildesten Träume. Vielleicht sollte ich doch öfter kochen, dachte ich selbstzufrieden.

Der Rotwein lief jetzt wie ein Leckerbissen hinunter. Ich hatte Arthur absichtlich neben Evie gesetzt, und sie waren in ein Gespräch vertieft, das zwischen ernst und albern wechselte. Chris und Jack hatten eine ernsthafte Diskussion. Sie redeten über den britischen Gesundheitsdienst NHS und darüber, wie das alles in Australien gehandhabt wurde. Juliana und ich strahlten uns nur an. Was für ein schöner Tag, welch ein perfektes Ereignis.

Dann hörte man ein flüchtiges Klopfen an der Küchentür. Wie immer unverschlossen, flog sie daraufhin auf, und zwei kleine Mädchen liefen herein, dicht gefolgt von Ted.

Rose und Violet kreischten vor Freude, als sie Juliana, Eve und die Jungs sahen. Wir sprangen alle auf, um sie zu begrüßen und zu knuddeln. Nur Ted stand mit einem heimtückischen, finsteren Blick an der Tür.

»Schön, schön, schön«, sagte er sarkastisch. »Und da denke ich mir so, was für ein schöner Sonntagnachmittag, die Mädchen fühlen sich ein bisschen einsam, gehe ich doch einfach mit ihnen ein paar Freunde besuchen. Nur um zu sehen, dass ihr alle schon vor mir angekommen seid. Da seid ihr alle, bei einem wunderbaren Mittagessen, und der Einzige, der nicht eingeladen worden ist, bin ich. Und die Zwillinge natürlich.« Er dreht sich zu seiner Schwiegermutter. »Nun, Juliana, möchtest du mich nicht vorstellen? Der junge Mann, der neben Evie sitzt, ist, wie ich vermute, der heilige Arthur, der so viel vom Geld meiner Frau bekommen wird. Aber wer ist *er?*«, fragte er, Jack anstarrend. »Könnte das womöglich der legendäre Jack sein, ihr jugendlicher Don Juan? Ich denke, man hätte mich informieren können, oder nicht?«

Eine Minute lang herrschte Stille. Dann stand Chris auf.

»Ted, ich denke, wir sollten nach draußen gehen. Du kannst nicht einfach hier reinkommen und unsere Gäste beleidigen. Ich werde hier drinnen nicht mit dir reden, es sind zu viele Leute hier, die das stört.«

»Ach, wirklich? Du denkst, einige könnten die hässliche Wahrheit nicht ertragen, he? Nun, du weißt, dass mir so viele Geheimnisse vorenthalten worden sind, dass ich wirklich nicht die geringste Lust habe, mit euch Drecksäcken jetzt hier um den heißen Brei herumzureden.«

»Ted, um Himmels willen«, sagte Chris. »Red nicht so vor deinen Töchtern. Du solltest dir deinen Unmut für die Erwachsenen aufsparen.«

»Nun gut. Lass uns jetzt gleich rausgehen, Arthur, Jack und du.«

Ich war unbeschreiblich wütend. Das war meine Essenseinladung, die er da verdarb. »Ted, du benimmst dich lächerlich. Jetzt setz dich hin und trink ein Glas Wein. Bitte, das ist nur ein Familienessen. Es tut mir leid, dass ich dich nicht eingeladen habe, aber, falls du dich erinnerst, war unsere letzte Begegnung gelinde gesagt nicht gerade herzlich.«

»Aber sicher erinnere ich mich. Du hast herumgeschrien, dass das Meer sich erhebe, um uns alle zu ertränken, und irgendetwas über Eloise. Vollkommen vernünftig, hab ich mir gedacht. Was für eine wunderbare Frau du da hast, Chris. Vollkommen übergeschnappt, aber immer noch sehr ansehnlich, du alter Glückspilz.«

Eve und Tom starrten mich mit offenem Mund an. Eve redete zuerst. »Was meint er, Mum? Was meint er mit dem Meer, das versucht, uns zu ertränken?«

»Nichts, mein Schatz. Schau, Ted versucht offensichtlich, uns das Mittagessen zu verderben, also hättet ihr drei etwas dagegen, die Mädchen mit nach unten zu nehmen und mit ihnen Kinderstunde zu gucken? Und Arthur auch, natürlich.«

Arthur grinste, offenbar unbeeindruckt von dem wütenden Fremden in unserer Mitte. »Denkst du, die Kinderstunde wäre was für mich, Evie?«

Sie wandte sich ihm erleichtert zu. »Idiot«, sagte sie fröhlich. »Na ja, wahrscheinlich schon, ist extra für kleine Gehirne gemacht.«

Lachend sammelten sie die Kleinen auf und machten sich in Richtung Treppe auf. Tom und Sam folgten ihnen, obwohl Sam zögerte, mitzugehen. Er schaute Ted unnachgiebig an. Als sie die Treppe hinunter verschwanden, fing ich einen seltsamen Blick von Jack auf. Wahrscheinlich erinnerten die Zwillinge ihn an Eloise, dachte ich. Sie sahen ihr verblüffend ähnlich.

Ich forderte Ted noch einmal auf, sich hinzusetzen. Juliana unterstützte mich und goss ihm ein Glas Wein ein. Chris sah streitlustig aus, Jack höflicherweise neugierig. Ted setzte sich, wenngleich ungnädig. Er starrte Jack an.

»So«, sagte er. »Sie sind Jack, he? Die erste Liebe meiner Frau.«

Juliana beugte sich vor. »Ted, bitte sei vorsichtig mit dem, was du sagst. Arthur hat keine Ahnung, dass Jack sein Großvater ist.«

»Ich weiß. Er ist der gute alte Onkel Jack für ihn, nicht wahr? Keine Angst. Ich werde ihm die bequeme Illusion nicht verderben, indem ich ihm die schmutzige Wahrheit erzähle. Die ist, dass Sie meine Frau geschwängert haben, als sie dreizehn war. Obwohl, weiß Gott, ich hätte mir ein bisschen mehr Ehrlichkeit von ihr gewünscht. Bis vor Kurzem hatte ich keine Ahnung, dass Eloise ein herumschlafender Teenager war. Ich hatte auch keine Ahnung, dass sie einen Enkel hatte, dem sie ein Viertel ihres Vermögens vermachen wollte. Ganz zu schweigen natürlich von dem edelmütigen Vermächtnis für ihre Bastardtochter. Ja, sie war sehr loyal ihren Nachkommen gegenüber. Schade, dass ihre wohltätigen Instinkte sich nicht auf ihren armen verdammten Ehemann erstreckt haben.«

Jack blieb ruhig. Er starrte nur Ted an, der fast außer sich war.

Juliana wollte nicht länger vermitteln. Sie kochte vor Wut. »Wie kannst du es wagen, so über meine Tochter zu reden! Eloise war ein naives junges Mädchen – sie hat niemals herumgeschlafen. Sie und Jack haben in einer Nacht einen Fehler begangen, das ist alles. Und obwohl Jacks Eltern ihre kleine Tochter adoptiert und in Australien aufgezogen haben, ist Eloise nie darüber hinweggekommen. Sie hat jeden Tag an Isabella gedacht. Und als sie hörte, dass sie Großmutter geworden war, haben ihre Instinkte ihr geraten, Verantwortung zu übernehmen. Natürlich wollte sie sehen, dass für Arthur gesorgt war.«

»O ja, die gute, alte, verantwortungsvolle Eloise«, spie Ted aus. »Solch eine gutherzige Frau. Es ist eine Schande, dass sie mir gegenüber nicht die gleiche Verantwortung gezeigt hat, mir, dem Vater ihrer Kinder. Ich meine, was bin ich, nur ein verdammter Samenspender?«

Jetzt war ich an der Reihe. »Ted, ich hab dir schon einmal gesagt, dass dich dein Selbstmitleid auffrisst, an dem Tag auf der

Klippe. Was bist du für ein Mann, dass du gegen deine tote Frau hetzt, nur weil sie dir nicht ihr ganzes Geld vererbt hat? Du hast das Haus und ein ordentliches Einkommen, von dem ihr leben könnt, solange die Mädchen aufwachsen. Und du bist ein erfolgreicher Künstler. Denkst du nicht, all diese Wut ist unter deiner Würde? Wo bleibt deine Selbstachtung? Und wo ist deine Trauer um Eloise? Deine Achtung vor ihrem tapferen Kampf gegen diese schreckliche Krankheit? Und dein Mitleid für die grausame Art und Weise, wie sie starb?«

Es herrschte Stille. Ted sah – nun, ich wünschte, ich könnte sagen, er sah einsichtig aus, aber das tat er nicht. Stattdessen wirkte er verschlagen. Aber er sagte nichts mehr.

Chris räusperte sich und sprach dann sehr sanft. »Cathy hat recht, Ted. Das weißt du auch. Alles, was du sagst, kann man der Trauer zurechnen. Und du kannst nicht weiterkommen, solange du nicht alles verarbeitest, was passiert ist. Und das schließt das Geld mit ein. Du brauchst Eloise' Erbschaft nicht. Du bist ein begabter Künstler. Du kannst dein eigenes Vermögen erwirtschaften und dich mit dem Gedanken trösten, dass gut für deine Mädchen gesorgt ist. Eine Menge Männer fänden das sehr beruhigend.«

Ted stand abrupt auf und verließ das Haus, die Tür hinter sich zuknallend. Wir schauten uns an. »Keine Angst«, sagte Jack. »Er wird zurückkommen. Er hat seinen Wagen dagelassen.«

»Und seine Töchter«, sagte ich.

Juliana sah erfreut aus. »Ja, das ist wunderbar. Er lässt sie mich kaum sehen, nur wenn es ihm in den Kram passt. Cathy, ich weiß, das war alles ein bisschen ärgerlich, aber hast du etwas dagegen, wenn wir unser Mittagessen zu Ende bringen? Zusammen mit den Kindern hier oben? Wäre doch schließlich schade, wenn das ganze herrliche Essen in den Abfall wandern würde.«

* * *

Viel später lagen Chris und ich im Bett und ließen die Ereignisse des Tages Revue passieren. Klein-Rose und Violet hatten einen herrlichen Nachmittag mit ihrer Großmutter verbracht. Evie hatte einen traumhaften Tag mit Arthur gehabt. Jack schien glücklich und entspannt in unserer Gesellschaft. Wir tranken eine Menge Wein und niemand redete über Ted. Wir redeten jedoch über Eloise. Jack stellte eine Menge Fragen über ihre Krankheit und wie sie damit umgegangen war. Juliana gab die meisten Antworten, und während sie über ihre Tochter redete, wurde Jack mehr und mehr ernst und traurig. Er senkte seine Stimme, damit die Kinder ihn nicht hören konnten.

»Ich wünschte, ich hätte Bescheid gewusst«, sagte er. »Ich wäre rübergekommen, um sie zu sehen, wenn ich es gewusst hätte. Es war ein solcher Schock, deinen Brief nach ihrem Tod zu bekommen, Juliana.«

»Ja, das tut mir leid, Jack. Aber sie hat darauf bestanden, dass ich dir nicht erzähle, wie krank sie war. Sie war sehr verschlossen, was das betraf. Sie hatte es nur ihren engsten Freunden erzählt. In vielerlei Hinsicht hat sie die Augen vor der Wahrheit verschlossen. Sie hasste es, darüber zu reden. Sie dachte, wenn sie es irgendwie anerkannte, würde es ihr Pech bringen.«

»Das kann ich bestätigen«, sagte ich. »Ellie machte weiter, indem sie positiv war und sich selbst davon überzeugte, sie könnte die Krankheit besiegen. Es ist erstaunlich, wie optimistisch sie war, bis hin zu ihrem Ende.«

Ted kam weder wegen seines Wagens noch wegen seiner Töchter zurück, und schließlich legten wir sie in der Schlafkoje unten ins Bett. Juliana hatte Bedenken, sie hierzulassen.

»Was, wenn er betrunken zurückkommt, Cathy? Du weißt, wie er jetzt ist, wenn er zu viel getrunken hat. Aggressiv und voller Hass.«

Nicht viel anders, als wenn er nüchtern ist dieser Tage, dachte ich.

»Und außerdem«, fuhr sie fort, »wird er die Mädchen nach Hause fahren wollen. Unter keinen Umständen kann ich das zulassen, wenn er betrunken ist. Und das wird er sein.«

Ich war mit ihr einer Meinung. Ich schlug vor, dass sie alle bei uns im Cottage blieben. Wir hatten gerade genug Platz. Die Jungs konnten in einem Zimmer schlafen, und für Arthur hatten wir eine Campingliege. Evie und Juliana hatten nichts dagegen, in einem Zimmer zu schlafen. Glücklicherweise war das Schlafzimmer meiner Tochter groß, mit einem riesigen Himmelbett, das problemlos groß genug für beide war. Und Jack konnte in meiner Schreibhütte schlafen.

Später waren alle in den ihnen zugewiesenen Zimmern verschwunden, und Chris und ich gingen ins Bett. Chris war angewidert von Ted.

»Herrgott, der Mann ist ein Chaos. Er sollte sich im Moment vor allem um seine Kinder kümmern und nicht sich selbst verhätscheln, indem er sie im Stich lässt, während er sich verpisst, um sich zu besaufen.«

»Was mich beunruhigt«, sagte ich, »ist, dass seine Wut über Ellies Testament ihn fast hat überschnappen lassen. Das ist schrecklich für die Zwillinge. Schau dir an, wie er sie heute verlassen hat. Ich weiß nicht, ob sie bei ihm sicher sind.«

Chris' Stimme war gedämpft. »Cathy, ich weiß, du machst dir Sorgen um die Mädchen. Aber ich denke, du fängst wieder an zu übertreiben.«

Ich musste vorsichtig sein. Wenigstens hatte er Ted in seiner allerübelsten Laune erlebt. Ich musste für kleine Schritte dankbar sein.

Chris sagte mir Gute Nacht, das jedoch gefolgt von einer Ermahnung. »Du musst das wirklich begreifen. Wenn du davon redest, dass Ted die Zwillinge in Gefahr bringt, überschreitest du eindeutig eine Grenze. Er ist kein netter Mann. Ich weiß das, aber er hat höllische Erfahrungen durchgemacht. Vergiss nicht, dass er sich fünf Jahre um Eloise mit dieser aussichtslosen Krankheit gekümmert hat. Das verändert einen Menschen. Und dann musste er erfahren, dass Eloise im frühen Teenageralter eine Tochter hatte und dass sie auch einen Enkel hat. Das war ein Riesenschock für ihn. Natürlich muss er sich gekränkt fühlen. Er hatte keine Ahnung von der Vergangenheit seiner Frau und hat es erst herausgefunden, als es schon zu spät war.« Er küsste mich. »Es ist in Ordnung, Liebes. Hör auf, dir Sorgen zu machen. Ted wird wieder zur Vernunft kommen.«

Nein, dachte ich. Ted wird nicht zur Vernunft kommen. Das war, was Eloise mir hatte mitteilen wollen und was ich versuchte, Chris zu sagen.

26

Wir schliefen ein. Trotz meiner Zweifel an Chris' Einschätzung von Ted fühlte ich mich richtig gut. Meine gesamte Familie war zusammen unter demselben Dach; nicht nur sie, sondern auch die Kinder und der Enkel meiner liebsten Freundin. Ihre Mutter auch, und Jack, den sie so sehr geliebt hatte, hatte sich in meiner kleinen Hütte niedergelassen. Ich begriff so viel mehr über Ellie, jetzt, da ich ihn getroffen hatte. Ich verstand vollkommen, warum sie ihn geliebt hatte, und war mir sicher, wenn sie sich später im Leben getroffen hätten, hätte sie ihn geheiratet. Eine Tragödie, dachte ich. Wie anders, um wie viel glücklicher hätte Eloise' Leben sein können. Aber ich romantisierte und ließ die Phantasie mit mir durchgehen. Ellie hatte doch hoffentlich ein gutes Leben gehabt, oder?

Ich schlief warm und geborgen neben Chris. Heute Nacht fühlte ich, dass seine Verbindung zu Cornwall so intensiv war wie meine. Was sicher bedeutete, dass er unser Cottage behalten wollte, oder nicht?

Mitten in der Nacht klopfte es laut an der Küchentür. Ich wachte verwirrt auf und sah, dass Chris bereits aufgestanden war und seinen Morgenmantel anzog.

»Dieser Bastard! Das ist Ted, besoffen und entschlossen, das ganze Haus aufzuwecken.«

Er rannte nach unten. Ich hörte ihn die Tür aufschließen und dann sofort einen Riesenstreit, der die Treppe hinaufhallte. Ich konnte Ted betrunken herumschreien hören, er klagte Eloise an und beschuldigte Chris, seine Töchter entführt zu haben. Ich hörte Chris, der versuchte seine Stimme unter Kontrolle zu halten, während er Ted erzählte, dass seine Töchter tief schliefen und dass es grausam wäre, sie zu dieser Stunde aufzuwecken. Ted verlangte, dass sie mit ihm kommen sollten, jetzt sofort, damit er sie heim nach Fowey bringen könne. Chris – immer noch ruhig und vernünftig – erwiderte, Ted sei viel zu betrunken, um zu fahren, und dass die Mädchen hier sicherer seien. Ted zeterte, dass Chris nicht über ihn zu Gericht sitzen könne, und sagte, wenn er nicht jetzt sofort seine Kinder sähe, werde er die Polizei rufen. Chris lachte und empfahl ihm, genau das zu tun, und wenn nicht, würde er das erledigen. Ted fragte, wo er diese Nacht verdammt noch mal schlafen solle. Chris riet ihm, im Wagen zu schlafen. Und wenn er noch mehr Tumult veranstalte, werde er tatsächlich die Polizei herrufen, und Ted werde die Nacht schlussendlich in einer Zelle auf dem Polizeirevier in Plymouth verbringen.

Ich hörte die Tür zuknallen und das Geräusch des Schlüssels, als Chris zweimal absperrte. Er kam nach oben, ungehalten, aber auch amüsiert. »Also wirklich, Cathy, der benimmt sich wie ein Dussel. Ein vollkommener Idiot.«

Er kroch ins Bett und schlief fast augenblicklich wieder ein. Ich war sehr beunruhigt. Ted war gefährlich, dachte ich. Viel zu sprunghaft, um zwei verletzliche, fünf Jahre alte Mädchen allein zu betreuen. Ich wusste nicht, was ich dagegen unternehmen konnte, aber ich beschloss, am nächsten Morgen mit Juliana zu reden. Vielleicht konnten wir ihn einweisen lassen, und sie könnte sich um die Zwillinge kümmern. Chris würde da Bescheid wissen, dachte ich schläfrig, und schlief wieder ein.

Gott weiß, wie viel später, hörte man einen Schuss. Es war ein unverkennbares Geräusch, prompt gefolgt von einem zweiten Knall. Chris sprang aus dem Bett.

»Gott, das ist er wieder«, rief er. Chris hatte ein Luftgewehr, das er vom Schrank herunterholte, als er das Zimmer verließ. Ich sah ihn von oben auf der Treppe, als er in die Küche eilte und dabei die Waffe schwang. Sekunden später kam Sam aus seinem Schlafzimmer unten die Treppe heraufgerannt.

»Dad, was machst du?«, schrie er.

»Bleib hier, Sam. Dieser Idiot hat eine Waffe, und er ist sehr betrunken.«

»Dad, geh bitte nicht nach draußen. Ted hat eine richtige Schrotflinte. Wenn er besoffen ist, könnte das tödlich enden.«

Wie um Sams Warnung zu bekräftigen, hörte man noch einen lauten Schuss aus dem Garten.

Ich konnte Ted brüllen hören und rannte zu unserem Schlafzimmerfenster. Die Gartenbeleuchtung war an und erleuchtete die pechschwarze kornische Nacht, und ich sah, wie er die Flinte öffnete und zwei neue Patronen nachlud. Dann hüpfte er hoch zum Kopfende des Gartens, in Richtung meiner Schreibhütte. Er schien fast zu tanzen.

Aber meine Aufmerksamkeit wurde von einem Schrei aus dem Erdgeschoss abgelenkt. Es war Juliana, in dem Nachthemd, das ich ihr geliehen hatte. Sie eilte hinaus auf den Rasen.

»Ted, Ted, hör mit diesem Unsinn auf. Wir sind deine Familie. Deine Mädchen sind hier. Bitte, mach ihnen keine Angst. Ich bitte dich. Komm rein und lass uns reden.«

Aber Ted war außer sich. Als er die kleine Hütte erreicht hatte, schrie er: »Jack! Komm schon raus, Kumpel. Lass uns über Eloise reden, die kleine Schlampe. Hast du es genossen, ihren Körper, als sie erst dreizehn war? Wie war sie so? War sie knackig und jung? Hatte sie Titten? Hat sie dir einen geblasen?«

Mittlerweile waren Evie, Tom und Arthur auf und in der Küche. Ich floh nach unten, in Schrecken versetzt von Teds Wahnsinn und dem, was sie hören würden. Ich befahl ihnen, zurück ins Wohnzimmer zu gehen, mit einem bittenden Blick zu Sam, sie gut von den Erwachsenen fernzuhalten. Er nickte mir zu, sich vollkommen bewusst, dass es sich hier um eine echte Krise handelte, führte sie ins Wohnzimmer und schloss bestimmt die Tür. Ich liebte ihn mehr als jemals zuvor.

Draußen waren Chris und Juliana immer noch auf dem Rasen. Keiner von beiden zeigte die geringste Angst.

»Ted, du trauerst und bist sehr betrunken.« Chris' Stimme, stark und sanft, so professionell er nur konnte, schallte durch den Garten. »Komm rein. Schlaf deinen Rausch aus. Wir haben jede Menge Platz.«

Aber Ted ignorierte ihn. »Komm schon raus, Jack«, brüllte er. »Ich weiß, dass du da drin bist. Ich hab dich reingehen sehen, beleuchtet von Cathys putzigen kleinen Gartenlämpchen. Komm raus und lass uns das ein für alle Mal regeln.«

Die Tür der Hütte schwang plötzlich auf, und Jack trat heraus. Er war ganz angezogen, mit Jeans und einem gestreiften Hemd.

»Geh wieder rein, Jack«, rief ich. »Er hat ein Gewehr.«

Aber Jack stand bloß ganz still da und schaute Ted in die Augen. »Wir waren Kinder, Ted. Vor mehr als dreißig Jahren, in einem anderen Leben. Und dir ist nichts passiert.«

Ted, jetzt von einer Seite zur anderen schwankend, klang hysterisch. »Nichts passiert? Kein verdammtes Nichts? Was ist mit Arthur? Er hat mir so einiges angetan. Er und seine Mutter haben *meinen* Anteil vom Geld meiner Frau bekommen. Und sie ist ihm noch nicht mal vorher begegnet. Du hast mein Leben ruiniert, du selbstsüchtiger Bastard. Ich sehe nicht, warum ich nicht deins ruinieren sollte.«

Plötzlich hörte er auf zu schwanken. Er erhob seinen Kopf und stellte seine Füße weit auseinander. Dann hob er zu meinem Entsetzen das Gewehr und zielte auf Jacks Brust.

Unglaublicherweise warf Jack ihm ein leichtes Lächeln zu. »Drück ab, Ted«, sagte er ruhig. »Wenn das Ding keinen dritten Lauf hat, hast du keine Munition mehr. Du hast schon zwei Mal geschossen, oder bist du zu besoffen, dich daran zu erinnern?«

Ich schrie. »Nein, Jack! Er hat nachgeladen! Ich hab's gesehen.«

Die Stimmung veränderte sich augenblicklich. Sie war brisant und Angst einflößend gewesen; jetzt war sie tödlich.

Jack war weiß geworden, und Chris schob sich einen halben Schritt näher an die beiden Männer heran. Sein Ton hatte sich jetzt vollkommen verändert, von einer Stimme der Vernunft zu einer Warnung. »Ted, du DARFST DAS NICHT TUN.« Es war ein Befehl, in der tiefsten Stimme erteilt, die ich meinen Mann jemals gegenüber jemandem hatte verwenden hören.

Ted bewegte sich nicht, aber ich sah, wie er sich die Lippen leckte und die Augen für einen Moment zusammenkniff. Das Gewehr schwankte keinen Zentimeter.

Chris fing wieder an zu reden, mit der gleichen langsamen, schweren Intonation. »Ted. Ich sage dir das als einer deiner ältesten Freunde: Du willst diese schreckliche Sache NICHT machen. Du bist kein Mörder. Aber wenn du abdrückst, wirst du einer werden. Du magst Jack töten, aber du wirst auch dein eigenes Leben zerstören. Du MUSST das wissen. NIMM DAS GEWEHR RUNTER.«

Das grausige Bild blieb erstarrt stehen. Es schien, als würden wir alle dort bewegungslos stehen bleiben, bis ans Ende der Zeit. Aber nach einer gefühlten Ewigkeit fing die Schrotflinte an zu zittern, ganz leicht. Dann plötzlich sackte Ted in eine sitzende Position zusammen, das Gewehr über seinen Knien, und in einer flüssigen Bewegung war Chris an Teds Seite und brachte die Waffe in Sicherheit.

Jack stolperte gegen den Hütteneingang und vergrub sein Gesicht in den Händen. Juliana und ich brachen in Tränen aus. Es waren die erschreckendsten Minuten unseres Lebens gewesen.

Chris ließ die Flinte aufschnappen, warf die beiden Patronen aus und schleuderte sie, so weit er nur konnte, über den Rasen. Dann packte er Ted beim Arm und zog ihn hoch auf die Füße.

»Hol den Schlüssel von der Hütte, ja, Jack?«, bat er ruhig.

Jack verschwand einen Moment und kam mit dem Schlüssel wieder. Chris schob Ted sanft in die Hütte und drehte ihn drinnen zu sich. »Bleib hier drin und schlaf deinen Rausch aus. Wir sehen uns morgen.«

Er machte die Tür zu und verschloss sie, bevor er den Rasen zu mir und Juliana überquerte. Jack folgte ihm.

Ich nahm Chris in meine Arme. »Du hast Jacks Leben gerettet. Wenn du nicht hier gewesen wärst …«

»Dieser Mann ist außer Kontrolle«, sagte Chris grimmig. »Ich werde das Gewehr verschwinden lassen, aber er ist ganz klar übergeschnappt. Wir müssen etwas unternehmen.«

Sam tauchte an der Küchentür auf. »Mum«, sagte er dringlich. »Arthur hat einiges von dem mitbekommen, was Ted über Jack und Eloise gesagt hat. Er hat zwei und zwei zusammengezählt und ist zu dem Schluss gekommen, dass Jack sein Großvater sein muss.«

Ich erschauderte. »Ist er in Ordnung?«, fragte ich.

»Sehr schockiert. Er hört nicht auf zu fragen, ob es wahr sei. Wir wissen nicht, was wir ihm erzählen sollen. Wir haben ja keinen Schimmer.«

Juliana eilte ins Haus, Jack dicht hinter sich. Chris legte seinen Arm um mich, und wir folgten ihnen hinein. Arthur saß regungslos auf dem Sofa im Wohnzimmer, Evie war neben ihm und hatte ihre Arme um seine Schultern gelegt. Sie schaute mich an, ihr Gesicht ängstlich und betroffen.

»Es ist in Ordnung, Evie. Komm mal eben mit rauf in unser Schlafzimmer, für ein paar Minuten. Sam und Tom, ihr auch. Lasst Arthur mal eine Weile mit Jack und Juliana alleine.«

Meine drei Kinder standen gehorsam auf und kamen mit Chris und mir nach oben. Nachdem wir uns dafür entschuldigt hatten, es ihnen nicht schon früher erzählt zu haben, erklärten wir ihnen dort die ganze Situation. Erzählten von Jack und Eloise' Baby, das mit Jacks Eltern nach Australien gezogen war, weil Eloise zu jung war, um es zu behalten, und wie Isabella erst nach Ellies Tod erfahren hatte, wer ihre wahren Eltern waren. Ich erzählte ihnen, dass niemand Arthur gesagt habe, Jack sei nicht sein Onkel, sondern sein Großvater, weil sie dachten, dass würde ihn zu sehr aufregen. Die drei lauschten ernst.

»Ich bin sicher, er kommt damit klar«, sagte Sam, als ich zu sprechen aufhörte. »Arthur liebt Jack wirklich. Er hat mir gestern erzählt, er sei der beste Onkel auf der Welt.«

Chris lächelte seinen ältesten Sohn beifällig an. »Du hast vollkommen recht, Sam. Das ist eine sehr erwachsene Beobachtung, und ich stimme völlig mit dir überein.«

Evie sah erleichtert aus. Sie verehrte ihren Dad und war stolz, dass er solch ein angesehener Arzt war. Wenn Chris meinte, Arthur würde sich wieder fangen, dann reichte ihr das.

Es war halb fünf morgens. Die Kinder waren alle ins Bett gegangen, Arthur inbegriffen. Er hatte ein langes Gespräch mit Jack und Juliana geführt, wie sie mir am nächsten Tag erzählten. Jack sagte, es sei schwierig gewesen, die Gründe darzulegen, warum er seine wahre Beziehung zu Arthur und Isabella geheim gehalten hatte. Aber irgendwann, letztendlich, sei es ihm gelungen, den Jungen davon zu überzeugen, dass es das Beste gewesen und mit den besten Absichten geschehen sei. Der sechzehnjährige Junge und der Mann in seinen späten Vierzigern umarmten sich schließlich liebevoll.

Mittlerweile hatten wir es unter Mühen geschafft, die Nachbarn zu besänftigen. Wir erklärten ihnen, dass Ted nicht nur betrunken gewesen sei, sondern nach dem Tod seiner Frau auch an posttraumatischem Stress leide. Sie hatten Eloise gekannt und gemocht und hatten Verständnis für Ted, waren aber natürlich besorgt um die Sicherheit ihrer Familie. Glücklicherweise war Chris ein besänftigender Mann voller Überzeugungskraft. Er versicherte ihnen, dass er Teds Schrotflinte weggesperrt habe und Ted sich sicher verwahrt in der Hütte aufhalte. Chris war zu meiner kleinen Hütte zurückgegangen, nachdem alles vorbei war, und hatte Ted dazu gebracht, ein Beruhigungsmittel zu nehmen. Er hatte den Nachbarn gesagt, er übernehme als Psychiater persönlich die Verantwortung für Teds geistigen Zustand und würde sicherstellen, dass er am Morgen behandelt werde.

»Kannst du das machen, Chris?«, fragte ich, als wir mit Jack und Juliana um den Tisch herum saßen und an heißem Tee nippten. Die Kinder waren zurück ins Bett gegangen, und Rose und Violet hatten die ganze Sache verschlafen.

»Kann ich was machen?«, fragte er.

»Ted nachher ambulant behandeln.«

»Ich weiß es nicht. Das Problem ist, ich weiß nicht, was ich behandeln soll. Ich könnte ihm Antidepressiva geben und eine Therapie bei einem Trauerberater empfehlen, aber ich glaube nicht, dass er kooperieren würde.«

»Was können wir also tun?«, fragte Juliana. »Ich kann ihn so unmöglich die Mädchen betreuen lassen. Er ist gefährlich. Wenn er sie letzte Nacht in den Wagen verfrachtet hätte, hätte er sie womöglich umgebracht.«

»Könntest du ihn einweisen lassen?«, fragte ich.

Er lachte kurz auf. »Nicht, weil er betrunken war und sich danebenbenommen hat, nein.«

Jack sprach zum ersten Mal. »Wie wär's mit einer Vormundschaftsanordnung? Wenn wir beweisen können, dass er eine Gefahr für die Kinder darstellt, können wir sie ihm dann wegnehmen lassen?«

»Ich will nicht, dass meine Enkelinnen in Pflege gegeben werden«, sagte Juliana entrüstet.

Jack schaute sie an. »Daran habe ich nicht gedacht. Ich dachte, wir könnten sie in *deine* Obhut geben lassen. Sie könnten bei dir leben.«

»Könnten wir das tun?«, fragte ich voller Zweifel.

»Wir könnten es versuchen«, sagte Chris. »Ich habe Freunde an den Familiengerichten. Es ist einen Versuch wert.«

Als wir aber versuchten, zumindest ein paar Stunden Schlaf abzubekommen, Jack hatten wir auf dem Sofa untergebracht, fühlte ich, dass unsere Aussichten sehr düster aussahen. Ted würde uns bis aufs Messer bekämpfen. Die Mädchen waren nicht nur seine Töchter – sie waren sein täglich Brot. Er würde beides nicht ohne einen erbitterten Kampf aufgeben. Und davon abgesehen, sicher würde jedes Gericht akzeptieren, dass er momentan außer sich vor Trauer war, und dass der Versuch, ihm seine Kinder wegzunehmen, ihn noch mehr, vielleicht verheerend, verletzen würde.

Ich versuchte zu schlafen, aber eine leise, entfernte Stimme kroch in meinen Kopf. »Ich hab es dir gesagt, Cathy. Ich hab dir gesagt, ihm nicht zu trauen. Meine Kinder sind in großer Gefahr. Du musst sie von ihm wegbringen. Bald.«

Ich wusste, ich musste es versuchen.

Am nächsten Morgen waren wir alle etwas groggy. Evie, sie sei gepriesen, hatte sich der Wünsche der Zwillinge nach Frühstück angenommen, also konnten wir Erwachsenen ein bisschen länger schlafen. Als wir uns schließlich im Wohnzimmer versammelten, war die große Frage: »Was machen wir jetzt mit Ted?«

Ich artikulierte es gerade, als Jack durch die Küchentür hereinkam. »Nicht viel«, sagte er. »Er ist weg.«

»Was?«, sagte Chris.

»Er hat die Tür der Hütte eingetreten. Leicht genug, ist ja nur dünnes Holz – ein fester Tritt dürfte gereicht haben, deshalb hat auch keiner von uns etwas gehört. Wir waren so dumm zu glauben, die Hütte könnte als sichere Arrestzelle herhalten. Wie auch immer, die Tür hängt am Rahmen, und der Wagen ist weg.«

Es gab einen Moment der Betroffenheit, gepaart mit Erleichterung. Keiner von uns hatte die Begegnung mit Ted heute Morgen herbeigesehnt. Andererseits, wo war er hin? Und warum hatte er nicht gewartet, bis seine Töchter wach waren?

Wir mussten aufpassen, was wir in Gegenwart der kleinen Mädchen sagten, aber Violet hatte bereits begriffen, dass etwas fehlte. »Wo ist Daddy?«, fragte sie und schaute Juliana aufmerksam an.

»Ich könnte mir vorstellen, dass er nach Hause gefahren ist, Schätzchen«, antwortete sie.

»Ohne auf mich und Rose zu warten?«, fragte Violet nach.

»Nun, er wollte euch nicht aufwecken. Er wird nach Hause gefahren sein, um jemanden wegen seiner Bilder zu treffen, aber es war noch zu früh, um euch zu wecken. Er wird bald zurück sein, um euch zu holen.«

Violet dachte darüber nach. Dann sagte Rose vernichtend: »Ist Daddy wieder böse?«

»Nein, natürlich nicht, Rose. Daddy ist nur sehr beschäftigt im Moment.« Das war ich.

Rose überdachte das sorgfältig. »Ich denke, er *ist* wieder böse. Mummy hat gesagt, er ist jetzt andauernd böse.«

»Ich mag Daddy nicht, wenn er böse ist«, sagte Violet. »Er macht mir Angst.«

»Wie macht er dir Angst, Schätzchen?«, fragte Chris.

»Er schreit laut rum. Wie er Mummy immer angeschrien hat. Sie hatte auch Angst vor ihm. Sie hat immer gesagt, sie will uns von ihm wegbringen …«

»Aber«, fuhr Rose fort, »sie konnte nicht, weil es ihr so schlecht ging.«

»Und dann ist sie gestorben«, sagte Violet nüchtern.

Es herrschte vollkommene Stille im Raum. Keiner von uns wusste, was er sagen sollte. Dann meldete sich Rose wieder zu Wort. »Großmama, können wir nicht bei dir bleiben? Wir würden lieber bei dir als bei Daddy bleiben. Und Mummy hat immer gesagt, sie will, dass wir bei dir leben.«

»Hat sie das, Schätzchen?« In Julianas Augen waren Tränen. »Nun, natürlich könnt ihr bei mir bleiben. Das fände ich wunderbar. Aber ich muss Daddy fragen. Meint ihr nicht, er wäre traurig, wenn ihr nicht bei ihm leben würdet?«

Sie schüttelten gleichzeitig den Kopf. »Ach nein«, sagte Violet. »Jedes Mal, wenn er böse ist, erzählt er uns, er will uns nicht mehr. Er sagt, wir sind eine …«

»Last«, sagten sie im Chor.

Evie griff ein. »He, Mädels, wollt ihr Trickfilme anschauen?«

»Ja!«, riefen sie und rannten aus dem Zimmer.

»Okay«, sagte Chris. »Was zum Teufel sollen wir jetzt machen?«

»Na ja«, sagte Juliana. »Wir müssen ganz sicher irgendetwas unternehmen. Ich bin nicht bereit zuzulassen, dass die Mädchen auch nur einen Tag länger bei ihm bleiben. Ich nehme sie mit zu mir nach Roseland und da bleiben sie auch.«

»Ich bin mir nicht sicher, ob er das zulässt, Juliana. So wie ich ihn kenne, wird er die Polizei rufen und ihnen erzählen, du hättest die Kinder entführt. Wir müssen das durch die offiziellen Kanäle laufen lassen«, sagte Chris. »Also muss ich mit einigen von meinen Juristenfreunden reden. Ich werde mich gleich darum kümmern.« Er verließ den Raum.

Mir war aufgefallen, dass Jack während unseres besorgten Gesprächs eigentümlich still geblieben war. Ich schaute ihn an. »Was denkst du, Jack?«, fragte ich.

Er antwortete in seinem Aussie-Akzent: »Ich bin hier ein Fremder. Ich bin kein Angehöriger von Eloise' Familie, so gern ich es wäre. Ich bin in gewisser Weise verwandt, aber viele Male umgezogen. Ich bin nicht sicher, ob ich die richtige Person bin, mir ein Urteil darüber zu erlauben, was sich hier abspielt, aber es ist offensichtlich, dass Ted verstört ist. Und das muss schlimm für die Kinder sein.« Er schaute mich an. »Ich möchte hier niemandem auf die Zehen treten, Cathy, aber ich würde gerne mal irgendwann mit dir reden.«

»Warum nicht jetzt?«

Er schüttelte den Kopf. »Nein, nicht jetzt.« Er nickte mit dem Kopf in Richtung von Juliana, die gerade das Frühstücksgeschirr in der Küche abwusch.

Alle trennten sich, um ihre Sachen zu erledigen. Ich nahm ein Bad und wusch mir die Haare. Juliana wusch die kleinen Mädchen und zog sie an. Chris klebte an seinem Laptop. Die älteren Kinder spielten Fußball auf dem Rasen. Nur Jack schien entfernt und geistesabwesend. Ich beobachtete ihn vom Badezimmerfenster aus, als er den Pfad hinunter in die Gasse lief. Er sah tief in Gedanken versunken aus, während er nach links zum Strand hinunter abbog.

Wir versammelten uns alle wieder um die Mittagszeit. Es wurde vorgeschlagen, etwas zu essen, und wir beschlossen, ins Strandcafé zu gehen. Wieder einmal war ein herrlicher Tag, und mit so vielen Kindern verschiedenen Alters schien es das Naheliegendste zu sein.

Jack war von seinem frühen Spaziergang noch nicht zurückgekehrt, aber wir sahen ihn bald, entfernt, aber klar zu erkennen, wie er über die Felsen kletterte. Wir winkten und riefen, und er sah uns und machte sich begeistert Richtung Strand auf. Chris und Sam hatten Recht behalten wegen Arthur. Juliana sagte, Jack sei gestern Nacht wunderbar sanft mit ihm umgegangen und habe ihm wieder und wieder versichert, wie sehr er ihn liebe, und wie stolz er sei, sein Großvater zu sein. Als Arthur an diesem Morgen aufstand, nannte er ihn neckend Opi, aber dann fragte er ihn ernster, ob er ihn weiterhin Jack nennen könne. Sein »Onkel« schien zu jung für einen Großvater zu sein, sagte er. Jack lachte und sagte, er sei froh, das zu hören, und danach waren keinerlei Spannungen mehr in der Luft.

Es gab Krabbensandwiches für alle Erwachsenen und Wurstbrötchen und kornische Pasteten für die Kinder. Und jede Menge

Tee für uns und Cola für sie. Wir redeten nicht über Ted, und die Kleinen kicherten glücklich über ihren Eisbechern. Ich beobachtete das Meer, in eine leichte Trance versetzt vom sanften Geräusch der Wellen, wie es mir immer passierte. Ich fühlte mich vollkommen entspannt. Die quälenden Erscheinungen meiner toten besten Freundin hatten mich verlassen. Jetzt war ich nicht mehr allein für das Wohlergehen ihrer Kinder verantwortlich. Ich teilte die Sorge mit anderen, und das war eine große Erleichterung.

Nach einem langen, fröhlichen Mittagessen sagte Chris, er müsse wieder nach Hause aufbrechen. Er hatte E-Mails zu schreiben und Anrufe zu erledigen. Jack und Juliana sagten auch, sie müssten zurück, würden aber auf die Mädchen warten, bevor sie nach Roseland zurückfuhren. Die Kleinen jedoch wollten den Strand nicht verlassen, genauso wenig wie Evie und Arthur. Sam und Tom hatten eine Verabredung mit einem Fischer in Looe, zusammen mit ein paar Freunden vom Ort. Also trennten wir uns und gingen alle unserer Wege.

Zurück im Cottage, ging ich hinüber zur Hütte, um mir den Schaden anzuschauen, den Ted verursacht hatte. Wie Jack gesagt hatte, war die Tür vollständig eingetreten, aber sie war leicht zu reparieren. Ich ging hinein. Hier herrschte völliges Chaos. Die Bettwäsche war vom Bett gezogen und auf den Boden geworfen. Das Bücherregal, das ich so liebevoll mit du Maurier, Philip Pullman, Stephen King und Ann Tyler bestückt hatte, war umgeworfen worden. Meine alten Ausgaben von *Jane Eyre* und *Sturmhöhe* waren in Stücke gerissen, genau wie meine Taschenbücher von Donna Leon und J. K. Rowling. Kerzen waren im Raum herumgeworfen worden; Schmuckstücke, an denen ich hing, wie meine chinesischen Hasen-Buchstützen waren kaputt geschlagen worden. Ich war ungemein verärgert. Das war nicht das Werk eines Gelegenheitseinbrechers. Der Mann, der das getan hatte, war ein Freund, jemand, den ich seit Jahren kannte, ein Mann, von dem ich nicht gedacht hätte, er könnte so plötzlich zum Feind werden.

Als ich die Hütte verließ, noch zu schockiert, um schon mit der unangenehmen Aufgabe des Aufräumens zu beginnen, fiel mein Blick auf den Schreibtisch. Ich bewahrte dort immer ganze Stöße Papier auf, und Stifte.

Ich war da ein bisschen technikfeindlich und zog es vor, erst einmal alles handschriftlich abzufassen, bevor ich mein MacBook verwendete.

Jetzt war der Schreibtisch mit Papierbögen übersät, einige unbrauchbar gemacht und auf den Boden geworfen, andere wütend in Stücke zerfetzt. Ein A4-Blatt war aber sorgfältig in der Mitte der Schreibtischplatte positioniert.

Ted hatte ganz klar gewollt, dass ich das lese. Und ich las es. Es war schrecklich, eindeutig und gestört.

Eloise du kleine Schlampe du Miststück wie konntest du mir das antun immer hab ich dir während deiner Krankheit geholfen und du enterbst mich nur weil du es eine Nacht mit dem Sohn eines Landarbeiters getrieben hast als du erst dreizehn warst nun jetzt habe ich ihn getroffen typischer australischer Strandarsch glaube nicht für eine Minute seinen Behauptungen er sei ein Arzt ich bin froh dass du tot bist ich wünschte du wärst Jahre vorher gestorben kurz nachdem du diesen Jungen gevögelt hattest auf diese Weise hättest du mein Leben nicht ruiniert ich hab dich mal geliebt ich bezweifle dass du mich jemals geliebt hast am Ende habe ich dich derart gehasst ich bin froh dass du gesehen hast dass ich mich gefreut habe dass du Angst vor mir hattest und jetzt erzählt deine verdammte durchgeknallte Freundin du würdest sie heimsuchen ich hoffe doch ich kann sie nicht ausstehen mit ein bisschen Glück lässt du sie völlig überschnappen und bringst sie ins Irrenhaus

Der Rest war unleserlich. Hasserfüllt, vom Suff angestachelt. Ich nahm die Seite in die Hand. Ich wollte sie Chris zeigen, fragte mich, ob er uns helfen würde, die Mädchen dauerhaft von Ted zu trennen.

Chris las die Notiz und runzelte die Stirn. »Charmant«, sagte er.

»Könnte es uns helfen, die Kinder in Julianas Obhut zu bringen?«, fragte ich.

»Ich bin mir nicht sicher. Es ist nicht illegal, einen hasserfüllten Brief an seine tote Ehefrau zu schreiben, aber es *ist* irrational, also könnte es helfen. Ich behalte ihn so oder so.«

Jack kam vom Garten herein. »Dieser Ort ist wunderschön. Die Aussicht von der oberen Gartenterrasse ist atemberaubend. Es überrascht mich nicht, dass du das hier so liebst, Cathy.«

Ich schaute Chris bedeutungsvoll an. »Danke, Jack. Ja, ich liebe diesen Ort. Ich möchte hier begraben werden.«

Ich sah, wie Chris seine Lippen spitzte, dann sah Jack die Notiz und warf den Kopf zurück. »Was ist das?«, fragte er.

»Es ist ein Liebesbrief von unserem gemeinsamen Freund«, sagte Chris. »Hier, schau ihn dir an.«

»O nein, sicher nicht, Chris«, sprudelte ich heraus. »Er ist unheimlich verletzend und unangenehm.«

»Jack wurde heute Nacht fast von Ted erschossen. Ich denke nicht, ein kranker Brief wird ihn allzu sehr überraschen. Der Mann ist zeitweise verrückt, und ich bin sicher, Jack hält das aus.«

Jack warf mir ein Lächeln zu und nahm den Brief. Er las ihn gelassen. »Gut«, sagte er, als er damit fertig war. »Zumindest wissen wir jetzt, womit wir es zu tun haben.«

»Wissen wir das?«, fragte ich. »Ich denke, wir haben ein Riesenproblem. Und ich habe keine Ahnung, was wir dagegen tun können.«

»Im Moment, Cathy, denke ich, wir sollten eine Tasse Tee trinken.« Das war Juliana, und sie hatte recht. Wir mussten uns erst mal beruhigen.

Und dann platzten Evie und Arthur ins Haus. Allein. »Mum,

Dad, Ted ist an den Strand gekommen. Und er hat Violet und Rose mitgenommen, obwohl sie nicht mit ihm gehen wollten. Sie haben geweint und gesagt, sie wollten bei Oma und uns bleiben. Aber das hat ihn nicht interessiert, er hat sie einfach nur hochgenommen und mit Gewalt ins Auto gesteckt. Er wollte nicht einmal mit uns reden.«

Es bekümmerte mich, dass Evie so aufgebracht war. Ich sagte ihnen, es sei nicht ihre Schuld, und verfluchte Ted wieder einmal, derart unbedacht solche emotionale Schäden anzurichten. Ich gab ihnen beiden einen Becher heißen Kakao, und sie gingen nach unten, um fernzusehen.

»Ich denke, wir sollten die Polizei anrufen«, sagte ich zu Chris. »Wir sollten ihnen erzählen, was sich in der Nacht hier abgespielt hat.«

»Ich würde das lieber nicht tun, Cath. Ted ist ein Freund, und er trauert – ich würde ihn nicht gerne hinter Gittern sehen. Außerdem käme er wahrscheinlich mit Bewährungsauflagen raus aufgrund seines emotionalen Zustands.«

Ich schaute Juliana an, sicher, dass sie mich unterstützen würde. Aber was sie sagte, überraschte mich. Sie klang erstaunlich ruhig. »Ich bin der gleichen Meinung wie Chris«, sagte sie. »Wir müssen da realistisch sein. Ted ist der Vater der Mädchen, und er hat jedes Recht, sie vom Strand abzuholen und mit nach Hause zu nehmen. Was wir uns also fragen müssen, ist, sind unsere Befürchtungen über ihn gerechtfertigt oder haben wir ihm gegenüber Vorurteile, weil er sich heute Nacht so beängstigend benommen hat? Ich stimme zu, er muss in Behandlung, das ist offensichtlich. Aber wir haben einen angesehenen Psychiater in unserer Mitte, also denke ich wirklich, wir sollten seinen Rat annehmen. Wir haben Ted gegenüber eine gewisse Fürsorgepflicht. Zumindest ich schulde sie ihm. Ich bin immerhin seine Schwiegermutter.«

Chris sprach nachdrücklich. »Juliana, du hast genau das ausgesprochen, was ich denke. Ich bin sehr zwiespältig bezüglich Ted. Ich weiß, er verhält sich wie ein Arschloch, aber ich denke, ich verstehe, warum, und ich bin sicher, dieses Verhalten ist nur vorübergehend und wird den Zwillingen nicht schaden – die unsere erste Priorität sein müssen.«

Ich sagte langsam und widerwillig: »Du hast Unrecht, Chris. Ihr habt beide Unrecht«, sagte ich und warf Juliana einen Blick zu. »Ich weiß, ihr glaubt mir nicht, was Eloise' Warnungen betrifft, aber alles, was bisher passiert ist, stimmt vollkommen mit ihren Vorhersagen überein. Ihr wollt wahrscheinlich nicht, dass ich darüber rede, aber ich habe euch erzählt, sie ist voller Angst, Ted wird ihren Kindern etwas antun.«

Es war deutlich zu sehen, dass Chris nichts davon hören wollte. Dann schaltete sich Jack ein. »Könntest du mir erzählen, was du mit Eloise' Warnungen meinst, Cathy?«

»Das ist eine lange Geschichte, und ich will Chris und Juliana nicht aufregen. Ich kann nicht einmal einen Fitzel anbieten, den du als richtigen Beweis bezeichnen würdest, aber ich weiß, meine Freundin Eloise sagt mir, ihr Tod sei vorzeitig gewesen und ihre Kinder seien in Gefahr.«

»Durch Ted?«, fragte Jack.

»Ich glaube es«, sagte ich.

Chris sah sehr unbehaglich aus. »Cathy«, unterbrach er mich, »wir müssen über Fakten reden, nicht über Hokuspokus.«

Ich war wütend. »Meinst du, Teds Verhaltensweise, seine Drohungen, seine Gewaltausbrüche, seine Haltung gegenüber den Zwillingen ist normal? Kannst du nicht wenigstens anerkennen, dass sich alles, was ich dir bisher gesagt habe, bewahrheitet hat?«

Chris wurde rot. »Schau, Cathy, was ich sage, ist, dass Teds Trauer, sein Zorn, vollkommen mit den Auswirkungen eines Todesfalls übereinstimmen. Ted verhält sich vollkommen im Einklang mit dem, was die psychologische Forschung in solchen Situationen dokumentiert. Das hat nichts mit verdammten Geistern zu tun.«

Juliana unterbrach ihn. »Chris, ich weiß, dein Beruf macht es dir sehr schwer, zu glauben, was Cathy sagt, aber du solltest auf sie hören. Intuition ist mächtig, besonders wenn sie mit Liebe und Sorge verbunden ist. Cathy und Eloise haben sich sehr nahegestanden, und davon abgesehen, ist sie nicht die Einzige, die verstörende Nachrichten bekommen hat. Ich auch. Meine Tochter hat mir viele besorgte Gedanken hinterlassen, die hauptsächlich mit ihrer Sorge um ihre Töchter zu tun hatten. Ich versuche nur eins zu sagen: Wir machen uns jetzt alle Sorgen, oder? Und aus gutem Grund. Also haben Cathys Träume vorweggenommen, was passiert ist. Und ich denke nicht, du solltest sie einfach abtun als – ja, was? Als Fantastin? Nur weil sie auf andere Art und Weise Schlüsse zieht als du?«

Nach einer peinlichen Stille sprach Jack behutsam und ruhig. »Ich denke, wir kommen verständlicherweise etwas vom eigentlichen Thema ab. Wir müssen jetzt feststellen, inwieweit Ted eine Gefahr für seine Töchter darstellt, und wenn dem so ist, müssen wir herausfinden, was wir unternehmen können. Wenn niemand etwas dagegen hat, schlage ich vor, dass wir Ted anrufen, um herauszufinden, wo er ist.«

Erleichtert von einem so vernünftigen Vorschlag, ging Juliana zum Telefon. Sie stand einige Zeit mit dem Hörer in der Hand da; Ted ging offensichtlich nicht ran, also hinterließ sie eine Nachricht in einem versöhnlichen Tonfall, der schon fast mütterlich klang. »Ted, mein Lieber. Es tut mir alles so leid, was in den letzten paar Tagen vorgefallen ist. Es tut mir weh, dass du so unglücklich bist. Können wir das alles nicht hinter uns lassen und darüber nachdenken, was das Beste für Violet und Rose ist? Wir wollen doch beide das Beste für sie. Und ich möchte so sehr, dass auch du glücklich bist. Wir hatten alle während der letzten fünf Jahre eine schwere Zeit. Wir schulden es uns, Geduld zu haben, bis wir unseren Frieden und unsere Harmonie wiederfinden. Und uns zu lieben. Bitte, Ted, lass uns den Mädchen ein glückliches und lebenswertes Leben ermöglichen. Ruf mich zurück, wenn du kannst.«

Ich muss sagen, wir waren alle überwältigt. Ich hatte keine Ahnung, dass Juliana eine so perfekte Schauspielerin war. Jetzt wusste ich genau, woher Eloise ihr Talent fürs Theater hatte.

»Und jetzt«, sagte sie, »können wir nur noch warten.«

Und wir warteten. Den ganzen Abend lang. Ted rief nicht zurück, und unsere regelmäßigen Anrufe bei seinem Festnetzanschluss wurden nicht abgenommen. Sein Handy war abgeschaltet.

Sam und Tom kamen nach Hause. Die Kinder hatten Hunger, und ich schickte sie mit meinem Käfer los, um Pizza in Polperro zu holen. Nach einem verspäteten Abendessen am Küchentisch sagte Juliana, sie, Jack und Arthur müssten wirklich nach Roseland zurückfahren. Wir verabschiedeten uns herzlich. Uns allen war bewusst, dass wir einen Punkt erreicht hatten, an dem sich beängstigend nah eine Krise abzeichnete.

»Gib mir Bescheid, falls er dich anruft«, beschwor ich Juliana. »Wir müssen zu einem Urteil kommen, in was für einem Geisteszustand er ist. Und sei vorsichtig. Wenn er immer noch so verrückt ist wie letzte Nacht, könnte er nach Roseland kommen. Du weißt, er ist gefährlich.«

»Mach dir keine Sorgen um Juliana«, sagte Jack. Er lächelte. »Ich verspreche dir, ich kann Ted bändigen.«

Wir winkten uns zum Abschied. In Wahrheit war ich froh, dass sie weg waren. Nicht, weil ich ihre Gesellschaft nicht genoss, sondern weil die letzten beide Tage unheimlich anstrengend gewesen waren und ich mich entspannen wollte.

Wir schauten uns zusammen *Der weiße Hai* an, und es erfüllte seinen Zweck. Es befreite uns von der Anspannung, die wir den ganzen Tag über gespürt hatten, und ersetzte sie durch eine fiktive

Spannung, mit der man viel einfacher umgehen konnte. Später gingen unsere drei Kinder ins Bett, summten dabei die Titelmelodie von *Der weiße Hai* und foppten sich gegenseitig durch vorgetäuschte Haiattacken. Ich fühlte mich sicher, dass sie im Schlaf von nichts Schlimmerem als einer vereinzelten Flosse heimgesucht werden würden. Und ich wusste, dass das dem Knall von Teds Schrotflinte im Garten mehr als vorzuziehen war.

Chris und ich waren im Bett beide widerwillig, über Ted und die Zwillinge zu reden. Da war ein Gefühl von drohender Gefahr, das keiner von uns ansprechen wollte. Aber zu meiner Bestürzung drehte sich Chris zu mir um, gerade als wir das Licht ausgeschaltet hatten.

»Cathy, ich denke, du solltest wissen, dass ich immer noch plane, dass wir alle gemeinsam übermorgen wegfahren.«

»Doch nicht nach allem, was mit Ted vorgefallen ist? Was ist mit Rose und Violet?«

»Sie haben Juliana und Jack. Sie werden gut aufgehoben sein.«

»Wie kannst du das sagen? Ted ist ein Verrückter.«

»Ich bin sicher, Juliana ist vollkommen dazu in der Lage, sich um ihre Enkel zu kümmern. Ich werde mich natürlich wegen Behandlungsmöglichkeiten für Ted erkundigen, aber das kann ich von London aus tun. Ich habe dir gesagt, ich habe mich dazu entschlossen, dieses Haus zu verkaufen, und ich werde mich nicht durch Teds Verhalten davon abbringen lassen. Und Cathy, du hast eingewilligt, mitzukommen.«

»Ja, aber nicht jetzt. Ich könnte mir niemals vergeben, wenn den Mädchen irgendetwas zustoßen sollte und ich wäre nicht hier gewesen, um sie zu beschützen.«

Er drehte mir den Rücken zu.

»Cathy, ich habe es dir gesagt. Genau wegen dieser Art obsessiver Gedanken muss ich dich nach London zurückbringen. Ich stimme mit dir überein, dass Ted sprunghaft ist, aber seine Wut ist gegen Jack und Eloise gerichtet, nicht gegen seine Töchter.«

»Und gegen mich. Ich hatte dir erzählt, dass er mich fast von der Klippe gestoßen hat.«

Chris seufzte. »Ja, das hast du erzählt. Ein Grund mehr, dich nach London zurückzubringen.«

Ich war sprachlos. Er verhöhnte mich fast. Sogar Teds unbeherrschter Angriff auf Jack hatte Chris nicht davon überzeugt, dass Ted auch eine Gefahr für mich bedeutete.

Ich hätte nicht noch einen Streit ertragen, also blieb ich still. Aber als er unbeschwert wegschlummerte, verfluchte ich Chris. Ich würde am Mittwoch nicht zurückfahren. Ich würde nirgendwo hingehen, bis diese Mädchen in Sicherheit waren.

Als ich endlich schlief, kamen beunruhigende Träume. Ich versuchte, Eloise zu finden. Ich wusste in dem Traum, dass sie tot war, aber ich musste mit ihr etwas schrecklich Wichtiges besprechen. Ich hatte keine Ahnung, was das war, aber ich war sehr verängstigt. Sollte ich Eloise diese Nacht nicht sehen, würde etwas Unaussprechliches geschehen.

Plötzlich war sie da. Ich konnte sie am Fußende sehen. Sie streckte ihre Arme nach mir aus, und obwohl ich mich nicht leibhaftig bewegte, fühlte ich ihre Umarmung.

»Du gerätst in Panik, Cathy. Beruhige dich. Morgen gibt es viel zu tun. Hör nur auf Jack. Rede mit ihm, und um was auch immer er dich bittet, mach es. Er kennt die Gefahr. Er spürt sie.«

Und sie verblasste.

Ich wachte früh auf, entschlossen, mit Jack zu reden. Es war erst kurz nach sechs morgens, aber als ich ihn auf seinem Handy anrief, ging er sofort ran und klang wach und angespannt. Er lauschte aufmerksam meinen hastigen Worten.

»Hör mir zu, Jack. Eloise ist mir gestern Nacht erschienen. Ich weiß, es klingt verrückt, aber du weißt ja aus Teds Brief, dass ich geglaubt habe, sie würde mich heimsuchen. Aber die Wahrheit ist – ich glaube es nicht nur, sie tut es tatsächlich. Das ist fast seit ihrem Tod so. Juliana kann ihren Geist auch spüren, aber sie kann sie nicht hören. Aus irgendeinem Grund bin ich die Einzige, die das kann. Jack, sie sagt mir seit Monaten, Ted sei nicht zu trauen und die Kinder seien in großer Gefahr. Es ist mir nicht gelungen herauszufinden, warum. Eloise kann oder will es mir nicht sagen. Aber letzte Nacht hat sie gesagt, du würdest irgendwie wissen, was zu tun sei. Sie sagte, du kannst es fühlen.«

Es gab eine Pause, dann sagte Jack mir ruhig, er mache sich sofort auf den Weg nach Talland.

Ich ließ Chris schlafen. Das Haus war still, als ich mich anzog und Tee machte. Jack kam früher, als ich es für möglich gehalten hätte. Er betrat lächelnd und selbstbeherrscht das Cottage, und schon bei seinem Anblick fühlte ich mich stärker. Wir setzten uns auf das Sofa in dem kleinen Nebenraum. »Ich muss mit dir reden, Cathy. Du hast recht. Ich habe Eloise nicht gesehen, und sie hat in keiner Weise Kontakt mit mir aufgenommen. Aber ich habe gefühlt, dass irgendetwas nicht stimmt, und ich hatte das dringende Bedürfnis, nach Cornwall zu kommen. Ich habe Juliana und den Leuten zu Hause erzählt, ich wolle ein Auge auf Arthur haben. Die Wahrheit ist, ich habe mich genötigt gefühlt, hierher zu kommen, nicht nur wegen Arthur, sondern auch wegen Eloise. Ich konnte nicht verstehen, warum, bis ich vorgestern Ted begegnet bin. Da wurde mir alles klar.«

»Ich habe gemerkt, dass du ihn nicht magst. Nun, niemand würde das, so, wie er sich benimmt.« Ich machte eine Pause. »Jack, warst du … bist du … liebst du Eloise immer noch?«

Er lächelte. »Es ist nicht so einfach. Ellie und ich waren nur so kurz zusammen und vor so langer Zeit. Ich habe viel an sie gedacht, während ich in Australien aufwuchs, aber das Leben geht weiter, und man vergisst unausweichlich.«

»Bist du verheiratet, Jack?«

»Das war ich, aber es hat nicht lange gehalten. Wir sind mittlerweile geschieden. Aber ich mag es, auf mich allein gestellt zu sein. Ich würde nicht noch einmal heiraten wollen.«

»Keine Kinder?«, fragte ich.

Er zögerte. »Nein, außer Isabella, und ich liebe sie jetzt wie eine Schwester, nicht wie eine Tochter, obwohl mein Beschützerinstinkt ihr gegenüber schon sehr stark ist. Ich habe ein gutes Leben in Australien gehabt. Ich bereue es überhaupt nicht, Cornwall verlassen zu haben. Ich bezweifle, dass mir die Möglichkeiten und die Ausbildung geboten worden wären, die ich dort drüben genossen habe, wenn ich hier geblieben wäre – ich hätte zum Beispiel viel, viel härter darum kämpfen müssen, auf die medizinische Hochschule zu kommen, mit der Ausbildung, die ich auf der Dorfschule bekommen habe.«

»Wenn du also da unten glücklich gewesen bist …«

»Das bin ich«, erwiderte er scharf.

»Warum findest du Ted dann so abstoßend?«

Er lächelte.

»Du denkst, ich bin eifersüchtig auf ihn, oder? Weil er mit Eloise verheiratet war? Nichts könnte weiter von der Wahrheit entfernt sein. Nein, ich mag Ted nicht, weil ich denke, dass er zu großer Grausamkeit fähig ist. Sogar zu Gewalt.« Er zögerte. »Und da ist noch etwas anderes. Nach allem, was Juliana mir über Eloise' Sterben erzählt hat, verstehe ich es nicht ganz. Ich bin Onkologe, und ich habe Hunderte von Patienten im Endstadium behandelt, aber ihr letztendlich unausweichliches Ende gestaltete sich nicht so wie bei Eloise. Ich meine, es geht ihnen nicht gut am Morgen ihres Todes, voller Energie, beweglich und zum Schwatzen aufgelegt, nur um dann ein paar Stunden später so schnell und plötzlich zu sterben. So etwas passiert nicht oft. Normalerweise geht dem eine Phase des Niedergangs voraus. Natürlich hatte Eloise ihre eigenen Ärzte. Ich würde wirklich gerne mit ihnen darüber reden, ihre Meinung hören. Ich könnte falsch liegen, aber irgendwas passt da nicht zusammen.«

Chris kam im Morgenmantel herein. Er sah überrascht aus und schien nicht übermäßig erfreut, Jack zu sehen, aber er begrüßte ihn dennoch freundlich. »Hallo, Jack. Was bringt dich so früh her? Ist irgendwas los?«

»Nein, nein. Ich konnte nicht schlafen und bin einfach hergefahren, auch auf die Gefahr hin, dass noch niemand wach ist. Glücklicherweise war Cathy auf und in der Küche. Sie hat mir freundlicherweise angeboten, mir eine Tasse Tee zu machen.«

Chris schaute mich zweifelnd an. »Wirklich? Nun, das wäre das erste Mal. Cath taucht selten mal vor Mittag auf.«

»Chris, du weißt, dass das nicht stimmt.«

Er lächelte. »Na ja, du bist nicht gerade ein Frühaufsteher. Aber es ist schön, dich zu sehen, Jack. Cathy und ich verlassen Cornwall morgen mit den Kindern. Also ist das wahrscheinlich das letzte Mal, dass wir uns sehen, bevor du nach Australien zurückfliegst. Wann wirst du überhaupt fahren?«

Jack reagierte nicht auf Chris' leicht feindseligen Ton. »Ich bin mir noch nicht sicher. Ich möchte sicher sein, dass sich Arthur gut bei Juliana eingelebt hat. Es wird eine große Veränderung für ihn werden, in England aufs College zu gehen, und es könnte sein, dass er seine Meinung ändert, und in diesem Fall werde ich ihn mit zurücknehmen. Also werde ich wahrscheinlich noch hier sein, wenn ihr das nächste Mal nach Cornwall kommt.«

»Wir werden nicht zurückkommen, Jack«, sagte Chris absolut ruhig. »Ich verkaufe diesen Besitz.«

Jack schaute mich betroffen an. »Aber warum? Ich dachte, Cathy liebt diesen Ort?«

»Das tue ich auch«, sagte ich schnell.

»Also warum verkaufen?«

Es war Chris, der antwortete. »Weil es nicht gut für Cathys Gesundheit ist. Ich hätte gedacht, das hättest du schon begriffen. Als Ted letzthin gesagt hat, dass sie Geister sieht und Séancen abhält, hatte er vollkommen recht. Es ist nicht normal, und es passiert nur in Cornwall. Also gehe ich hier weg, zurück nach London, wo sie diesen ganzen Unsinn mit Eloise vergessen kann.«

Ich war beschämt. Chris machte es wieder, er demütigte mich vor jemandem, der fast ein Fremder war. Es war, als ob die letzten paar Tage, seine neuerliche Zuneigung, nie geschehen waren. Warum redete er so? Sah er Jack als eine Art Bedrohung an?

Ich konnte keinen von beiden anschauen. Ich brummelte etwas davon, ich wolle die Unordnung aufräumen, die Ted hinterlassen hatte, und ging hoch zu meiner kleinen Schreibhütte. Die Tür hing immer noch vollkommen verdreht in den Angeln, und das Chaos drinnen erschütterte mich sogar mehr als am Tag zuvor. Ich zitterte immer noch nach dieser geringschätzigen Herabsetzung vor Jack durch Chris. Das Aufräumen würde mich von meiner Trübsal ablenken. Wenn Chris tatsächlich so entschlossen war, das Cottage diese Woche aufzugeben – und ich hatte keinen Grund, das zu bezweifeln –, konnte ich ohnehin keinen potenziellen Käufer die Schweinerei sehen lassen, die Ted aus meinem Leben gemacht hatte. Denn so fühlte es sich an. Ein gewaltsames Eindringen in meinen persönlichsten Raum.

Die Leute reden immer davon, dass Männer einen Dachboden oder Keller brauchen, in den sie sich zurückziehen können. Aber ich denke, das Gleiche gilt auch für Frauen. Ich glaube nicht, dass man als verheiratete Frau im mittleren Alter allzu viel Privatsphäre bekommt. Du teilst dein Schlafzimmer, dein Badezimmer. Du teilst deinen Wohnraum, deine verborgensten Gedanken und Ängste mit deiner Familie. Und das willst du natürlich auch, diese völlige Identifikation mit deinem Leben als Ehefrau und Mutter. Dieses ganze Mutterschiffding, das Gefühl, die Quelle von Fürsorge, Liebe und Weisheit zu sein, die einzige Person, die deine Familie bis zum Tod verteidigen wird, ist genauso bestechend wie ermüdend. Aber das hier, diese kleine Hütte, gehörte vollkommen mir. Ich mochte es noch nicht einmal, wenn Chris hier vorbeikam. Ganz wie Virginia Woolf: Jeder braucht einen Raum für sich.

Ich holte ein paar Müllsäcke und fing an, den Abfall aufzusammeln. Ich begann mit dem Bett und versuchte, alles so hinzukriegen, dass es wieder wie mein Allerheiligstes aussah. Die zerrissenen Bücher und Papiere in die stabilen Säcke zu werfen war einfach, aber traurig. Für mich waren Bücher eine zutiefst persönliche Sache. Aber, dachte ich, ich würde sie ersetzen, Stück für Stück. Und dann dachte ich, wozu überhaupt? Wir würden morgen Cornwall verlassen. Was machte ich hier eigentlich? Versuchen, mein Leben aufzuräumen, damit irgendwelche Neuankömmlinge nicht sehen würden, wie viel dieser Ort mir bedeutete?

Ich bückte mich. Ich hatte etwas Weißes unter dem Schreibtisch gesehen. Ich fischte zwei winzige Stückchen Papier darunter hervor. Es waren Eintrittskarten vom Daphne-du-Maurier-Festival in Fowey vom letzten Jahr. Sie waren für eine Theateraufführung. Ich schaute sie irritiert an, bis ich mich daran erinnerte, dass ich sie in der Tasche von Eloise' Lederjacke gefunden hatte. Sie hatte sie mir letzten Sommer geliehen, als ich auf ihrer wunderschönen Terrasse zum Meer raus gefröstelt hatte, an dem Tag, der so unerwartet kalt gewesen war. Als ich die Karten anschaute, stellte ich mir ihr fröhliches Gesicht vor, ihr Lachen, als sie mir erzählte, wie schrecklich das Stück gewesen sei, die Großzügigkeit, mit der sie die Jacke über meine Schultern legte, und ich brach in Tränen aus.

So fand mich Jack, zusammengerollt auf dem Bett, schluchzend. »Weine nicht, Cathy. Ich bin sicher, Chris wollte dich nicht so aufregen. Genau genommen hat er sich bei mir entschuldigt, als du gegangen warst. Hat gesagt, er fühle sich nur ausgepumpt und knatschig.«

Ich kaufte ihm das nicht ab. Er hatte sich nicht die Mühe gemacht, zur Hütte zu kommen, um sich bei mir zu entschuldigen. Ich schüttelte den Kopf. »Es ist in Ordnung. Ich weine nicht seinetwegen. Es ist dieser ganze Mist – Eloise, aus Cornwall wegziehen.«

»Ich denke, seine Entscheidung, dich hier wegzubringen, ist

größtenteils eine impulsive Reaktion auf den Druck, der auf euch beiden gelastet hat. Ich glaube nicht, dass er das wirklich meint. Wenn er erst mal wieder in London ist, wird er es sich sicher noch einmal überlegen. Ihr beiden habt hier so viel Zeit mit den Kindern verbracht. Er wird diese Erinnerungen nicht verderben wollen.«

Seine Worte beruhigten mich, obwohl ich sie nicht glaubte. Dann sagte Jack lächelnd: »Aber ich bin überrascht, dass dich so etwas umhaut. Du bist eine starke Frau. Warum sollte Chris alles entscheiden? Wenn du das Cottage nicht verkaufen willst, dann tu es einfach nicht. Er kann dich nicht zwingen. Ich vermute mal, es ist auf euch beide eingetragen?«

»Ja, aber weißt du, Jack, ich bin keine starke Frau. Überhaupt nicht. Ich bin – wie ist noch das Wort, das Chris verwendet? Zerbrechlich, das war es. Psychisch instabil.«

»Ich glaube nicht, dass du das bist«, sagte er sanft.

»Doch, ungelogen, das bin ich. Ich hatte einen Zusammenbruch, und jetzt sehe ich Geister, wie Chris erzählt hat. Nun gut, nur einen Geist. Eloise. Egal, das ist alles nur theoretisch. Wenn ich mich weigere zu gehen, wird Chris mich ganz einfach verlassen. Er hat es schon einmal getan. Und ich könnte es nicht ertragen, die Familie auseinanderbrechen zu lassen. Unsere Kinder …«

Ein Schatten fiel durch den Eingang. Es war Chris. Er hustete. Ich fragte mich, ob er gehört hatte, was ich gesagt hatte. Aber Gott sei Dank sah er eher geknickt als sauer aus. Also hatte er vielleicht etwas gehört, aber es sah nicht danach aus, dass er mich deswegen zur Rede stellen würde.

»Cathy«, sagte er kleinlaut, »es tut mir leid, dass ich so mit dir geredet habe. Ich hab's nicht so gemeint. Wie üblich hab ich alles missverstanden. Entschuldigung.«

Wie immer vergab ich ihm. Er war mein Miesepeter, mein höchsteigener launischer Ehemann, aber ich liebte ihn. Ich wusste, ich würde ihm immer wieder vergeben.

Wir gingen zurück ins Haus. Die Kinder waren auf, und wir

aßen Toast und Müsli zum Frühstück. Die Atmosphäre war entspannt und fröhlich. Chris hörte auf, über unsere Abreise am nächsten Tag zu reden, und Jack hielt die Kinder mit Geschichten aus Australien bei Laune. Wie sie an den Wochenenden den ganzen Tag am Strand verbrachten, Grillpartys veranstalteten und Bier tranken. Tom sagte, er wolle nach Australien umziehen, das klinge so verführerisch. Es gab eine lebhafte Debatte darüber, was besser war – Großbritannien oder Australien. Und dann klingelte das Telefon. Es war Father Pete. Er klang aufgeregt.

»Cathy, es tut mir leid, wenn ich Sie störe, aber ich mache mir Sorgen wegen Ted. Ich bin gerade in ihn reingelaufen, und irgendetwas stimmt nicht.«

»Okay, Pete. Erzählen Sie mir, was passiert ist.«

Er erzählte, er sei an Lantic Bay vorbeigefahren, als er Teds Wagen auf dem Parkplatz an der Klippe gesehen habe, und eine Minute später oder zwei beobachtete er Ted und die beiden kleinen Mädchen, wie sie die Spitze der Klippe überquerten. Er hielt seinen Wagen an, öffnete die Tür und rief Hallo. Er sagte, dass Ted ihn zuerst ignoriert, dann aber schließlich angehalten und ihm das Gesicht zugewendet habe. Er sah missmutig aus, sagte Pete, und die Mädchen verschüchtert. Er fragte sie, wo sie hingingen. Ted schaute ihn an, als sei er übergeschnappt. »Zum Strand natürlich. Was sonst soll man mit verdammten Kindern schon in Cornwall machen?«

»Aber die Sache ist die, Cathy, sie hatten keine Strandsachen dabei. Keine Eimerchen oder Schaufeln, keine Kescher, keine Badetücher. Sie sahen schrecklich verloren aus, besonders die Mädchen. Wie auch immer, sie gingen weiter, über den Fußweg runter zur Bucht von Lantic, und ich war mir so sicher, dass irgendetwas nicht stimmte, dass ich ihnen gefolgt bin. In gewisser Entfernung. Sie haben mich nicht gesehen. Aber plötzlich nahm Ted sie mit runter zum Pfad, der zum Watchman's Cove führt. Das ist ein schrecklich einsamer, abgeschiedener Strand. Es gibt Warnungen über heftige Strömungen da, und die Touristen meiden ihn wie die Pest. Er ist ungewöhnlich schwer zugänglich, sogar für erfahrene Kletterer, und diese Mädchen sind – wie alt? Vier oder fünf? Egal, ich blieb für gute zehn Minuten auf der Straße stehen, aber ich konnte sie nicht mehr sehen. Ich dachte, vielleicht führe ich mich ja lächerlich auf, aber wissen Sie, Cathy, ich bin Priester. Ich bin es gewohnt, mit Menschen zu reden, zu spüren, was hinter den Worten liegt. Ted war nicht er selbst. Genau genommen klang er leicht verwirrt, und die Mädchen machten einen so verängstigten Eindruck.« Er hielt inne. »Als ich zurück ins Pfarrhaus kam, konnte ich sie nicht aus dem Kopf bekommen. Und Watchman's Cove – nun, es kann zur Todesfalle werden, weil die Flut so schnell reinkommt. Also suchte ich die Gezeitentabelle.«

Ich wusste, was er meinte. Das kleine Büchlein, die grundlegende gelbe Bibel für jedermann in Cornwall, die in allen Häusern neben der Eingangstür verwahrt wurde.

»Die Flut kommt schnell. In anderthalb Stunden. Wenn sie immer noch in Watchman's Cove sind, werden sie bald abgeschnitten sein.«

»Aber Ted kennt das Watchman's Cove gut. Er würde sich hüten, die Mädchen dorthin mitzunehmen, wenn die Flut reinkommt. Vielleicht war es ihm nicht klar, aber sobald er unten angekommen ist, wird er sehen, wie gefährlich es ist. Vielleicht sind sie schon auf dem Nachhauseweg.«

»Ich werde ihn auf dem Handy anrufen, um es zu überprüfen«, sagte Pete.

»In Ordnung«, antwortete ich. »Aber Sie wissen, wie instabil das Signal in der Ecke ist. Sie rufen das Handy an und ich den Festnetzanschluss in ihrem Haus. Rufen Sie mich zurück, sobald Sie etwas hören.«

Das Telefon in Teds und Eloise' schönem Zuhause klingelte ewig. Nichts.

Chris klang ungeduldig. »Was ist los?«

»Father Pete hat Ted und die Mädchen auf dem Weg runter zum Watchman's Cove gesehen …«

»Nun, das klingt gut«, sagte Chris. »Er macht einen kleinen Ausflug mit ihnen.«

»Nein, Chris. Macht er nicht. Father Pete meinte, Ted habe sich eigenartig angehört und sie hätten keine Strandsachen dabeigehabt. Und wer würde zwei kleine Mädchen zum Watchman's Cove mitnehmen, wenn die Flut reinkommt?«

Ich griff mir unsere eigene Ausgabe der Gezeitentabelle und schaute die Listen durch, die unseren Strandabschnitt betrafen. Ich drängte Chris, der immer noch unbekümmert zu sein schien, reinzuschauen.

»Cathy, du machst dich lächerlich. Ted hat sich wahrscheinlich bei den Zeiten verguckt. Sobald er merkt, dass die Flut kommt, wird er die Kinder einfach wieder heim nach Fowey bringen.«

Gerade da klingelte das Telefon. Es war Father Pete.

»Ich kann Ted nicht erreichen, Cathy. Natürlich kann es am Signal liegen, aber ich denke wirklich, ich sollte zu seinem Haus in Fowey fahren. Nur um sicherzugehen, dass ihm klar geworden ist, wie schnell die Flut kommt, und er die Kinder nach Hause gebracht hat.«

»Okay, Pete. Wir bleiben in Verbindung.«

Ich zerbrach mir den Kopf. Warum war er mit den Mädchen zum Watchman's Cove gegangen? Es war ungemein schwierig, da hinunterzukommen, und sogar noch schlimmer, den steilen, felsigen Pfad wieder hoch zur Straße zu erklimmen. Und es wurde immer zur Warnung geflaggt, wie schnell die Flut reinkam. Es war definitiv kein Ziel für Touristen. Und schon gar kein Ort für kleine Kinder. Winzig und felsig, das einzige herausragende Merkmal war die seltsame kleine Höhle in der Klippenwand. Sie hatte zwei Kammern, eine über der anderen. Chris sagte immer, sie erinnere an eine ungeschälte Erdnuss, die sich 45 Grad nach rechts neigt. Teenager blieben manchmal als Mutprobe drin und kletterten erst in letzter Minute wieder raus, wenn das Meer begann, die untere Kammer zu überfluten. Sie liebten den Nervenkitzel, denn wenn man zu spät ging, kam man nicht mehr raus. Die Höhle, beide Kammern, waren bei Flut vollkommen mit Wasser gefüllt. Deshalb das Schild, das vor dem Betreten der scheinbar netten kleinen Höhle warnte, außer bei Ebbe. Zu jeder anderen Zeit war der Ort eine Todesfalle.

»Was können wir tun?«, fragte ich Chris und versuchte ruhig zu bleiben.

»Was denkst du denn?«, fragte Chris mürrisch. »Soll ich mich zum Narren machen, indem ich die Küstenwache anrufe und eine sinnlose Verfolgungsjagd veranlasse? Während Ted vielleicht schon auf dem Nachhauseweg ist?«

»Ist er nicht, Chris. Das ist er nicht. Ich weiß es einfach.«

Chris explodierte. »Jetzt geht das schon wieder los! Redet Eloise gerade mit dir? Ich hab dir gesagt, ich habe genug, und ich meine das ernst. Du bist lächerlich. Du hast dieses verrückte Melodrama in deinem Kopf, und du wirst es niemals loslassen. Du kannst mich mal, Cathy, ich mache einen Spaziergang.«

Er stolzierte aus der Tür. Lässt mich wieder im Stich, dachte ich bitter. Gerade wenn ich ihn am dringendsten brauchte.

Jack war immer noch da, wachsam und ruhig. »Ich glaube, wir müssen zum Watchman's Cove.«

Ich schaute ihn dankbar an. »Danke, Jack. Das glaube ich auch. Lass uns losgehen.«

Wir ließen die Kinder zurück. Sie protestierten, aber ich wollte sie nicht in Nähe des nächsten unseligen Zusammenstoßes mit Ted haben. O mein Gott, dachte ich, er würde doch wohl diesen armen kleinen Mädchen nichts antun?

Auf dem Weg nach Lantic Bay geriet ich in Panik. Wir bogen in den Parkplatz auf der Bergspitze ein und stiegen aus. Jack berührte meinen Arm und deutete auf etwas. »Schau«, sagte er. Es war

Teds Wagen, fast versteckt hinter einem Streifen Stechginster. Also waren sie noch hier. Aber wo?

Wir nahmen den Fußweg zur Bucht von Lantic hinunter, bogen dann auf den steilen und tückischen Pfad ein, der zum Watchman's Cove hinunterführte. Es war ein schwieriges Vorwärtskommen, und um es noch schlimmer zu machen, versuchten wir, uns zu beeilen. Als wir einen Zaunübertritt erreichten, der ungefähr auf halber Höhe lag, hielt ich an, um wieder zu Atem kommen. Von hier aus konnten wir den felsigen kleinen Strand sehen. Wir konnten auch noch etwas anderes sehen: Der Meeresspiegel war schon gefährlich hoch.

Ich war entsetzt. Wenn Ted und die Mädchen tatsächlich dort unten waren, schwebten sie in höchster Gefahr. Was spielte sich da ab? Ted hatte lange genug in Cornwall gelebt, um über diese heimtückischen kleinen Verstecke Bescheid zu wissen. Ein Spaß für Pfadfinder – vielleicht, wenn sie ordentlich beaufsichtigt sind. Aber für zwei kleine Mädchen und einen unzuverlässigen Vater? Ted wusste, was er da tat. Und mir schien es erschreckend rücksichtslos.

Jack schüttelte den Kopf, während er die hochkriechende Flut beobachtete. »Der Kerl ist krank«, flüsterte er.

»Aber warum, warum würde Ted seinen eigenen Kindern etwas antun wollen?«, fragte ich ihn.

»Weil es nicht seine sind, Cathy. Ich glaube, dass sie von mir sind.«

27

Während ich Jack ungläubig anstarrte, klingelte mein Handy. Es war Father Pete. Der Empfang war schwach und zeitweise unterbrochen. Ich musste mich anstrengen, um ihn zu verstehen.

»Sie sind nicht im Haus«, hörte ich ihn abgehackt sagen.

»Ich weiß. Sein Wagen ist in Lantic Bay abgestellt.«

»Haben Sie sie schon gesehen?«

»Nein, ich kann sie nicht sehen, aber Pete, das Wasser steht schon fast ganz oben.«

»Ich rufe die Küstenwache an. Bleiben Sie im sicheren Bereich, gehen Sie nicht runter zum Strand – ich bin so schnell wie möglich bei Ihnen.«

»Was in Gottes Namen passiert hier?«

Er zögerte. »Ich will Sie nicht in Panik versetzen, aber Ted hat die Vordertür weit offen gelassen, und ich habe auf dem Küchentisch einen Abschiedsbrief gefunden.«

Ich dachte, mein Herz würde stillstehen.

»Schauen Sie, ich bin unterwegs. Ich rufe jetzt sofort die Küstenwache an und ich versuche, unterwegs Chris aufzulesen.« Er legte auf.

Das war es also. Das war es, wovor Eloise mich so dringlich warnen wollte. Sie hatte mich beauftragt, auf ihre Kinder aufzupassen. Und ich hatte sie im Stich gelassen. Ich vergrub mein Gesicht in meinen Händen. »Vergib mir, Ellie. Bitte, vergib mir.«

Ich zitterte. Jack nahm mich in die Arme. »Cathy«, sagte er bestimmt, »was ist los?«

»Ted hat einen Abschiedsbrief hinterlassen. Father Pete hat ihn gerade in seinem Haus gefunden.«

»Allmächtiger«, rief er aus. »Komm, wir müssen da runter.«

Ich nickte und wir stolperten den Pfad hinunter. Noch nie hatte ich den steilen Abhang als derart bedrohlich empfunden. Ich stolperte viele Male über Steine und Wurzeln, verdrehte mir den Knöchel und fiel hin. Jack half mir hoch und trug mich fast hinunter zur Bucht. Die Schmerzen waren unerträglich, aber das war nichts gegen die Ängste in meinem Kopf. Dann schließlich konnten wir nicht weiter. Wir standen auf einem Felsen am Fuß des Pfades und beobachteten, wie das Meer unerbittlich den kleinen Strand heraufkroch.

Ich konnte weder Ted noch die Mädchen entdecken, aber das Meer kam schon nah an die Felswand.

»Was hat Father Pete noch über die Höhle erzählt?«, fragte Jack.

»Sie ist klein«, sagte ich. »Reicht in die Klippe hinein. Sie hat zwei Kammern, eine auf Meereshöhe, dann eine Öffnung darüber. Aber sie ist sehr tückisch. Beide Kammern sind bei Flut geflutet.«

»Wo ist sie?«

»Genau in der Mitte der Bucht.«

Ohne ein Wort sprang Jack hinunter, kickte die Schuhe weg und stürzte sich ins Meer.

»Nein, Jack!«, rief ich. »Es ist zu gefährlich!«

Er antwortete nicht.

Ich sank auf den Felsen, atmete mehrmals tief durch. Es war windig hier unten. Die Wellen waren nicht riesig, aber stark, von tanzendem weißem Schaum gekrönt. Der Geruch des Meeres war berauschend. Die ganze Bucht schien von einer sauberen, erfrischenden Salzigkeit gesättigt zu sein und lockte mit dem Versprechen von Gesundheit und Wohlbefinden.

Abgesehen von der Tatsache, dass der Tod in ihren Tiefen lauerte.

Jack kam triefend und verzweifelt zurück. »Sie sind in der Höhle«, keuchte er. »Die untere Kammer steht schon unter Wasser, aber ich bin hochgeschwommen, und alle drei haben sich an der Kante der oberen Kammer niedergesetzt. Ich habe nach ihnen gerufen. Ted hat nur wild geschaut. Er hat eine halb leere Flasche Scotch bei sich und ist offensichtlich betrunken.«

»Was ist mit den Mädchen? Wie geht es ihnen?«

»Verängstigt. Weinen sich die kleinen Augen aus dem Kopf. Ich werde den Bastard umbringen.«

»Jack? Können wir sie da rausbekommen?«

»Ich kann nicht auf ihre Höhe hochreichen. Es gibt keinen Halt für die Füße im Felsen. Er muss eine Art Leine verwendet haben, ein Seil, um sie da hoch zu kriegen. Weiß der Himmel, wie er das angestellt hat.«

Ich wusste es. »Da ist immer eine Strickleiter in der Höhle, die an der Felswand angebracht ist. Damit die Leute in die zweite Kammer hochklettern können.«

»Nun, jetzt ist sie nicht mehr da. Er muss sie hinter sich hochgezogen haben. Herrgott, was für ein Bastard. Ich gehe wieder rein, Cathy. Irgendwie bekomme ich sie da raus.«

»Es ist zu gefährlich.«

»Ich bin ein guter Schwimmer. In Cornwall geboren, in Australien aufgewachsen. Ich bin ein ausgezeichneter Surfer, Cathy. Ich kann mit dem Meer fertig werden.«

»Nein, Jack, schau.« Ich zeigte hinaus aufs Meer. Ein leuchtender orangefarbener Punkt war am Horizont aufgetaucht, umrundete die Landzunge, die die Bucht von Lantic Bay trennte. »Das ist das Rettungsboot der Küstenwache. Father Pete hat gesagt, er würde sie alarmieren. Sie werden die Mädchen retten.«

»Ich bin mir nicht sicher, ob sie es rechtzeitig hierher schaffen werden. Ich gehe zurück. Sag der Besatzung, dass ich in der Höhle bin.«

Und er tauchte zurück zum überfluteten Strand.

»Cathy!« Chris' Stimme schallte von hinter mir herüber. Ich drehte mich herum, und er und Father Pete kletterten den Pfad herunter. Petes Soutane hielt ihn auf, und Chris erreichte mich lange, bevor der Priester den felsigen Abstieg bewältigt hatte.

»Cathy, meine Liebe. Mir tut es sehr, sehr leid. Ich bin so ein sturer Trottel gewesen. Bist du in Ordnung, mein Liebling?«

Ich schmiegte mich an ihn. »Die Mädchen. Sie sind mit Ted in der Höhle. Jack hat sie auf dem Felsvorsprung der oberen Kammer gesehen, aber er kam nicht an sie heran.«

»Wo ist Jack?«

»Er ist zurück in die Höhle getaucht. Ich glaube, es ist zu spät. Die Flut hat schon die untere Kammer gefüllt.«

Chris schaute raus aufs Meer. »Alles in Ordnung, Cathy. Das Rettungsboot ist da.«

Der wunderbare Anblick der orangefarbenen, verstärkten Jolle schenkte mir den größten Kick meines Lebens. Ich schaute die vier kräftigen Besatzungsmitglieder an und betete, dass sie in der Lage sein würden, Rose und Violet aus der Höhle und weg von ihrem Vater zu bekommen. Ich war in einem Schockzustand, viel zu betäubt, um mich an Jacks erschütternde Behauptung zu erinnern, dass Ted in Wirklichkeit nicht ihr Vater sei.

Die Besatzung sah uns und rief: »Was ist hier los?«

Chris kletterte das Stück Fels hinunter, das noch nicht überspült war, bis er nur noch Zentimeter vom Beiboot entfernt war.

»Da drin ist ein Verrückter, der sich umbringen will. Und er hat zwei kleine Mädchen bei sich. Sie sind erst fünf. Sie sind in die obere Kammer geklettert, aber die wird innerhalb der nächsten Minuten überflutet. Und da ist noch ein anderer Mann, der in die Höhle rein ist, um sie zu retten.«

»Gut«, sagte der Steuermann. »Dann machen wir mal besser hin.«

Was als Nächstes passierte, ist mir nur undeutlich in Erinnerung. Zwei der Seeleute sprangen ins Meer und verschwanden, als sie runter zur Höhle tauchten. Die anderen blieben an Deck des Bootes und spulten eine Leine ab, dessen Ende die ersten Männer mitgenommen hatten.

Ich starrte das Boot für, wie mir schien, Stunden an, aber in Wirklichkeit waren es nur ein paar Minuten. Dann tauchten die beiden Männer wieder neben der Jolle auf, und beide kämpften jeweils mit einer zusätzlichen Last. Mit Hilfe der beiden Seeleute an Bord hievten sie ihre Fracht aufs Deck. Dann knieten sie sich nieder, während sie sich, für uns nicht sichtbar, um die Kinder kümmerten, die sie gerettet hatten.

Einer von ihnen stellte sich auf und rief: »Es ist okay. Sie sind beide in Ordnung. Nass und verängstigt, aber sicher und gesund.«

Ich taumelte gegen Chris und schluchzte: »Gott sei Dank, Gott sei Dank. Die Mädchen sind gerettet.«

Aber Chris schaute grimmig. »Wo ist Jack?«, rief er der Crew zu.

»Ihr Vater?«, schrie der Steuermann zurück. »Sie hatten recht, als Sie ihn einen Verrückten nannten. Hat gegen uns angekämpft und versucht, die Kinder unters Wasser zu drücken. Er wollte nicht mitkommen. Wir werden die Küstenwache anfunken und Taucher anfordern. Es ist zu gefährlich für uns, noch mal reinzugehen.«

»Nein«, sagte Chris. »Nicht er. Der Mann, der reingegangen ist, um sie zu retten.«

»Ich weiß nicht. Wir haben ihn nicht gesehen.«

Lieber Gott, dachte ich. Nicht Jack. Nicht der mutige Jack, den Eloise so geliebt hatte, der sein Leben riskiert hatte, um die Kinder zu retten.

Und dann ein Ruf von der Mannschaft. »Werft einen Rettungsring runter. Werft einen Rettungsring.«

Und dann dieser wunderbare Moment. Jack, offensichtlich erschöpft, aber immer noch schwimmend, tanzte auf der Wasseroberfläche auf und ab. Er griff nach dem Rettungsring, den sie ihm zugeworfen hatten, und wurde an Bord gezogen.

Er würgte und hustete, während er aus dem Meer gezogen wurde. Aber er war in Sicherheit.

Chris rief der Crew des Rettungsboots zu: »Wie schnell kann das Taucherteam herkommen?«

»Ich habe sie schon angefunkt. Sie sollten in ein paar Minuten hier sein.«

Ich beobachtete Chris' Gesicht. Wir wussten beide, es würde zu spät sein.

»Wir müssen die Kinder nach Fowey zurückbringen», rief der Steuermann. »Sie brauchen ärztliche Betreuung.«

Und das Boot beschleunigte. »Was können wir tun, Chris?«, fragte ich. »Ich möchte nach den Mädchen sehen, aber wir können Ted nicht einfach so aufgeben. Wir sollten wirklich auf das Taucherteam warten.«

»Machen Sie sich darüber keine Sorgen, Cathy«, sagte Father Pete. »Ich werde hierbleiben und auf die Taucher warten. Sie und Chris sollten nach Fowey fahren und sich um die Mädchen kümmern. Ich rufe Sie an, wenn es etwas Neues gibt.«

Chris fuhr uns nach Fowey zurück. Wir waren beide still. Ich konnte erkennen, dass er ein schlechtes Gewissen hatte, weil er sich geweigert hatte zu glauben, dass Rose und Violet in Gefahr waren. Immer wieder nahm er seine linke Hand vom Lenkrad, legte sie um meine Schulter und drückte mich.

Als wir endlich in der Arztpraxis in Fowey ankamen, wo die kleinen Mädchen behandelt wurden, hielt er den Wagen an. Bevor ich aussteigen konnte, hielt er mich in seinen Armen fest.

»Cathy, meine Cathy, wirst du mir jemals verzeihen können? All deine Vermutungen wegen Ted haben gestimmt. Es tut mir sehr, sehr leid, mein Liebling. Ich habe mich so schlecht benommen, so wie ich an dir gezweifelt habe. Ich war ungehobelt und arrogant, davon überzeugt, ich wüsste Bescheid. Ich glaube jetzt, ich konnte mir ganz einfach nicht eingestehen, dass ich immer nur seine Oberfläche gesehen habe. Ich konnte nicht glauben, dass er so wenig der Mann war, für den ich ihn all die Jahre gehalten habe, als wir Freunde waren. Das hätte jegliche Professionalität beleidigt, auf die ich so stolz bin, also war es einfacher für mich, alles zu verleugnen. Ich bin so grausam zu dir gewesen, dabei liebe ich dich so sehr – bitte sag, dass das unsere Ehe nicht zerstört hat.«

Ich legte meinen Kopf auf seine Schulter. Ich schaffte sogar ein Lächeln. »Nein, Chris. Es hat unsere Ehe nicht zerstört. Aber nur, wenn du sagst, dass wir in Cornwall bleiben können.«

Er hob mein Kinn an. »Liebling, wir werden immer und ewig in Cornwall bleiben.«

Wir lächelten uns an und er küsste mich. Ein langer, langer Kuss. Ich fühlte mich wie eine vertrocknende, herabhängende Blume, nach Liebe und Zuneigung dürstend, die endlich das wertvolle Geschenk des Regens empfängt.

Anderthalb Stunden später waren wir bei Juliana. Ich hatte nicht die Gelegenheit gehabt, Chris zu erzählen, dass Jack der Vater der Zwillinge sein könnte. Später wäre noch genug Zeit, um sich mit diesen Dingen auseinanderzusetzen.

Ein Arzt hatte beide Mädchen untersucht und sie als gesund entlassen. Er meinte natürlich körperlich. Weiß Gott, was in ihren kleinen Köpfen vorging.

Juliana verbarg den Schock, der ihr durch die Ereignisse in die Glieder gefahren war, und verhätschelte die kleinen Kinder, machte ihnen heißen Kakao, bevor sie und Annie sie oben zu Bett brachten. Sie waren erschöpft, schienen aber ansonsten in Ordnung zu sein. Interessanterweise erwähnten sie nicht ein einziges Mal ihren Vater. Ich fragte mich, was für einen psychologischen Schaden Teds Versuch anrichten würde, sie zu ermorden. Ich würde später mit Chris darüber reden.

Father Pete rief an und sagte, die Taucher suchten immer noch nach Ted. Ich fühlte mich schuldig, dass er da draußen an diesem trostlosen kleinen Strand ausharrte, aber er sagte, er wolle bleiben, bis die Taucher die Suche abbrächen.

Als die Mädchen im Bett waren, tranken wir alle in Julianas hübschem Wohnzimmer einen Brandy. Wir redeten sehr wenig. Jack war hundemüde und wollte nicht reden. Und es schien irgendwie falsch, über das zu reden, was geschehen war, solange Ted immer noch vermisst wurde.

Schließlich fuhren Chris und ich nach Hause. Morgen müsste man sich um die Polizei und weiß Gott was noch kümmern. Wir sollten uns alle ausruhen, sagte er. Und er hatte recht. Ich sehnte mich danach, zu meinen Kindern zurückzukommen und schlafen zu gehen. Es gab so viel, was ich nicht verstand, und ich war viel zu erschöpft, um jetzt noch etwas aufnehmen zu können.

Als wir nach Hause kamen, waren die Kinder bedrückt. Sie hatten die Lokalnachrichten im Fernsehen gesehen. Ich hatte sie schon angerufen, um Bescheid zu geben, dass Chris und ich in Ordnung waren. Aber es waren Aufnahmen von den Tauchern gesendet worden, die immer noch nach Ted suchten, und sie waren fasziniert von diesem ganzen Horror. Wir aßen nur eine Kleinigkeit und sagten den Kindern, wir seien zu erschöpft, um heute Abend darüber zu reden, aber wir würden ihnen morgen alles erzählen. Sie protestierten, aber Chris war unnachgiebig, und wir gingen beide vor ihnen nach oben ins Bett. Wir wussten, sie würden noch Stunden aufbleiben und darüber spekulieren, was Ted zum Überschnappen gebracht hatte.

Falls ich in dieser Nacht geträumt haben sollte, so erinnere ich mich nicht daran. Eloise war still und die Nacht friedvoll.

28

Früh am nächsten Morgen schrillte das Telefon. Ich stöhnte und drehte mich um. Chris jedoch nahm ab. Das Nächste, an das ich mich erinnere, ist, dass er sich voll angezogen über mich beugte.

»Die Taucher haben Teds Leiche gefunden, und Juliana hat die Polizei gefragt, ob ich ihn identifizieren könnte, also fahre ich nach Plymouth. Sie wollen, dass ich danach in Teds und Eloise' Haus fahre. Ich rufe dich an, sobald ich irgendetwas weiß.«

Ich schlief sofort wieder ein. Das erste Mal seit Monaten fühlte ich mich ruhig und entspannt. Ich hatte nichts, über das ich mir Sorgen machen musste. Jetzt nicht mehr.

Als ich schließlich aufstand, war Jack eingetroffen. Er sah verlegen, jedoch entschlossen aus. »Könnten wir einen Spaziergang machen, Cathy?«, fragte er. »Ich muss dir ein paar Dinge erzählen.«

Wir liefen mit Sam, Tom und Evie hinunter zum Strand, und sobald sie es sich im Café mit Cola und Plunderstückchen gemütlich gemacht hatten, gingen Jack und ich zurück die Gasse zur Kirche hoch.

Wir setzten uns im Gras neben Eloise' Grab nieder. Es war ein paar Stunden her, dass Chris nach Plymouth aufgebrochen war. Es war ein perfekter Frühsommertag in Cornwall. Ich war entspannt, fast etwas schläfrig. Honigbienen summten um die Blumen auf Eloise' Grab. Ich fühlte nichts als ruhige Beschaulichkeit. Und natürlich brennende Neugierde.

»Erzähl es mir, Jack.«

Er seufzte. »Vor sechs Jahren wurde ich geschieden. Ich war nicht gerade am Boden zerstört, aber ich fühlte mich etwas einsam. Wenn man geschieden ist, neigt man dazu, zurückzudenken, um herauszufinden, was man falsch gemacht hat. Ich kam darauf, dass ich Cornwall unbedingt wiedersehen wollte – ich kann das selbst jetzt nicht richtig erklären. Ich schmachtete nicht nach England und nicht nach Eloise. Ich wusste nur, dass ich nach Hause wollte. Also flog ich nach Heathrow, mietete einen Wagen und fuhr hier herunter.

Ich wohnte nicht in Fowey. Ich wollte nicht riskieren, in irgendjemanden hineinzulaufen, den ich aus früheren Tagen kannte, vor allen Dingen nicht Eloise. Und ich wollte auf keinen Fall Juliana wiedersehen. Ich dachte, sie hassten mich alle. Ich hatte ein dreizehnjähriges Mädchen geschwängert und war mit meinen Eltern und dem Baby nach Australien verschwunden. Ich war ein Ausgestoßener, ich wusste das, aber trotzdem wollte ich heimkommen an diesen Ort, den ich so sehr liebte. Ich weiß, wie lächerlich das alles klingt, aber trotz all dieser idyllischen Stunden in Byron Bay konnte ich Polzeath und Daymer Bay einfach nicht vergessen.

Ich blieb in St. Mawes, im Tresanton Hotel. Es war wunderschön, erfüllte alle meine alten Träume von Cornwall, aber ich konnte der Versuchung nicht widerstehen, nach Fowey zu fahren, nur für einen Tag. Ich lungerte im Ort herum, trank, am Hafen sitzend, ein Pint, und dachte über die alten Zeiten nach. Dann ging ich rüber nach Readymoney. Und dort sah ich sie, am Strand. Sie sonnte sich auf einem Handtuch. Ihr Körper war nach australischen Maßstäben blass, richtig weiß, aber perfekt. Mein Herz raste, sobald ich sie sah. Ich wusste nicht, ob ich mit ihr reden sollte. Ich hatte mich schon entschlossen zu gehen, als sie mich registrierte. Sie starrte mich an und setzte sich auf. Sie runzelte die Stirn; dann nahm sie die Sonnenbrille ab und sagte: ›Jack? Bist du das wirklich?‹ Ich hätte an diesem Punkt noch weggehen können, ihr erzählen, sie würde mich mit jemand anderem verwechseln. Aber das tat ich nicht. Sie hypnotisierte mich.

Egal, das Ende vom Lied war, dass ich mit zu ihr nach Hause ging. Ted war weg, in St. Ives zum Malen. Wir redeten und redeten. Sie dürstete nach Neuigkeiten über unsere Tochter, Isabella. Ich erzählte ihr von Arthur, und sie war überrascht zu erfahren, dass sie einen Enkel hatte. Sie sagte, Izzie müsse ihn schon ziemlich jung bekommen haben, genau wie sie. Ich sagte ja, sie sei eine Teenage-Mutter, aber sehr glücklich verheiratet mit einem lieben Kerl, der sie und ihr Kind vergöttere. Eloise lächelte. ›Das freut mich zu hören‹, sagte sie. Und dann: ›So ein Glückspilz.‹ Ich erzählte ihr von meiner gescheiterten Ehe, sie redete von Ted. Ich spürte bereits da, dass es Probleme gab, aber sie ging nicht ins Detail. Irgendwann musste ich raus aus der ehelichen Wohnung. Es genierte mich fast, dort zu sein. Ganz offensichtlich gehörte ich nicht da hin. Aber ich konnte nicht widerstehen, sie um ein Wiedersehen zu bitten, auf neutralem Gebiet. Sie hatte mich mehr aufgewühlt, als ich es jemals für möglich gehalten hätte.«

»Und, hast du?«, fragte ich.

»Sie wiedergesehen? Ja. Sie war einverstanden, an diesem Abend zum Essen in mein Hotel zu kommen. Ich denke, schon da wussten wir beide, was passieren würde. Wie auch immer, sie fühlte sich sicher im Tresanton. Niemand kannte sie dort unten, und nach ein paar Drinks öffnete sie sich vollkommen. Sie erzählte mir, wie verzweifelt sie sich ein Baby wünsche und dass sie und Ted es schon so lange probierten. Sie hatten verschiedene Tests machen lassen, und die Ärzte sagten, Ellies Eisprung sei normal und es sollte kein Problem sein, schwanger zu werden. Aber es geschah nicht, also schlugen sie in der Kinderwunschklinik vor, Ted solle sein Sperma untersuchen lassen. Sie sagte mir, Ted sei wütend gewesen, als sie ihm das erzählte, und hätte es zuerst rundweg abgelehnt. Dachte, es wäre eine Beleidigung seiner Männlichkeit. Aber schließlich, äußerst beleidigt, willigte er ein.«

Jack seufzte und lehnte sich zurück an die Friedhofsmauer. »Die Ärzte meinten, seine Spermienanzahl sei sehr niedrig. Er sei nicht komplett unfruchtbar, aber es sei offensichtlich, dass es für sie schwierig wäre, auf natürlichem Wege schwanger zu werden. Sie schlugen vor, dass sie beide eine künstliche Befruchtung ins Auge fassen sollten. In-vitro-Fertilisation oder eine sogar noch kompliziertere Prozedur, die bedeutet hätte, dass Teds Sperma direkt in Ellies Ei gespritzt und dann in ihrer Gebärmutter platziert würde. Ted lief Amok, nach dem, was Eloise erzählte. Er konnte ganz einfach der Tatsache nicht ins Auge sehen, dass er unfruchtbar war. Es ging gegen jegliches Bild, das er von sich selbst hatte. Ausgezeichneter Künstler und erfolgreicher Surferkumpel. Er weigerte sich zu glauben, dass er seine Frau nicht schwängern könnte. Und als ich in sie hineinstolperte, war das der Punkt, an dem sie gerade standen.«

Ich wusste, was jetzt kam. Er schaute mich reumütig an.

»Richtig, du hast es erfasst. Eloise verbrachte die Nacht mit mir in meinem Hotel. Wir liebten uns viele Male. Sie war berauschend. Aber am nächsten Morgen sagte sie, sie müsse zurück nach Fowey. Ted wurde später am Tag zurückerwartet.«

»Aber hast du denn nicht versucht, sie davon zu überzeugen, bei dir zu bleiben?«

»Ich habe ihr gesagt, dass ich sie liebe, und sie sagte, dass sie mich auch liebe. Aber meine Wurzeln waren damals in Australien. Meine Karriere war dort, ganz abgesehen von Isabella und Arthur. Und sie sagte, sie könne niemals ihre Mutter allein lassen. Also trennten wir uns. Es war sehr hart. Genau genommen war es niederschmetternd.«

»Also, das war's dann? Du fuhrst zurück nach Australien? Hat sie dir geschrieben? Hat sie dir erzählt, sie sei schwanger?«

»Nein. Ich habe nie wieder etwas von Eloise gehört. Ich dachte die ganze Zeit an sie, ich fragte mich sogar, ob ich nicht nach Cornwall zurückkommen sollte, versuchen sollte, sie davon zu überzeugen, mit mir zusammen zu sein. Ich glaubte, dass ich kein Recht hätte, in ihr Leben einzugreifen. Ich dachte mir, wenn sie mich wollte, würde sie sich melden.«

»Wie hast du also von Rose und Violet erfahren?«

»Eloise hat ihrer Mutter gesagt, sie hätte von einer Bekannten aus Australien gehört, dass Isabella einen Sohn hat. Sie sagte, sie wolle in ihrem Testament einige Regelungen für sie aufnehmen. Zu dieser Zeit wusste sie, dass sie krank war. Also setzte Juliana Himmel und Erde in Bewegung, um mit mir in Australien Kontakt aufzunehmen. Sie hat mir nie erzählt, dass Ellie Krebs hatte, aber sie hat mir von den Zwillingen erzählt.«

»Und dir wurde klar, dass sie von dir waren?«

»Nun, als ich nachgerechnet hatte, dass sie fast neun Monate, nachdem wir uns geliebt hatten, auf die Welt gekommen waren, dachte ich sofort, sie könnten von mir sein. Aber andererseits unterzogen sie und Ted sich dieser Fruchtbarkeitsbehandlung, die zur gleichen Zeit Erfolg gehabt haben könnte.«

»Aber hatte sie nicht erzählt, dass sich Ted der Behandlung verweigerte?«

»Ja, aber ich hörte nie wieder etwas von ihr. Sie hätte von Ted schwanger werden können, sobald wir uns getrennt hatten. Egal, Cathy, um ehrlich zu sein, ich habe versucht, nicht zu viel darüber nachzudenken. Es war zu kompliziert, zu unschön, und es tat weh.«

»Also weißt du immer noch nicht definitiv, ob die Mädchen von dir sind? Du meinst immer noch, es besteht die Möglichkeit, sie könnten von Ted sein?«

Jack zögerte. »Ich denke, du hast recht. Natürlich habe ich keinen absoluten Beweis. Aber sobald ich sie gesehen habe, fühlte ich …« Er machte eine Pause und fuhr dann fort: »Ich erkannte sie irgendwie. Ich kenne sie.«

Ich schloss die Augen. Eloise, dachte ich. Bitte, Liebes, hilf mir, schlau daraus zu werden. Hier sind wir, neben deinem Grab. Wir sind während der letzten paar Tage durch die Hölle gegangen. *Ich* bin die letzten Monate durch die Hölle gegangen. Kannst du mir nicht eine Antwort geben, wenigstens ein Zeichen, dass das Schlimmste vorüber ist? Wenigstens irgendeine Erklärung, um Himmels willen?

Keine Antwort. Eloise kam, wenn sie mich brauchte, nicht, wenn ich sie brauchte.

Wir standen auf, verließen das Grab und den Friedhof und machten uns auf den Weg Richtung Strand. Sam, Tom, Evie und Arthur schwammen im Meer.

Jack rannte runter zum Wasser. »Wenn ihr fertig seid, Kinder, es ist Zeit fürs Mittagessen. Trocknet euch ab und kommt hoch zu uns ins Café.«

Wir aßen an den Picknicktischen am Strand zu Mittag. Die vier Jungen schienen fast unanständig verspielt in Anbetracht der Tatsache, dass Ted gestern gestorben war. Aber ich spürte, wie erleichtert sie waren, dass diese Krise vorbei war, die Ted ausgelöst und so rücksichtslos mit seiner Wut und seinem Hass in ihr Leben getragen hatte. Und dass die kleinen Mädchen in Sicherheit waren. Ich denke nicht, dass meine Kinder mit Ted je warm geworden waren, nicht richtig. Sie hatten Eloise und ihre Töchter sehr gern, aber Ted war immer leicht distanziert gewesen. Er war immer sehr von sich eingenommen gewesen, von seinem Talent. Er hatte Cornwall toleriert, weil ihm das Licht hier ermöglichte, wunderschöne Bilder zu malen, aber er hatte nicht wirklich das Temperament eines Künstlers. Er wollte eine Berühmtheit sein, er wollte gefeiert und angehimmelt werden. Er wollte, dass seine wunderschöne Frau ein Accessoire war. Seine reiche, bezaubernde Frau war dazu da, um Licht auf seinen Erfolg zu werfen. Aber Eloise wäre niemals zu dieser Frau geworden.

Und dann bekam sie Krebs. Was eigentlich sehr gut in Teds Vorstellung vom Leben einer Berühmtheit hineingepasst hätte.

Genialer Künstler mit todkranker Frau. Wie tragisch, wie romantisch.

All das ging mir während des Mittagessens durch den Kopf, aber ich fühlte mich schlecht. Ted hatte sich seit Eloise' Tod schrecklich benommen, aber er war seit kurzer Zeit Witwer. Und Eloise hatte ihn betrogen, genau so, wie er es Chris erzählt hatte. Außer, dass er nichts von Jack gewusst hatte, nicht gewusst hatte, dass seine Töchter nicht von ihm waren. Oder hatte er?

Wir hatten das Mittagessen beendet, und die Kinder waren wieder zu ihren Strandvergnügungen zurückgekehrt, als Chris sich über den knirschenden Kiesweg von der Gasse auf unseren Tisch zubewegte. Er sah grimmig aus.

»Ich muss mit euch beiden reden. Ich habe euch nicht alles erzählt, was gestern passiert ist. Aber ich glaube nicht, dass wir das hier am Strand bereden sollten, mit den Kindern in der Nähe. Können wir zurück ins Cottage gehen?«

Diesmal ging ich hinunter zu den kleinen, quatschigen Sandpfützen, die den Übergang zum Meer markierten. Ich machte Sam auf mich aufmerksam und sagte ihm, wir gingen nach Hause. Er platschte aus den seichten Wellen heraus.

»Bist du in Ordnung, Mum?«

»Mir geht's gut, Süßer. Es ist nur, dass Dad mit uns besprechen will, was die Polizei zu Teds Tod sagt, und das könnte Eve und Tom zu sehr mitnehmen. Würdest du sie für eine Stunde oder so hier beschäftigen?«

»Okay. Wenn du mir versprichst, mir alles zu erzählen, wenn wir zurück sind.«

»Alles, Sam. Danke.«

Als ich die Planschzone verließ, hörte ich Evie rufen: »Ich liebe dich, Mum.« Ihre übliche Abschiedsfloskel.

Wir drei marschierten die Gasse hoch und in unser Cottage. Chris hatte kein Wort gesagt, seit wir den Stand verlassen hatten. Ich war nervös, als wir unser Wohnzimmer betraten. Ich wusste, ich würde etwas Schlimmes zu hören bekommen. Andererseits, was konnte schlimmer sein als Eloise' Besuche, die beinahe meinen Geisteszustand zerrüttet und meine Ehe zerstört hatten?

Chris bat uns, uns zu setzen, und goss Drinks für uns alle ein. Herrgott, dachte ich, das sieht nicht gut aus. Chris war eigentlich ein bisschen puritanisch. Ganz sicher war er nicht der Typ, der freigebig mit Alkohol hausieren ging.

»So«, sagte er. »Ich bin heute Morgen nach Plymouth gefahren und habe Teds Körper identifiziert. Nicht schön. Aber definitiv er. Und dann bin ich zurück zu ihrem Haus in Fowey gefahren, mit dem Superintendent. Father Pete hat euch erzählt, dass Ted einen Abschiedsbrief auf dem Küchentisch hinterlassen hat. Aber er hat euch nicht erzählt, was drinstand. Der Superintendent hat ihn mir gezeigt. Er war an Juliana adressiert, und er war grausam. Es ging nicht nur um seinen Selbstmord und wie er das anstellen wollte. Er hat das ganze Zeug geschrieben, das wir kennen, dass Eloise ihn aus ihrem Testament gestrichen hat, dass sein Anteil am Vermögen an Arthur und Isabella vermacht worden ist. Aber er hat noch etwas anderes geschrieben. Er schrieb, dass Eloise ihm kurz vor ihrem Tod erzählt hat, dass sie mit dreizehn ein Baby geboren hatte. Und dass er sich betrogen fühlte. Ja, ich weiß, das ist lächerlich. Er hat sie da ja noch nicht einmal gekannt. Aber als er von Isabella und Arthur erfuhr, und von Eloise' Entscheidung, sie in ihrem Letzten Willen zu berücksichtigen, kam der Moment, als er endgültig ausrastete.«

Chris machte eine Pause. »Cathy, es tut mir wirklich leid, dir das zu erzählen. Aber Ted hat in seinem Abschiedsbrief geschrieben, dass er einen schrecklichen Streit mit Eloise wegen Arthur hatte. Und er hat zugegeben, dass er so wütend auf sie war, dass er ihre Medikamente manipuliert hat. Wir alle wissen, dass sie starke Schmerzmittel nahm. Aber Ted hat in seiner Wut dafür gesorgt, dass sie zu viel Morphium nahm. Das hat sie umgebracht. Vorzeitig, obwohl sie selbstverständlich früher oder später auf jeden Fall gestorben wäre.«

Ich war entsetzt. Ich ließ mich auf mein kleines gelbes Sofa fallen, den Platz, auf dem ich so viele Stunden über Eloise, unsere Kinder und unser herrliches Leben hier in Cornwall tagträumend verbracht hatte.

»Nein. Nicht das. Bitte, nicht das! Ted hat seine eigene Frau umgebracht? Er hat sie ermordet?«

»Ja. Es tut mir schrecklich leid, Liebling. Ich weiß, wie entsetzlich sich das anhört.«

»Aber warum? Warum in Gottes Namen, wenn sie dem Tod doch schon so nahe war?«

»Es drehte sich ums Geld, wie sich bei Ted anscheinend alles darum drehte. Er hatte gehofft, sie wäre noch nicht dazu gekommen, Isabella und Arthur in ihrem Testament zu berücksichtigen, aber sie hatte es bereits gemacht.«

»Also hat er sie für nichts und wieder nichts umgebracht? Nur um sie daran zu hindern, ihrer Tochter und ihrem Enkel Geld zu hinterlassen?«

»Leider ja.«

»Arme, arme Eloise. Ach, meine arme, kleine Freundin. Er hat sie umgebracht, weil sie versucht hat, das Richtige für ihre eigenen Kinder und ihren Enkel zu tun, und als er es herausfand, war er so wütend darüber, Geld zu verlieren, das ihm rechtmäßig nicht einmal zustand, dass er sich dazu berufen fühlte, sie zu ermorden. Um des Profits willen. Das arme Mädchen, das so viele Jahre damit verbracht hatte, sich mit ihrer eigenen Sterblichkeit abzufinden, das so viel gelitten hatte, das solch eine Trauer empfand, ihre kleinen Mädchen allein zu lassen. Und dieser Bastard hat ihr das Leben aus Bosheit, Wut und Habgier genommen. Was für ein ekelhafter, schrecklicher Mann er doch war.«

»Ja. Und nach ihrem Tod, als der Notar ihm sagte, dass Arthur und Isabella nicht nur den Großteil ihres Vermögens erben würden, sondern dass er, Ted, lediglich das Haus bekam und was er ›ein armseliges Taschengeld‹ nannte, um für die Kinder zu sorgen, nun, das hat ihn in den Irrsinn getrieben, schreibt er.«

Ich schaute Chris an. »Erwartet jetzt irgendjemand, dass ich ihn bedauere? Weiß Gott, er hat bekommen, was er verdient hat. Stichwort Karma. Aber warum hat er plötzlich, Monate nach ihrem Tod beschlossen, sich umzubringen und die Kinder mit in den Tod zu nehmen?«

»Weil«, sagte Chris, »er etwas gefunden hat. Etwas, was ihn dann endgültig um den Verstand gebracht hat. Er entdeckte, dass er nicht ihr Vater war.«

Ich warf einen Blick zu Jack. Wie konnte Ted das wissen? Selbst Jack war sich nicht hundertprozentig sicher. Er schaute mich an und schüttelte den Kopf, um mir zu zeigen, dass das für ihn genauso unverständlich war wie für uns.

Chris fuhr fort: »Cathy, ich weiß, wie sehr du Eloise geliebt hast. Aber sie hat Ted etwas angetan, was die meisten Männer als unverzeihlich empfinden würden. Nicht nur, dass sie eine Affäre hatte, sie sagte ihm auch, die beiden kleinen Mädchen seien von ihm. Als er herausfand, erst vor ein paar Tagen, dass sie von jemand anderem waren, konnte er es einfach nicht über sich bringen, sie großzuziehen. Und es überrascht mich nicht wirklich, in Anbetracht des geistigen Zustands, in dem er sich bereits befand.«

Ich sträubte mich. »Versuchst du, ihn zu entschuldigen? Mach es lieber nicht, Chris. Eloise war meine beste Freundin, und Ted war ein mordender Bastard. Willst du wirklich sagen, dass Eloise verdient hat, was er ihr angetan hat? Und dass du nicht überrascht bist, dass er versucht hat, auch die Mädchen mit umzubringen, weil er herausgefunden hatte, dass sie eine Affäre hatte? Ich weiß, du bist Psychiater von Beruf, aber bitte rede nicht so mit mir.«

Chris nahm meine Hand. »Liebling, ich entschuldige ihn nicht. Was er Eloise angetan hat, war abscheulich. Und was er versucht hat, den Kindern anzutun, war unverzeihlich. Ich sage nur, in Anbetracht seines Geisteszustands hat ihm die schlussendliche Erkenntnis, dass sie nicht von ihm waren, den letzten Rest seines normalen, rationalen Verstandes geraubt.«

»Aber wie? Wie fand er es heraus? Wusste Juliana Bescheid? Hat sie es ihm erzählt?«

Chris schüttelte den Kopf.

»Nein. Juliana hatte keine Ahnung. Das wird ein schrecklicher Schock für sie sein. Die einzige Person, die Bescheid wusste, war Eloise selbst. Bis Ted etwas fand. Er war in einer schrecklichen Verfassung, wie wir wissen. Wütend auf sie und auf sich, weil er sie getötet hatte.«

»Nur weil er keinen größeren Anteil ihres Geldes bekommen hatte. Er hat sie wegen ihres Vermögens getötet, und nun musste er feststellen, dass sie ihm nichts hinterlassen hat. Er wäre nicht wütend auf sie gewesen, wenn er geerbt hätte. Er wäre glücklich gewesen, damit durchgekommen zu sein. Er war nur aufs Geld aus, schlicht und einfach.«

»Ich stimme dir zu. Erinnerst du dich, als ich dir gesagt habe, er sei kein netter Mann? Aber trotzdem, ich denke, jeder Mann, der herausfände, dass er bezüglich der Vaterschaft seiner Kinder getäuscht worden ist, fände es schwierig, so etwas zu vergeben.«

Jack schaute Chris direkt in die Augen. »Du weißt es, nicht wahr? Du weißt, dass Rose und Violet von mir sind?«

Chris sah ihn überrascht an. »Nein! Natürlich weiß ich das nicht. Wovon redest du? Ich weiß nur, dass Ted ein Dokument gefunden hat, das unter Eloise' Sachen verborgen war. Es war eine DNA-Analyse. Sie hatte Haare der Mädchen und, ohne sein Wissen, von Ted an ein Labor eingeschickt, das auf Genanalysen spezialisiert ist. Und das Labor fand heraus, dass die Wahrscheinlichkeit für Teds Vaterschaft praktisch gleich Null war. Das Dokument war von vor fünf Jahren datiert. Sie wusste offensichtlich schon kurz nach der Geburt, dass die Mädchen nicht von Ted waren, aber sie hat es ihm nie erzählt.«

Herrgott. Also deshalb wollte er die kleinen Mädchen und sich selbst umbringen. Er konnte sich nicht mit der Tatsache abfinden, betrogen worden zu sein. Dass die Kinder, für die zu sorgen er beauftragt war und für deren Pflege er seiner Meinung nach unzureichend entschädigt wurde, tatsächlich die Töchter eines anderen Mannes waren.

Ich fühlte ein Aufflackern von Mitleid für Ted. Er hatte an einem Tag bitter gesagt, dass Eloise ihn einfach als Samenspender angesehen habe. Nun war klar, dass er nicht einmal das gewesen war. Ich erinnerte mich an Eloise' verzweifelte Klagen, als sie nach ihrem Tod bei mir im Garten aufgetaucht war. »Ach Cathy, ich habe etwas Schreckliches getan.« Sie wusste, dass Ted nach ihrem Tod den Testbericht finden würde. Und sie wusste, das würde auf ihre Mädchen zurückfallen. Deshalb hatte sie mir eingeschärft, ihm niemals zu vertrauen. Und auf ihre Kinder aufzupassen. Und das hatte ich getan, Gott sei Dank. Ihre Kinder waren in Sicherheit.

Epilog

Es war der erste Weihnachtsfeiertag, und Julianas wunderschönes Haus sah wie immer überwältigend aus. Die Tannen im Garten waren mit Lichtern geschmückt. In der Diele stand glitzernd ein herrlicher Weihnachtsbaum, der das ganze Haus mit seinem wunderbaren Duft erfüllte. Die antiken Kaminsimse waren allesamt mit Stechpalmenzweigen und Misteln, Efeu und Lichterketten geschmückt. Wir hatten gerade das Abendessen beendet; vollgestopft mit Truthahn und Plumpudding, beobachteten Jack, Juliana, Chris und ich wohlwollend unseren jeweiligen Nachwuchs, wie sie mit Rose und Violet »Kerplunk« vor dem knisternden Kaminfeuer spielten. Sam und Tom hatten ihre Freundinnen mitgebracht, und Evie strahlte vor Glück, wie sie Arthurs Hand hielt.

Es war ein wirklich wunderschöner Anblick, ein perfektes Weihnachtstableau.

Allerdings nicht vollkommen perfekt. Ich schaute Julianas Gesicht an, als sich ihre Augen plötzlich mit Tränen füllten. Ich lehnte mich zu ihr hinüber und nahm ihre Hand.

»Du musst traurig sein, Juliana«, sagte ich sanft.

»Ja. Das erste Weihnachten ohne sie. Es ist sehr schwer. Aber natürlich weiß ich, dass sie wahrscheinlich mittlerweile nicht mehr da wäre; um diese Zeit im letzten Jahr wusste ich, dass ich das letzte Weihnachten mit ihr feierte. Ich habe sozusagen im Voraus um sie getrauert.«

»Die Mädchen scheinen aber glücklich zu sein, nicht wahr?«

»Ja, und ich danke Gott dafür. Sie vergöttern Jack, weißt du. Er geht einfach großartig mit ihnen um.«

»Ja. Es macht Spaß, ihnen zuzuschauen. Wird er in Cornwall bleiben, was meinst du?«

»Ich denke doch. Er hat seine Angelegenheiten in Australien so ziemlich alle geregelt, als er im Herbst drüben war, und er ist für eine Stelle als Onkologe im Derriford Hospital in Plymouth im Gespräch. Ich bin sicher, er wird sie bekommen. Es freut mich so, macht mich so glücklich, dass er wirklich der Vater der Mädchen ist. Und er auch. Er war ganz begeistert, als die DNA-Testergebnisse zurückgekommen sind.«

»Die Mädchen wissen es noch nicht, oder?«

»Nein. Wir waren beide der Ansicht, dass sie nach allem, was geschehen ist, erst einmal etwas Ruhe brauchen. Keine weiteren Überraschungen für den Moment. Aber er hat vor, sie offiziell zu adoptieren, und ich bin sicher, er wird den richtigen Zeitpunkt wählen, ihnen zu erzählen, dass er ihr Daddy ist.« Sie lächelte mich an. »Und ich glaube, ich werde meine andere Enkelin auch bald treffen«, sagte sie fast ein wenig schüchtern.

»Isabella? Das ist großartig. Hat sie mittlerweile alles verarbeitet?«

»So ziemlich, denke ich. Sie hat Jack geschrieben und ihn gebeten, mir auszurichten, sie käme im Sommer rüber. Sie will Arthur sehen und ihre kleinen Schwestern treffen.«

Annie und Eric schenkten Glühwein aus einer gewaltigen silbernen Bowlenschüssel auf der Anrichte aus. Jack schüttelte den Kopf, als sie ihm ein Glas anboten. »Nein, danke. Ich bin noch nüchtern genug, um zu fahren, aber wenn ich noch mehr trinke, ist damit Schluss.«

»Wo fährst du hin?«, fragte Chris überrascht.

»Zur Kirche in Talland. Ich will das Grab von Eloise besuchen. Ich möchte Rose und Violet mitnehmen, wenn das in Ordnung ist, Juliana.«

Ihre Augen wurden wieder feucht. »Ich denke, das ist eine wundervolle Idee, Jack. Darf ich mitkommen?«

»Und wir«, sagte ich. Ich schaute Chris an, und er stand sofort auf. Also fuhren wir sechs am Nachmittag des ersten Weihnachtstages hinüber nach Talland: Jack und seine kleinen Töchter, Juliana, Chris und ich.

Es dämmerte fast, als wir die Kirche erreichten, aber von den Glasfenstern schimmerte sacht das Licht herüber. Wir scharten uns um das Grab von Eloise. Jack redete sanft zu den Mädchen. »Legt diese Blumen auf Mummys Grab, meine Schätze. Es ist ihr Weihnachtsgeschenk von euch.«

Feierlich legten sie den Riesenstrauß aus Lilien und schönen weißen Christrosen ans Kopfende von Ellies Ruhestätte. Jack öffnete den Rucksack, den er mitgebracht hatte. Er nahm zwei Dutzend kompakte weiße Kirchenkerzen heraus. Er zündete jede einzelne an, und dann steckten er und Chris sie sorgfältig in das Erdreich. Sie flackerten freundlich, umringten Eloise wie starke kleine Soldaten, die Wache standen.

Ich neigte meinen Kopf und dankte im Gebet, dass Eloise Frieden gefunden hatte. Ich war mir dessen sicher. Seit dem Tag, als Ted ertrunken war, hatte ich nichts mehr von ihr gehört. Und obwohl ich sie vermisste, war ihr Schweigen das schönste Geschenk, das sie mir machen konnte.

Violet schaute hoch zu Jack.

»Denkst du, Mummy weiß, dass wir ihr Blumen und Kerzen gebracht haben?«, fragte sie.

»Da bin ich mir sicher, Schätzchen.«

Dann ergriff Rose scheu das Wort: »Jack? Hast du was dagegen, wenn ich dich Daddy nenne?«

»Ich auch«, piepste Violet.

Es herrschte kurz Stille. Juliana drückte ihr Taschentuch an ihre Augen.

Jacks Stimme war belegt vor Rührung. »Natürlich könnt ihr

mich Daddy nennen. Es würde mich sogar sehr freuen, wenn ihr mich Daddy nennt.«

Er nahm ihre Hände, und sie gingen den Pfad zurück in Richtung des überdachten Friedhofstors. Juliana folgte ihnen. Ich schaute Chris an. Ich konnte sehen, dass er gerührt war.

»Ich liebe dich, Cathy. Es tut mir leid wegen all dem Unsinn, den ich dir den ganzen Sommer über zugemutet habe. Ich weiß nicht, was ich mir dabei gedacht habe.«

»Ich liebe dich auch, Chris. Alles ist gut jetzt.«

Er legte seinen Arm um mich, und wir warfen einen letzten Blick auf das betörend schöne Grab meiner Freundin, das gedämpft in der Dunkelheit schimmerte, am Ende doch noch eine Zuflucht, ein Ort der Liebe und des Friedens.

Und als wir es anschauten, las ich noch einmal die Inschrift auf ihrem frisch errichteten Grabstein.

Gute Nacht, süße Eloise,
und Engelscharen singen dich zur Ruh'.

Danksagung

Dieses Buch verdankt meiner lieben Freundin Caron Keating sehr viel. Ihre und meine Familie teilten viele zärtliche und schöne Momente in Cornwall, wo wir beide ein Zuhause hatten. Caron starb im Jahr 2004 tragisch jung an Brustkrebs. *Eloise* wurde von ihrer tiefen Leidenschaft für die Mutterschaft inspiriert, die ich teile. Und ich bin dankbar für die Nachsicht ihres Mannes Russ und ihrer Mutter Gloria, dass ich diese Geschichte geschrieben habe, die natürlich ein Produkt der Phantasie ist und in keinem Zusammenhang mit der Realität steht.